ФРИДРИХ
НЕЗНАНСКИЙ

ФРИДРИХ НЕЗНАНСКИЙ

КТО БУДЕТ ПРЕЗИДЕНТОМ,

или

ДОСТОЙНЫЙ ПРЕЕМНИК

аст
ИЗДАТЕЛЬСТВО ОЛИМП

МОСКВА

УДК 821.161.1-312.4
ББК 84(2Рос=Рус)6-44
Н44

Серия «Из дневника Турецкого» основана в 2007 году

Серийное оформление А.А. Кудрявцева

Компьютерный дизайн: М.Р. Хафизов

В основе книги подлинные материалы как из собственной практики автора, бывшего российского следователя и адвоката, так и из практики других российских юристов. Однако совпадения имен и названий с именами и названиями реально существующих лиц и мест могут быть только случайными.

ISBN 978-5-17-045523-2 (ООО «Издательство АСТ»)
ISBN 978-5-9648-0156-6 (ООО «ИД «Русь»-«Олимп»)

ЧАСТЬ ПЕРВАЯ

ПОРАЗИТЬ НАСМЕРТЬ

1

Хозяин шел по коридору офиса. Походка его была неторопливой, но твердой, как у капитана дальнего плавания, сошедшего на берег в давным-давно знакомом порту и не ожидающего от местности никаких сюрпризов.

Глаза Хозяина глядели слегка исподлобья, однако он не забывал едва заметно кивать на каждое приветствие и жать изредка протягиваемые ему влажные от волнения руки.

— Добрый день, Виктор Олегович!

— Как съездили, Виктор Олегович?

— Как Москва?

— Нашли поддержку?

На все вопросы он отвечал короткими дежурными фразами — «да», «нет», «нормально», да иных от него и не ждали. Он шел по коридору, а офисные работники на мгновение задерживались у своих дверей, чтобы взглянуть ему вслед — на его широкую спину, обтянутую темно-серой шерстяной тканью костюма, на спину, широта и основательность которой говорила о том, что Хозяин крепко стоит на ногах и не собирается сдаваться, даже если против него ополчится весь мир.

Он подошел к приемной и широким жестом распахнул дверь.

Секретарша Татьяна, сидевшая за широким столом, уставленным оргтехникой, повернула голову и приветливо улыбнулась.

— Здравствуйте, Виктор Олегович!

— Привет, Танюша, — доброжелательно ответил он.

Некоторые его знакомые — такие же кабинетные начальники, как он, — приходили в ярость, если секретарши при их появлении не вскакивали с места и не бежали им навстречу с предупредительной улыбкой, готовые угодить в чем угодно — в любой мелочи, если на то будет желание босса.

Виктор Олегович Мохов был не такой. Виктор Олегович считал себя демократом и давным-давно убедил себя в том, что ему неприятны любые лизоблюдские поползновения подчиненных. Так ли это было на самом деле? Кто знает.

Мохов плотно прикрыл за собой дверь, подошел к секретарше и наклонился, растягивая большие, твердо очерченные губы в улыбку.

Густые вьющиеся каштановые волосы женщины были зачесаны назад. На аккуратненьком носике поблескивали очки в тонкой золотой оправе.

— Знаешь, лапа... — начал было Мохов, но тут в дверь приемной стукнули.

— Можно? — раздался вслед за тем глуховатый и негромкий голос.

Виктор Олегович резко выпрямился и оглянулся на дверь. Там стоял высокий, молодой мужчина лет тридцати пяти с желтым восточным лицом и слегка раскосыми, как у татарина, глазами.

— А, явился не запылился, — беззлобно и даже добродушно отреагировал на его появление Мохов. — Входи, раз пришел, не торчи в дверях.

Молодой человек вошел в приемную, улыбнулся и мимолетно подмигнул Татьяне. Ответной улыбки с ее стороны не последовало, и вошедший вновь напустил на себя деловито-серьезный вид.

— Топай в кабинет, — приказал ему Хозяин, — а я за тобой.

Мужчина, ни слова не говоря, прошествовал к кабинету.

— И дверь за собой прикрой! — крикнул ему вслед Мохов.

Молодой человек выполнил распоряжение Хозяина, и Мохов с Татьяной снова остались одни. Виктор Олегович снова нагнулся к секретарше и попытался поцеловать ее в губы, но она игриво уклонилась.

— Дверь открыта, — со смехом сказала Татьяна. — Нас могут увидеть.

— Плевать, — ответил Мохов. — Это мой кабинет, и я здесь хозяин.

— Ошибаетесь, Виктор Олегович, — таким же игривым тоном, как и прежде, сказала Татьяна. — Это моя приемная, и я здесь хозяйка.

— Пусть так, — согласился Мохов. — Один поцелуй, и я покину твою территорию, покорный, как комнатный щенок.

— Ну хорошо. Только один.

Виктор Олегович протянул губы и на этот раз не получил отпора.

— Ты моя радость, — прошептал он, ласково глядя на секретаршу. — Я соскучился.

— Я тоже, — ответила она, останавливая его легким жестом и взглядом. — Кстати, если вы забыли, вас дожидается Долгов в кабинете. Может, побеседуете с ним? Он сегодня уже пять раз заходил — все вас ожидал увидеть. Вы что, запретили ему вам звонить?

— Вовсе нет. Он сам не любит меня тревожить попусту.

— Ценный кадр, — усмехнулась Татьяна.

— Не то слово.

Мохов выпрямился, слегка поморщившись от хрустнувшего в спине позвонка, подмигнул Татьяне (почти с тем же выражением, что и давеча желтолицый помощник Долгов) и зашагал к кабинету. На ходу лицо его стало изменяться, словно его обрабатывали в «Фотошопе»: под глазами Хозяина снова появились мешки, щеки слегка обвисли, взгляд стал усталым — пока Хозяин дошел до кабинета, он постарел лет на пять.

* * *

Стоило Мохову войти в кабинет, как Долгов тут же вскочил с кресла. Виктор Олегович сделал небрежный жест рукой:

— Садись, садись. Чего скачешь, как макака.

Долгов вернулся в кресло, но сидел на нем теперь так, словно готов был в любой момент вскочить и броситься выполнять указание Хозяина.

Мохов неторопливо подошел к столу. Прежде чем сесть, он постоял немного у окна, глядя на зеленые кроны деревьев сквера, важно покачивающиеся на ветру. Все это время Долгов сидел в выжидательной позе и не сводил глаза с массивного затылка Хозяина. Наконец Мохов отвернулся от окна и, скрипнув кожаной обивкой, втиснул крепкий, широкий зад в кресло у стола.

— Ну как? — заговорил Долгов, пожирая Хозяина черными алчными глазами. — Поездка удалась?

— Можно сказать, что да, — задумчиво ответил Мохов. Одна его рука лежала на подлокотнике кресла, другая — на столе. Толстые пальцы небрежно постукивали по полированной столешнице из красного дерева. — Хотя... сам знаешь, Андрей, тут ничего нельзя сказать наверняка, — добавил Мохов, с едва заметной усмешкой глядя на помощника.

«Из кожи вон вылезет, чтобы доказать мне свою преданность, — не без удовольствия подумал он. — Ушлый парень. Люблю таких».

Андрей Долгов растянул тонкие губы в улыбку, парадоксальным образом совместив в этой гримасе вежливость, чувство собственного достоинства и подобострастное внимание.

— Я видел вас по телевизору, — негромко сказал он. — Держались вы молодцом.

— Ну, — улыбнулся Мохов, — что-что, а хорошо держаться я умею. Хорошая мина при плохой игре — это про меня. Хотя, должен признать, тут игра была довольно успешной. — Мохов сдвинул густые брови. — Схватка предстоит жестокая, Андрей, — серьезно сказал он. — Мы не должны думать, что победа у нас в кармане. Нельзя расслабляться.

— Да, да, Виктор Олегович, вы правы. — Андрей почесал ногтем большого пальца кончик носа, прикрывая мелькнувшую на губах лукавую усмешку. — Но, полагаю, теперь-то мы можем пустит плакат в тираж?

— Плакат? Какой плакат? — спросил Мохов, хотя прекрасно понимал, о каком плакате идет речь.

«И отчего это все политики так любят пококетничать?» — пронеслось в голове у Долгова. Впрочем, он относился к слабостям Хозяина вполне лояльно. В некотором смысле они его даже умиляли.

Речь шла о плакате, на котором Виктор Олегович был изображен рядом с Президентом России. Президент смотрел Мохову в глаза и крепко пожимал ему руку.

«Я на тебя надеюсь», — гласила подпись внизу.

— Я говорю про имиджевый плакат, — напомнил Андрей.

Мохов вскинул брови:

— Имиджевый?

«Ну это уже слишком», — подумал Андрей.

— А-а-а, — наконец-то «созрел» Мохов. — Ты о том плакате, на котором я с Президентом?

— О нем-с, — шутливо кивнул Долгов (в общении с боссом он любил изредка привешивать к словам это иронично-архаичное «с»). — Мы можем отдавать его в тираж?

— Гм... — Мохов задумчиво почесал пальцем подбородок. — Даже не знаю... Не рано ли?

— Самое время, — сказал Андрей.

— Что ж... — Мохов еще немного поломался и наконец кивнул: — Распорядись, пожалуй.

Долгов тут же подскочил с кресла.

— Постой, — остановил его Виктор Олегович, задумчиво шевеля бровями.

Долгов замер с папкой под мышкой, всей своей сухопарой, но жилистой фигурой изображая готовность.

— Я, брат, тут подумал... помнишь, ты мне говорил про «черные» листовки?

— Как не помнить, — с благодушной улыбкой отреагировал Долгов.

— Так вот, нам бы этого не надо... Вокруг и так полно грязи. — Мохов сверлил помощника глазами. — Как считаешь, я прав?

— Конечно, правы, Виктор Олегович. На данном этапе не стоит прибегать к «запрещенным приемам». Но можно оставить их на потом... так сказать, в качестве резерва.

— Что значит «оставить»? — сдвинул брови и подбавил холодка в голос Мохов.

— Ну не уничтожать дизайнерские наработки, — объяснил Долгов. — Все-таки люди старались — придумывали, писали, рисовали, нанимали людей... За этим стоит труд целого коллектива.

— Коллектив получает за это большие деньги, — отрезал Виктор Олегович.

— Вы правы, — мгновенно согласился Долгов. — Мы просто отложим все эти наработки... Э-э-э... Так сказать, сдадим их в архив.

Мохов посмотрел на помощника и брезгливо поморщился. Отчего-то в эту минуту внешность Долгова показалась ему особенно нерусской и неприятной.

— Никаких архивов, — сердито сказал он. — Мы ведем честную борьбу. И мы победим. Потому что на нашей стороне — правда. Все понял?

— Так точно-с, — старомодно шаркнул ножкой Долгов. — Признаться, мне и самому не по душе вся эта грязь. Такой человек, как вы, должен воевать с открытым забралом.

Слова про «открытое забрало» явно пришлись Хозяину по душе. Он снисходительно усмехнулся:

— Молодец, понял. Я всегда знал, что ты смышленый малый, Андрюша.

— Под вашим чутким руководством и набитый дурак станет смышленым малым, — шутливо польстил Хозяину Долгов. — Я могу идти?

— Ступай, — кивнул Виктор Олегович.

Долгов сжал папку под мышкой, кивнул и вышел из кабинета своей резвой, слегка подпрыгивающей походкой.

В приемной он остановился у стола, за которым сидела секретарша, криво усмехнулся, отчего в его желтом лице появилось что-то хитро-звериное, и тихо сказал, вперив в лицо девушки небольшие черные глаза:

— Ты не передумала?

— Нет, — ответила Татьяна холодно, но так же негромко, как и он. — И не передумаю.

— Может, да, а может, нет, — заметил на это Долгов, щуря блестящие глаза. — Может, встретимся сегодня после работы в баре и поговорим об этом?

— Не думаю, что это хорошая идея, — сказала Татьяна.

— А мне она кажется вовсе даже неплохой, — весело возразил Долгов.

Девушка на это никак не отреагировала.

— Мне всегда нравилась твоя твердость, — заявил вдруг Долгов. — Именно поэтому я выбрал тебя. Беспринципных сучек вокруг много, а настоящих женщин... — Он слегка прищурил глаза и удрученно покачал головой, давая понять, что относит Татьяну к особому роду женщин, которых он, несмотря на весь свой западный цинизм и всю свою восточную презрительность к слабому полу, готов уважать.

— Я это ценю, — слегка насмешливо сказала Татьяна.

— Значит, сегодня в баре, в семь часов вечера, — твердо, но мягко сказал Долгов. — Буду тебя ждать и не уйду, пока ты не придешь.

Татьяна окинула его насмешливым взглядом:

— Ты так уверен, что я приду?

— А как же? — улыбнулся Долгов.

Во взгляде девушки появилась неуверенность.

— Но семь часов — это слишком рано, — сказала она, покусывая нижнюю губу. — Хозяин...

— Сегодня он поедет домой раньше обычного, — не дал ей договорить Долгов. — Он очень устал. Поездки в Москву сильно его выматывают.

— Но ведь эта поездка оправдала все его надежды, — с легким недоумением возразила Татьяна.

Долгов пожал острыми плечами:

— Все равно. Он смертельно устал, хоть и скрывает это. Тем более в верхнем ящике его стола лежит новая бутылка «бифитера». — Долгов дернул губой. — А ты лучше меня знаешь, что, пропустив под вечер стаканчик джина, он, как верная собака, приползает домой.

Зрачки девушки сузились.

— Что-то ты сегодня разговорчив. Что, если он тебя услышит?

— И что с того? Я его самый верный человек. Единственный, на кого он может положиться, как на самого себя.

— Похоже, ты гордишься этим, Долгов? — с насмешливым вызовом произнесла Татьяна.

Он небрежно дернул плечом:

— Приятно знать, что для кого-то ты незаменим. — Долгов глянул на часы. — Ладно, мне нужно бежать. Не забудь: в баре, в семь часов вечера. Опоздаешь больше чем на двадцать минут, я буду сильно недоволен. Адьес!

Долгов помахал рукой на итальянский манер, так, словно в ней была шляпа, и вышел из приемной.

После его ухода Татьяна с минуту сидела в глубокой задумчивости. На ее тонком лице отразилась сложная гамма чувств — от печали до скрытого испуга. Потом тряхнула волосами, словно приходя в себя, и протянула руку к телефону.

2

Хозяин снял пиджак и бросил его на спинку стула. Затем сел в кресло, сбросил туфли и блаженно откинулся на спинку кресла, вытянув гудящие ноги. Протянув руку, он достал из деревянного хьюмидора толстую сигару, откусил кончик, швырнул его в пепельницу, затем сунул сигару в рот и раскурил ее от длинной спички.

Кабинет наполнился едким запахом сигарного дыма.

Виктор Олегович немного покурил, щуря глаза и разглядывая замысловатые клубы сизого дыма, затем, словно вспомнив о чем-то, нажал на кнопку коммутатора.

— Таня?

— Да, Виктор Олегович, — раздался из динамика звонкий голос секретарши.

Мохов представил себе рот девушки, ее полные губы, ямочку над верхней губой и улыбнулся:

— Зайди ко мне, пожалуйста.

— Хорошо, Виктор Олегович. Кофе занести?

— Кофе? — Мохов на секунду задумался, затем качнул головой: — Нет, не надо. Свеженькой минералки бы.

— Хорошо, Виктор Олегович, я принесу.

«Единственная девушка в моей жизни, которая всегда говорит «да», — подумал Мохов и улыбнулся в предвкушении приятного отдыха.

Когда через минуту Татьяна вошла в кабинет, Хозяин был уже обут. В его толстых пальцах по-прежнему дымилась сигара.

— Опять вы курите, — с упреком сказала девушка, поставив на стол хрустальный графин с холодной минеральной водой.

— Сигары не приносят вреда, — сказал Мохов, разглядывая крепкое бедро секретарши. — Не веришь — спроси у моего врача.

— Ваш врач говорит вам только то, что вы хотите услышать.

— И правильно делает. Иначе на кой черт он мне сдался, — пошутил Виктор Олегович. — Впрочем, мне приятно, что ты за меня волнуешься.

Мохов протянул девушке руку, а другой похлопал себя по коленке. Татьяна проследила за его рукой и насмешливо приподняла тонкую бровь:

— Вы уверены?

— Еще как, — пробасил Мохов.

— Что ж...

Татьяна усмехнулась и села Хозяину на колени.

— Лапа моя... — нежно проговорил он. — Всегда такая аппетитная...

Он провел широкой ладонью по гладкому бедру девушки. Затем наклонился и поцеловал белую нежную коленку.

— Самые красивые ноги на планете, — с нежностью в голосе проговорил Мохов.

— Да ну?

Татьяна обвила шею босса руками и потерлась нежной щечкой о плохо выбритую щеку Мохова.

— Ох, Виктор Олегович, вы такой колючий.

— Прости, золотце. Не успел побриться.

Виктор Олегович попытался поймать губами ее губы, но Татьяна со смехом отстранилась. Она легонько стукнула босса пальцем по кончику носа и весело сказала:

— Теперь я знаю, что вам подарить на день рождения.

— Что?

— Электробритву!

Мохов поморщился:

— Не люблю электробритв. Лучше устрой мне День Большой Любви.

— Для этого не обязательно дожидаться дня рождения.

— Да, ты права.

Мохов оттянул пальцем край кофточки девушки и поцеловал ее в ключицу, затем запустил руку ей под юбку. Девушка вздрогнула и перехватила его запястье.

— У вас совещание через десять минут.

— За десять минут я успею тебя...

На столе запиликал мобильный телефон.

— Черт, — выругался Мохов. — Забыл отключить. Не обращай внимания.

Но телефон продолжал пиликать.

— А если что-то важное? — сказала Татьяна.

— Плевать!

Девушка вытянула шею и посмотрела, какой из трех мобильных телефонов, уложенных рядочком на столе, звонит.

— Между прочим, красный, — сказала она. — Мне кажется, это ваша жена.

— А, чтоб тебя... — Мохов поморщился. — Вечно она не вовремя. Будь добра, подай мне трубку.

Татьяна наклонилась к столу, зависнув роскошной грудью над лицом Мохова. Он прорычал и шутливо ухватил ее зубами за кофточку. Девушка легонько шлепнула Хозяина ладошкой по темени и протянула ему телефон.

— Как я и говорила — ваша жена.

Виктор Олегович поморщился.

— Алло?.. — сказал он в трубку. — Да, милая... Да... Нет, ну что ты... Просто у меня сел аккумулятор... Хорошо, постараюсь...

Мохов посмотрел на Татьяну и скорчил ей гримасу. Она усмехнулась в ответ.

— Да... — продолжил говорить он в трубку. — Конечно, скучал. Как ты можешь сомневаться?

Виктор Олегович запустил свободную руку секретарше под кофточку.

— Конечно... Да... Золотце мое, ты мне снилась две ночи подряд... О, да!.. Обещаешь?

Татьяна наклонилась к Мохову и, шаля, провела губами по мочке его уха. Виктор Олегович с наслаждением поежился.

— Да, золотце, постараюсь прийти пораньше...

Татьяна пощекотала волосатое ухо Хозяина кончиком языка.

— О-о-о... — не выдержал Виктор Олегович. — Что?.. Да нет, тебе послышалось... Да, золотце, до вечера. Целую!

Мохов отключил связь и швырнул трубку на стол.

— Ах ты, шалунья! — сипло и возбужденно проговорил он, стискивая секретаршу в объятиях. — Сейчас я тебя съем!

Татьяна вновь уклонилась от его мокрых губ и засмеялась.

— Не сейчас. Слишком мало времени. Лучше расскажите, как съездили?

— Как съездил? Да как съездил... — Мохов пожал могучими плечами и самодовольно усмехнулся: — В целом неплохо. Думаю, высочайшая поддержка мне обеспечена.

— Я же вам говорила — Президент вас поддержит. Особенно после последней акции. Не зря я вам подкинула эту идею.

— Да, малышка. Я ценю то, что ты для меня сделала.

В самом деле, несколько месяцев назад Татьяна... дело было в постели, после бурного секса — в такие моменты подобревший и размякший Мохов был... — так вот, пару месяцев назад Татьяна посоветовала боссу организовать молодежный фонд «Поколение-XXI». Мохову идея понравилась, и он сделал ..., вложив в это дело силы, душу и, что особенно важно, немалые финансовые средства. Вскоре фонд заработал на полную силу, организуя спортивные секции, кружки по интересам, компьютерные клубы, балетные школы, футбольные первенства, математические олимпиады и т. д. и т. п.

Ход оказался очень удачным. До того удачным, что однажды Виктору Олеговичу позвонили из Кремля. О деталях того достопамятного разговора Мохов не распространялся, однако, судя по тому, как начинали светиться его глаза при упоминании о «том звонке», разговор был чрезвычайно приятный.

Однако пришло время описать внешность Виктора Олеговича Мохова. Это был невысокий широкоплечий мужчина сорока восьми лет, с открытым широким лицом, крупным носом и небольшими серыми глазами, которым Виктор Олегович умел придавать любое выражение — от холодной мрачности до мягкого дружелюбия. Круглую голову Мохова украшали густые еще, коротко стриженные волосы красивого серебристого цвета. Рот у Виктора Олеговича был небольшим, но полногубым и чрезвычайно подвижным, что придавало его лицу выражение детской непосредственности, которое так нравилось женщинам.

Когда-то Виктор Олегович серьезно занимался греко-римской борьбой и до сих пор, несмотря на (мягко говоря) не слишком праведный и спортивный образ жизни, обладал недюжинной физической силой, что и любил демонстрировать при каждом удобном случае.

* * *

Андрей Долгов сидел за небольшим столиком у окна и пил пиво, держа высокий бокал в длинных и гибких, как у музыканта, пальцах. Отхлебывая пиво маленькими глотками, он поглядывал в окно.

Долгов обожал смотреть на прохожих. Первый раз попав в Париж (было это лет этак пять назад), он сильно удивился манере французов использовать в качестве террас даже самые узкие тротуары. Выставят столы и стулья в рядок, усядутся на них с бокалом вина или «кир-рояля» в руке и глазеют на прохожих. Как в театре. Ну не дураки ли?

Недоумению Долгова пришел конец, когда он сам попробовал почувствовать себя в роли зрителя. Сел за круглый столик возле Пале-Рояля, заказал бокал «кира», развалился на стуле и стал смотреть на спешащих мимо людей.

Поначалу глазел исключительно на девушек, скептически оценивая их сексуальность (ставим плюс) или полное отсутствие оной (ставим жирный минус). Затем вдруг поймал себя на том, что таращится не только на голые щиколотки и туго обтянутые джинсами и юбками попки женщин, но и на вот этого старика с лукавой и гордой физиономией египетского фараона, и на того парня с прической «ирокез», и даже на (стыдно сказать) парочку толстых американок (тщетно пытаясь угадать: которая из них мать, а которая — дочь).

Одним словом, он понял и оценил кайф бульварного «подглядывания» за прохожими. Смотреть на людей гораздо интереснее, чем смотреть на огонь или на льющуюся воду, решил Долгов.

Вот и сейчас, сидя в одном из ресторанчиков Москвы, он занимался тем же, чем на террасе знаменитой «Ротонды», — глазел на прохожих и размышлял. А размышлял он вот о чем.

«Что, если бы я выиграл в лотерею миллионов этак двести? На что бы я их потратил? Ну, скажем, в бизнес я бы вложил процентов шестьдесят от этой суммы. А на остальные... э, закутил бы так, чтобы земной шар дрогнул. Оттянулся бы по полной, а потом хоть в гроб. Гм... Но если так, тогда зачем мне вкладывать деньги в какой-то бизнес? Прокутить все двести миллионов! Так, чтобы в Африке отозвалось! Устроить самый большой сабантуй в истории человечества! Тогда человечество точно запомнит Андрюшу Долгова».

Когда Долгов отдыхал, его мысли часто кружились вокруг подобных пустяков. Он был чрезвычайно тщеславен, но как-то так получалось в жизни, что судьба отказывала ему в шансе проявить себя. Лет восемь назад Долгов попробовал свои силы в бизнесе. Были кое-какие успехи, но вскоре Андрей понял: все, что ему светит, это стать одним из миллиона бизнесменов средней руки, которые гробят свою жизнь в бесконечных схватках с поставщиками, юристами и налоговой инспекцией.

Завязав с бизнесом, Андрей решил попробовать себя на литературном поприще. Он, что называется «на одном запале», написал три детективных романа и развез их по издательствам.

Ответов пришлось ждать целый месяц.

«Возможно, мы опубликуем эти книги, если вы согласитесь кое-что в них исправить», — гласил один ответ.

«Сюжет вял, герои не прописаны, мотивации не определены», — гласил второй вердикт.

«Романы нам понравились, но опубликовать мы их не можем, так как соответствующие серии закрыты по причине неокупаемости проектов», — было написано в письме из третьего издательств.

Так Долгов понял, что в нашей стране лавры Стивена Кинга, который стал состоятельным человеком, получив гонорар от первой же проданной книги, ему снискать не удастся. Стать знаменитым писателем в нашей стране — это целый процесс, кропотливый, трудоемкий, длительный и — увы — практически не берущий в расчет талант автора.

Разочаровавшись в писательстве, Долгов решил стать политиком. Он перетряхнул свои старые знакомства и нашел человека, который помог ему устроиться помощником депутата. Вскоре выяснилось, что никакой политикой Долгову заниматься не нужно. А что нужно? Мотаться по городу с кипой бумаг, получать подзатыльники от недругов шефа, подыскивать шефу девочек на его вкус и подтирать за ним блевотину перед входной дверью, когда он возвращается домой после изматывающего отдыха в сауне.

Итак, с карьерой политика также было покончено.

Чем же еще заняться? В чем себя проявить? На государственной службе? Пятнадцать лет нудной работы в надежде на то, что тебя заметят и поставят на «важный» пост — каким-нибудь третьим заместителем второго помощника? Благодарю покорно, идиотов нет.

Идти к вершине долгим путем Долгова не устраивало. Он верил в то, что есть какие-то другие пути к славе и почету — более короткие и, как следствие, более эффектные.

Пять лет назад на пути Долгова встретился Виктор Олегович Мохов. Вернее — Андрюша Долгов встретился на пути Мохова.

Хозяин (а про себя Долгов называл босса только так) произвел на бывшего помощника депутата сильное впечатление. «Вот человек, который сделал себя сам, — подумал тогда Долгов. — Он, как ледокол, прет вперед, не обращая внимания на льды и морозы. По пути к цели ломает грудью всё, что стоит у него на пути, перемалывает чужие жизни».

В то время Хозяин еще не был Хозяином. Он был всего-навсего бизнесменом — владельцем двух гостиниц, нескольких авторемонтных мастерских да еще кой-какой мелочи.

Познакомились они при весьма интересных обстоятельствах. Мохов, будучи сильно навеселе (ох, любил Хозяин это дело), выходил из ресторана. Выходил-то Виктор Олегович нормально (насколько вообще может быть нормальным человек, приговоривший литровый графин водки), но едва переступил порог ресторана, как в голове у него помутилось, а в глазах замелькало.

«Развозит, — успел тогда сообразить Мохов. — Надо что-то предпри...»

Однако предпринять он ничего не успел. Лишь увидел, как асфальт покачнулся и стал стремительно приближаться к лицу, пока не стукнул Мохова по лбу.

«Развезло», — понял Виктор Олегович и, будучи по природе фаталистом, отдался во власть враждебных стихий, позволив этим стихиям делать с собой все, что им заблагорассудится. Сквозь вату в ушах он услышал чьи-то торопливые шаги, а потом почувствовал, как чьи-то ловкие пальцы шарят у него по карманам.

Мохов сделал над собой усилие и слегка приоткрыл глаза. Реальность продолжала метаться перед глазами, и в центре этой свистопляски Мохов увидел подпрыгивающее и двоящееся желтое пятно.

— Ты кто? — выдавил из себя Виктор Олегович.

— Прохожий, — ответил незнакомец, продолжая обшаривать карманы Мохова.

Виктор Олегович хотел смазать наглецу по морде, но промахнулся и завалился набок.

— До... документы не трогай, — прохрипел он, поняв, что печься о целости бумажника поздновато.

— Не трону, — пообещал незнакомец.

— Спасибо, — выдохнул Мохов, закрыл глаза и окончательно отключился.

Сквозь хмельную дрему он слышал какие-то шумы, ощущал прикосновение чужих рук, но все это было где-то там, далеко-далеко, за пределами огромного тела, которое вдруг стало Виктору Олеговичу чужим, а сам он превратился в крошечный, слабо пульсирующий проблеск сознания, окутанный со всех сторон бесконечной, давящей тьмой.

Первое, что увидел Мохов, придя в себя, было то же желтое пятно. Только теперь оно приобрело черты и превратилось в лицо раскосого, ухмыляющегося парня.

— Ну? — сказал парень. — Очнулись?

3

Виктор Олегович почувствовал, что по лицу его бежит что-то холодное.

— Это... — попытался он выговорить.

— Вода, — договорил за него парень. — Холодная минералка. Я протер ею ваше лицо.

— За...зачем?

— Чтобы вы пришли в себя.

— Зачем? — снова спросил Мохов, пытаясь сосредоточиться на лице парня.

— Вы очень упитанный господин, — весело ответил незнакомец. — Мне тяжело будет вас тащить. Может, попробуете пойти сами?

Мохов поднял ватную руку и провел ладонью по лицу.

— Ух... — проговорил он. Затем пошевелил головой, пытаясь оглядеться, поморщился от боли и промямлил: — А... где я?

— В своей машине, — ответил парень. — Я достал из вашего кармана ключи, подогнал машину к двери ресторана, погрузил вас и привез сюда.

— Погрузил... — повторил Мохов и сощурил тяжелые веки. — Как погрузил?

— Не один, конечно. Вместе с охранником ресторана. Пришлось ему немного заплатить. Кстати, ваш бумажник у вас в кармане. Можете проверить — все деньги на месте. Кроме двадцати баксов, которые я отдал охраннику за помощь в транспортировке. — Незнакомец усмехнулся. — Однако хорошо же вы погуляли, Виктор Олегович.

Мохов попробовал подняться — молодой человек тут же пришел ему на помощь. В висках у Виктора Олеговича стучало. Кряхтя и морщась от боли, он сел, обвел дикими глазами салон машины, остановил взгляд на незнакомце и сказал:

— А ты, брат, откуда меня знаешь?

— Оттуда же, откуда узнал ваш адрес. Из вашего паспорта. Кстати, если я не ошибся, мы сейчас находимся аккурат возле вашего подъезда.

— Да? — рассеянно сказал Мохов, выглянул в окно, облизнул опухшим языком пересохшие губы, снова посмотрел на парня и грубовато спросил: — Это ты меня сюда привез?

— Я, — смиренно ответил тот. — Уж простите за самоуправство.

— Ловко, — сказал Виктор Олегович и через силу усмехнулся. Он уже начал трезветь, а значит, с момента выхода из ресторана прошло не меньше часа.

— Так как? Вы можете идти? — поинтересовался, разглядывая его взлохмаченную голову, незнакомец. — Или мне еще кого-нибудь нанять в помощники?

— Не надо помощников, — сказал, уже вполне овладев своим голосом, Виктор Олегович. — Дай мне минут десять, и я буду как огурчик.

— Ну это вряд ли, — улыбнулся парень. — Так быстро никто не трезвеет.

— Я трезвею, — ответил Мохов. Он сглотнул слюну и снова поморщился. — Слушай, приятель... возьми деньги и сгоняй в магазин за холодным квасом, а? Сушняк душит, мочи нет.

Желтолицый парень криво ухмыльнулся.

— Я не приказываю, я прошу, — проговорил Мохов. — И я тебе... заплачу.

Незнакомец брезгливо дернул губой.

— Оставьте ваши деньги при себе, — сухо сказал он. — Если бы я хотел, я бы давно уже выпотрошил ваш бумажник.

— Да... Прости...

В голове у Мохова бухнуло, и он застонал. Парень вгляделся в его искаженное болью лицо.

— Я принесу квасу, — тихо сказал он. — Где здесь ближайший магазин?

— Там... — Виктор Олегович слабо махнул рукой. — За углом... дома.

Парень кивнул и выбрался из машины. Спустя десять минут Мохов пил из горлышка пластиковой бутылки ледяной квас — жадно, большими глотками, чувствуя, как постепенно проясняется его голова и отпускает похмелье.

Когда бутылка опустела, Виктор Олегович вытер мокрый рот рукавом пиджака, рыгнул и сказал:

— Ну вот. Теперь я в норме. Спасибо, приятель, ты здорово меня выручил.

— А ведь вы и правда протрезвели, — удивленно произнес парень. — В первый раз такое вижу. Как вам это удалось?

— Такой организм, — ответил Мохов, с любопытством разглядывая незнакомца.

Тот улыбнулся и отвел взгляд — но вовсе не потому, что смутился, а словно бы из вежливости, будто боялся, что прямой взгляд может показаться собеседнику невежливым. Мохов понял и оценил.

— Как тебя зовут, приятель? — спросил он.

— Андрей. Андрей Долгов.

— Андрей, — повторил Виктор Олегович, кивнул и снова поморщился.

— Похмелье-с? — иронично осведомился парень.

— Угу... Не сразу отпускает. Слушай, — Мохов снова посмотрел на парня, — а ты чем занимаешься?

— В смысле? — вскинул бровь желтолицый парень.

— Чем зарабатываешь себе на жизнь?

Тот пожал плечами:

— В данный момент ничем. С прошлой работы ушел, а на новую еще не устроился.

— Образование есть? — снова спросил Мохов.

— Высшее техническое. Плюс два курса на факультете психологии.

— Хорошо. — Мохов немного помолчал, потом заговорил снова: — Мне нужен толковый помощник... А ты, я вижу, малый ушлый. И честный. Будешь работать хорошо и держаться возле меня — сделаешь себе карьеру.

Парень помолчал, обдумывая предложение, слушал внимательно, чуть склонив голову набок. Если он и был удивлен, то по лицу его никак нельзя было этого заметить.

— Ну как? — спросил Мохов, наблюдая (и не без скрытого удовлетворения) за реакцией парня. — Согласен со мной работать?

— Два вопроса: сколько будете платить и что мне нужно будет делать?

— Делать будешь то, что я прикажу. А плата... на жизнь хватит. Уж ты мне поверь.

Мохов не обманул. На жизнь Андрею Долгову действительно хватало. Правда, на жизнь скромную, без излишеств. Да Долгову много и не надо было. Раздумывая о своей жизни, он частенько с усмешкой на узких губах шептал про себя крепко запавшие в память еще со школы строки:

Мне и рубля не накопили строчки,
    краснодеревщики не слали мебель на дом.
И кроме свежевымытой сорочки,
    скажу по совести, мне ничего не надо.

Работы первое время было немного. Долгов часами просиживал в приемной босса, вытянув ноги, ковыряя спичкой в зубах и ожидая распоряжений. Задания, которые давал босс, были в основном плевые — отвези, привези, позвони и договорись. Долгов отвозил, привозил, звонил, договаривался. На лишнюю работу он не нарывался, а ту, что была, выполнял ответственно и без проволочек. Он словно предчувствовал, что это всего лишь начало, что-то вроде испытания. Так оно и вышло.

Вскоре Мохов вызвал его к себе и сказал:

— Ты оправдал мои ожидания, приятель. Но все, чем ты занимался до сих пор, — пустяки. С сегодняшнего дня у тебя начнется новая работа. У тебя наверняка есть приличный костюм. У такого парня, как ты, не может не быть приличного костюма, — с нажимом повторил он. — Сгоняй домой и надень его. Потом возвращайся сюда. Получишь важное задание.

Долгов сделал, как велел Хозяин.

— Знаешь Сваровского? — спросил Мохов, когда он вернулся.

— Как не знать, — усмехнулся Долгов. — Персона известная.

— Ты наблюдал, как я веду дела, и уже во многом разбираешься. Не возражай, я это понял.

Долгов пожал плечами:

— Я не возражаю.

— Молодец. Сваровский отказался от сотрудничества. Это я о новой паевой компании... Знаешь?

— Да. Я слышал, как вы вели переговоры по телефону, — спокойно ответил Долгов.

— Поедешь к нему и попробуешь его уговорить. Дело дохлое, но если сумеешь хоть чем-то его зацепить, получишь э-э-э... хороший бонус... Как? Готов? Ну тогда езжай.

— Слушаю-с, — усмехнувшись, ответил Долгов.

* * *

— Я от Виктора Олеговича Мохова.

— Да, я в курсе. Что вы хотите?

Долгов слегка прищурил черные глаза, чтобы тень длинных восточных ресниц прикрыла их блеск, и сказал:

— Я бы хотел поговорить насчет паевого фонда, который организует Виктор Олегович. Мне кажется, вам будет очень выгодно принять участие в его...

— Зачем мне это? — неприязненно перебил его Сваровский. — У меня своя дорога, у вашего босса — своя. Да и Мохову это ни к чему. У него уже есть партнеры. К тому же... — Сваровский едва заметно усмехнулся. — У меня будет своя паевая компания, партнеры и специалисты в избытке.

— Вот в чем дело, — улыбнулся Долгов. — Я, собственно, и не ждал, что вы вот так, сразу, согласитесь. Но тогда, может быть, вы захотите прикупить себе пакет?

Сваровский хмыкнул:

— С какой стати?

— Чтобы помочь мне закрепиться на месте помощника Мохова, — мягко и как-то даже по-приятельски ответил Долгов.

Брови Сваровского взлетели вверх.

— Полагаю, вы поясните ваши дикие слова? — холодно поинтересовался он.

Долгов кивнул:

— Разумеется. — Он чуть подался вперед и заговорил доверительным, бархатным голосом: — Видите ли, Лев Константинович, я много о вас читал. Меня всегда интересовали персоны вашего ранга. Великие люди, которые сами сделали свою судьбу.

— Судьбу сделать невозможно, — возразил Сваровский, не слишком, впрочем, сердито. — Ей можно только следовать.

— Пусть так, — улыбнулся Долгов. — Но в таком случае вы крепко ухватили ее за хвост. Я знаю некоторые моменты вашей биографии. Вы ведь родом из Алтайского края?

— И что с того?

— Мы с вами земляки, Лев Константинович. Я так же, как и вы, родился и вырос в Новоалтайске. Мы с вами даже в одну и ту же школу ходили.

— Да ну?

Лицо Сваровского слегка посветлело.

— Я, собственно, поэтому и согласился надоедать вам, чтобы только с вами увидеться и поговорить. Татьяна Федоровна мне много о вас рассказывала. Она до сих пор уверена, что вы — ее лучший ученик и что вам следовало пойти в науку.

— Да уж... — Сваровский улыбнулся. — Она меня всегда любила. И переоценивала мои таланты.

— Она до сих пор хранит ваши задания с олимпиад, особенно с той, восемьдесят второго года. Когда вы предложили оригинальное решение задачи.

— Ну не такое уж и оригинальное, — польщенно проговорил Сваровский, с интересом поглядывая на Долгова.

Долгов покачал головой:

— Я видел вашу работу. Это блестяще. Честно говоря, вы еще в школе стали моим кумиром. Я даже поставил себе за цель — добиться ваших успехов. Но, увы, мои способности гораздо ниже ваших. Тем не менее я не теряю надежды.

— Это понятно, — нетерпеливо проговорил Сваровский. — Но лучше расскажите, как там Татьяна Федоровна? Здорова ли?

— Умерла. Еще год назад. Двусторонняя крупозная пневмония. Я был в больнице в ее последний день, и это... было очень тяжело.

Лицо Сваровского стало грустным.

— Да, понимаю, — сказал он. — Ах, как грустно. Она была очень хорошим человеком.

— Очень, — сказал Долгов.

— Да... Гм... — Сваровский смерил Долгова задумчивым взглядом. — Так вы, стало быть, мой поклонник?

— Был им, — с иронией в голосе сказал Долгов. — И, как ни странно, остаюсь.

— И вы хотите сделать карьеру в бизнесе?

— Скорей уж в политике, — поправил Долгов. — Мне кажется, что у Виктора Олеговича есть большой потенциал в этой области.

— Да... Политик из него получится. Он не слишком дипломатичен и не слишком сдержан в развлечениях, но хватка у него бульдожья. Да и знакомства с кем нужно он водить умеет. — Сваровский побарабанил пальцами по крышке стола. — Знаете что... Как, вы говорите, вас зовут?

— Андрей.

— Знаете что, Андрей, партнером Мохова я не стану. И он это отлично знает. Думаю, он послал вас ко мне для проверки ваших деловых способностей. Однако я готов создать вам некую... репутацию. Передайте Мохову, что я куплю большой пакет. Скажем, тысяч на семьдесят пять. Это, конечно, мелочь, но он это оценит и вас для себя отметит. Думаю, он и этого не ожидал. Просто хотел испытать вас боем и поражением.

— Я тоже так думаю, — с улыбкой сказал Долгов.

— Вы кажетесь мне дельным малым, — доброжелательно заметил Сваровский. — И если не будете воровать и пьянствовать, далеко пойдете. Позвоните мне как-нибудь — поболтаем о нашей малой родине.

— Обязательно позвоню.

Сваровский мельком глянул на часы. Долгов заметил это и быстро поднялся со стула.

— Извините, если показался вам слишком навязчивым, Лев Константинович.

— Да ничего страшного. Я даже рад был с вами познакомиться.

— А я тем более. Пойду, понесу Мохову хорошее известие.

Сваровский приподнялся с кресла и протянул молодому человеку руку. Тот вежливо, но «без фанатизма» ее пожал.

Рассказ о встрече со Сваровским Хозяин выслушал чрезвычайно внимательно, хотя и продолжал одновременно просматривать деловые бумаги, напялив для этой цели смешные маленькие очки с узкими стеклами.

— Ты и в самом деле учился в той же школе? — поинтересовался он, когда Долгов закончил рассказывать.

Тот усмехнулся:

— Да я даже не знаю точно, где этот Новоалтайск находится.

Виктор Олегович посмотрел на помощника поверх очков:

— Откуда взял информацию?

— Порылся перед встречей в Интернете, — просто ответил Долгов. — Ну и еще позвонил кое-кому из старых знакомых — журналистов.

— Молодец, — похвалил Хозяин. — Уметь добывать информацию — большой талант. Но еще больший талант — правильно ее использовать. Ты не боялся, что он тебя разоблачит?

Долгов небрежно пожал плечами:

— Определенные опасения, конечно, были. Но я на них не заострялся. Положился на авось и на свои актерские способности. Я ведь в юности занимался в театральной студии.

— Лучше скажи, чего ты в юности не делал, — улыбнулся Виктор Олегович. — Но тему просек правильно.

И правильно в доверие к этому кадру втерся. Но особо не задавайся. Сваровский не так прост, как любит казаться. Он лис ушлый.

— Я заметил, — кивнул Долгов. — Мне кажется, он хочет меня использовать в каких-то своих целях.

— Да понятно, в каких. Приятно иметь своего человека в чужом стане. Не удивлюсь, если он позвонит тебе, пригласит на встречу, а потом попросит информировать его о том, что происходит здесь.

Мохов взял графин и плеснул себе в стакан воды. Пока он пил, Долгов сидел молча, словно что-то обдумывал. Когда стакан босса опустел, Долгов слегка качнул головой, будто бы очнулся от забытья.

— Засланный казачок — не моя роль, — с вежливой улыбкой сказал он.

— Не твоя? — насмешливо сдвинул брови Хозяин.

— Никак нет-с, — ответил Долгов.

— Ох, приятель, жизнь показывает, что человек способен на любую роль. Даже самую распоганую. Даже самый распрекрасный человек. Поэтому, как говорила моя мама, не зарекайся. А сейчас я тебе хочу кое-что вручить.

Мохов открыл ящик стола, достал из него небольшой белый конверт и швырнул на стол.

— Это тебе.

— Аванс? — спокойно уточнил Долгов.

— Скорее, что-то вроде подъемных.

— Оправдал, значит, доверие-то? — с мягкой иронией в голосе поинтересовался Долгов.

— На девяносто девять процентов, — ответил Мохов.

— Значит, все-таки не на сто?

Мохов покачал головой:

— Нет, дружок. Сваровский ведь не согласился стать партнером.

Виктор Олегович посмотрел на вытянувшееся лицо помощника, подмигнул ему и весело расхохотался:

— Хватай конверт и топай домой. Советую тебе как следует отдохнуть, завтра у нас много работы.

4

Вспоминая об этом, Долгов удивлялся собственной прозорливости. Несколько лет назад, проходя мимо валявшегося возле дверей ресторана мужика, он, по сути, выбрал свою судьбу, и она, в свою очередь, слепила из него того, кем он был сейчас. А ведь было искушение взять бумажник «бухарика» и, как пишут в детективных романах, раствориться с темноте. Тем более что в бумажнике была круглая сумма. Сколько ж там было?..

Долгов наморщил желтый лоб.

Около штуки баксов, не меньше. По тем временам весьма кругленькая сумма. Можно было целый месяц валять дурака и ни хрена не делать.

— Эй, красавчик! — окликнул его мягкий женский голос. — Ты не меня ждешь?

Долгов отвернулся от окна и поднял взгляд на девушку.

— Привет, веснушка! — весело сказал он.

Татьяна (а это была именно она) наморщила носик.

— Я сто раз тебя просила не называть меня так, — сказала она, присаживаясь за стол.

— Почему? Тебе идет это прозвище.

Татьяна бросила сумочку на свободный стул и, доставая сигареты, покосилась на Долгова.

— Ты считаешь, что я конопатая? — с напускной сердитостью спросила она.

Долгов улыбнулся:

— Вовсе нет. Но несколько забавных веснушек на твоем носике вызывают у меня отцовские чувства.

— Остынь, папочка. — Татьяна вставила в губы тонкую белую сигаретку и чиркнула зажигалкой. Затем выпустила облачко дыма, помахала перед лицом рукой, отгоняя дым, и сказала: — У меня мало времени. Закажи мне что-нибудь выпить... А впрочем, не надо. Я не хочу ни пить, ни есть. Давай сразу к делу.

Она пристально посмотрела на Долгова и сощурила синие глаза.

— Что тебе от меня нужно?

— А разве ты не знаешь? — дернул бровью Долгов. — Просто я соскучился. Сколько мы с тобой не общались?

— Пару часов.

— Офис не считается, — возразил Долгов. — Я имею в виду...

— Мне плевать, что ты имеешь в виду, — грубовато, но довольно равнодушно перебила девушка. — И уж тем более я не собираюсь предаваться в твоем присутствии воспоминаниям о днях минувших. Что было, то было.

— Ты права, — смиренно согласился Долгов.

Говоря это, он опустил руку под стол и легонько погладил коленку Татьяны.

— Долгов! — тихо воскликнула она и смахнула его пальцы со своей коленки.

— Прости, золотце, не смог удержаться. Ты всегда так аппетитно выглядишь.

— Я не нуждаюсь в твоих комплиментах, — резко ответила девушка. Она сунула руку в сумочку, достала желтый кодаковский пакет и положила его перед Долговым.

Он посмотрел на пакет, затем поднял взгляд на Татьяну и спросил:

— Что это?

— То, что ты просил, — ответила она.

— Неужели? — На тонких восточных губах Долгова зазмеилась усмешка. — Так ты сделала? А я уж думал — не наказать ли тебя за строптивость. Ну-ну, не хмурься, веснушка. Я ведь шучу.

Девушка фыркнула:

— За такие шутки в зубах бывают промежутки.

Долгов поморщился.

— Оставь банальности для своего босса, — тихо сказал он.

— Он и твой босс тоже!

Долгов пожал плечами:

— А я не спорю. Но ты могла бы быть поласковее со мной. В самом деле, что нам делить? Мы с тобой в одной лодке, не забывай об этом.

— В одной лодке? Ой ли? — Татьяна прищурилась. Затем, не сводя взгляда с Долгова, кивнула подбородком на конверт. — Тогда зачем это?

— Чтобы расправиться с врагами Хозяина, — спокойно ответил Долгов. — А ты думала, зачем? Или я похож на мерзавца, который предает друзей?

— Скорей, на слугу двух господ, — сказала Татьяна.

Она сказала это ленивым, небрежным голосом, словно и сама не осознавала до конца, о чем говорит, однако Долгов бросил на нее быстрый, пристальный взгляд — словно прожег ее лицо огненным рентгеном. Татьяна медленно отвела глаза и вздохнула.

— Андрей, с некоторых пор я перестала тебя понимать, — устало произнесла она. Затем стряхнула с сигареты пепел и добавила: — Честное слово, иногда мне кажется, что ты просто сумасшедший.

— Не исключено, — улыбнулся Долгов. — Знаешь, веснушка, некоторые психологи считают, что сумасшествие и гениальность — это одно и то же. Ван Гог лежал в сумасшедшем доме, но он писал гениальные картины. Роберт Лоуэлл и Сильвия Плат вообще не вылазили из психушки.

— А кто это? — насторожилась Татьяна.

— Неважно. Гении.

— Хорошо, если так. Только мне кажется, что вместо Нобелевской премии ты когда-нибудь получишь направление в дурку. Завернут тебя, лапочку, в мокрую рубаху, вколют укольчик и бросят в комнату с мягкими стенами. Чтобы голову себе не расшиб.

— Рад, что ты за меня переживаешь.

Долгов взял конверт, мельком заглянул в него, удовлетворенно кивнул и спрятал конверт во внутренний карман пиджака.

— Трепещите, враги! — весело проговорил он. — Теперь жизнь Хозяина в надежных руках.

— Что ж... Надеюсь, ты знаешь, что делаешь, — заметила на это Татьяна. Она изящным жестом вмяла окурок в пепельницу и взяла сумочку. — Мне пора бежать. И вот что, Андрюша, если захочешь меня увидеть — приходи в приемную. Эти таинственные посиделки в баре мне не по душе.

В темных глазах Долгова полыхнул холодный огонек.

— С каких пор? — осведомился он.

— Сам знаешь, с каких.

Татьяна поднялась со стула и забросила сумочку на плечо.

— Пока, милый! — насмешливо сказала она, помахала Долгову ладошкой, повернулась и зацокала каблучками по мраморному полу.

Долгов проводил ее взглядом до самой двери, затем повернулся к окну и смотрел на девушку до тех пор, пока она не скрылась из виду.

— В дурку, говоришь? — тихо проговорил он. Усмехнулся и добавил: — Не дождетесь.

В глазах его стояло бешенство.

5

— Ну как?

— Как всегда.

— Скажи это вслух.

— Ты лучший! — улыбнулась Татьяна и потерлась острым подбородком о его волосатую грудь.

— То-то же.

Максим взял с тумбочки сигареты и закурил. Татьяна, подперев щеку рукой, смотрела, как он курит.

— Какой же ты тщеславный, — тихо сказала она.

— Мне есть, чем гордиться, ты не находишь? — усмехнулся в ответ Максим.

Это был рослый, мускулистый детина с тяжеловатым подбородком, на котором красовалась «голливудская» ямочка, и длинными темными волнистыми волосами. На носу у Максима была изящная горбинка. Татьяна провела пальцем по этой горбинке и сказала:

— Все-таки ты удивительно красивый сукин сын.

— Это мой главный капитал, малышка.

— И ты имеешь с него неплохие дивиденды. Ну-ка, скажи — скольких богатеньких вдовушек ты окрутил и разорил?

— Ни одной, — с усмешкой ответил Максим. — Я специализируюсь на замужних барышнях. Мне не нужна легкая добыча.

— Когда-нибудь тебе проломят череп, — сказала Татьяна.

Максим пожал плечами:

— Пробовали. Но, как видишь, я жив. А тот, кто пробовал, до сих пор работает на лекарства.

— Ты не только тщеславный, но и самонадеянный. Кстати, я совсем не замужняя барышня. Что ты делаешь в моей постели?

— С тобой у меня не бизнес. С тобой — любовь.

Максим глубоко затянулся, и вспыхнувший огонек сигареты осветил нижнюю часть его лица — такую же красивую (на взгляд Татьяны), как и верхняя. Татьяна потянулась и поцеловала его в уголок твердых губ. Максим повернулся и поймал губами ее губы.

— Мы знакомы два месяца, а у меня до сих пор дрожь по жилам, когда ты меня целуешь, — мягко сказала Татьяна.

— Взаимно, — сказал Максим.

Татьяна, чуть отстранившись, полюбовалась его литой мускулатурой, затем наклонилась и поцеловала Максима в плечо. Он усмехнулся, затушил сигарету в пепельнице и повернулся к девушке.

— Ты обдумала мое предложение?

— А ты делал мне предложение? — игриво проговорила она. — Где же кольцо с бриллиантом?

— Не валяй дурака. Ты знаешь, о чем я.

— А, ты об этом... — Татьяна поморщилась. — Я не хочу это обсуждать. Мне не нужны проблемы. Тебе, я думаю, тоже.

— Никаких проблем не будет, — веско произнес Максим.

Татьяна отпрянула от него и легла на спину. Она выглядела обиженной. Теперь уже Максим склонился над ней.

— Милая, — произнес он мягким, бархатным баритоном, целуя ключицы девушки. — Я знаю, что ты боишься. Но я ведь с тобой. Мы неплохо на этом заработаем, поверь мне.

— Ты не знаешь Мохова. Он не какой-нибудь там трус, он кому угодно глотку перегрызет.

— Не накручивай, золотце. Ничего он никому не перегрызет. Он давно уже играет по правилам. Мохов — политик. А политики боятся публичных скандалов.

Максим попытался поцеловать Татьяну, но она отвернулась.

— Что? — недоуменно спросил Максим.

— Я уже сказала: я не хочу в этом участвовать.

— Золотце, ты не можешь в этом не участвовать. Ты главный игрок, а я всего лишь твой помощник. Поверь мне, если бы я мог выкачать из него пару тысчонок без тебя, я бы давно уже это сделал.

Максим снова попытался поцеловать девушку, но она оттолкнула его и села в постели. Волосы ее были растрепаны, покрывало сползло, обнажив большую, упругую грудь до самого соска.

— Ты не понимаешь! — яростно проговорила она. — Это не игрушки. Мохов — не муж одной их твоих вдовушек.

— Да я понимаю, золотце. И сознаю «всю степень опасности». — Максим снова усмехнулся. Он был абсолютно уверен в себе, и нерешительность Татьяны его и забавляла, и злила. — Но если обыграть все умело — никаких неприятных последствий не будет. Ты ведь знаешь, что я в этом деле не новичок. Я все устрою. На тебя подозрение не упадет — будь спокойна. Ну же, золотце!

Татьяна вновь попыталась отстраниться, но на этот раз Максим поймал ее лицо ладонями и крепко поцеловал ее в губы.

— Черт... — прошептала Татьяна с придыханием. — Что ты со мной делаешь...

«Вот ты и созрела, моя девочка, — пронеслось в голове у Максима. — Все вы созреваете. И все делаете так, как я скажу. Одни раньше, другие позже».

Он самодовольно улыбнулся и сказал твердо и веско:

— Мы сделаем это. Главное тут — не зарываться и вести себя благородно. Больше десяти штук просить не станем. Для него это не деньги. И негативы вернем — все до одного. Он обойдется малой кровью, а мы с тобой махнем через месяц на Мальдивы. Помнишь, ты хотела?

— На Мальдивы... — эхом отозвалась Татьяна.

Глаза ее были полуприкрыты, на губах играла улыбка.

— Ага, — кивнул Максим. — Вдвоем — ты и я. Пляж, море, коктейли, бунгало. Все, как ты хотела.

— И мы будем плавать с аквалангом... — мечтательно произнесла Татьяна.

— Конечно, золотце. Я покажу тебе затонувшие корабли.

— И кораллы...

— И кораллы, — прошептал Максим девушке на ухо.

— Ты из меня веревки вьешь... — прошептала в ответ Татьяна, хрипло и прерывисто дыша.

— Я просто хочу, чтобы мы были счастливы.

Он стал целовать ее глаза, щеки, виски, шею. Татьяна отшатнулась и прижала ладонь к его губам.

— Хорошо. Но как мы это сделаем? Я не хочу подставляться. Не хочу, чтобы он меня в чем-то заподозрил.

— Золотце, все будет хорошо. Назначь ему встречу в ресторане, о котором я тебе расскажу. Рядом — гостиница. Когда встретитесь и он потянет тебя в постель, скажи, что не хочешь везти его к себе домой. Придумай что-нибудь. Я не знаю... Скажи, что к тебе приехали родственники или еще что-нибудь в этом роде. Натолкни его на мысль о гостинице. Только чтобы он сам предложил — это важно! Остальное — моя забота.

— Но как мы попадем в нужный номер? — неуверенно спросила Татьяна.

Максим усмехнулся с видом человека, у которого все схвачено.

— Золотце, сделай, как я прошу, и все будет тип-топ, — сказал он. — А сейчас — иди ко мне!

Он протянул мускулистые руки и сжал Татьяну в объятиях.

6

Толик Азизов работал в службе технической под-держки всего три недели. Он считал себя неплохим компьютерщиком, но, будучи парнем скромным, пред-почитал не выпендриваться перед своими новыми кол-легами. Тем более что в свои двадцать он был самым младшим из парней, работающих в отделе.

В тот день он не пошел с коллегами в кафе обедать, а решил покопаться в Интернете — с утра навалилось много работы, поэтому у Толика Азизова не было воз-можности сделать это до обеда.

К тому же не хотелось обедать в компании коллег. Они, конечно, были славные парни, но уж больно лю-били потешаться над новичком. Толян слова не мог сказать, чтобы кто-нибудь из этих «юмористов» не под-дел его. Толян знал, что такова уж судьба всех нович-ков, тем более младших новичков, — служить объек-том для насмешек. Но иногда его терпению приходил конец, и тогда он начинал сердито огрызаться, чем вы-зывал новый шквал насмешек. В общем, удовольствие было то еще.

Оставшись в отделе один, он вошел в Интернет и немного попрыгал по порно-сайтам, так, в качестве разминки. Затем пробежал глазами несколько ново-стийных сайтов. Потом прочел небольшой текст о новом «шутере», релиз которого намечался на осень. И наконец, забрался в свой любимый сайт знакомств.

«Превед! Увидел твою фотку и влюбился. В натуре — ты самая классная девчонка в Сети!»

Немного подумав, Толян продолжил:

«Я нормально катаюсь на роликах, а ты? Если захочешь потусоваться — покажу тебе клеевые места для катания».

Дописав еще пару строк, Толян отправил письмо. Затем скопировал фотку девушки в свою папку, чтобы на досуге «попялиться». Покончив с важными делами, он посмотрел на часы. До конца обеда оставалось еще полчаса. Хавать совершенно не хотелось.

«Новостишки, что ли, еще посмотреть!»

Толян открыл страницу новостей, пробежал взглядом по анонсам, зевнул и хотел было снова вернуться на сайт знакомств, но тут взгляд его зацепился за баннер с физиономией мужика, который показался Толяну знакомым. Не успев даже сообразить, что делает, он машинально щелкнул мышкой по баннеру.

Страница загружалась медленно.

«Фуфло кривое», — в сердцах подумал Толян, и вдруг челюсть его слегка отвисла. С открывшейся страницы на Толяна Азизова смотрел Хозяин! Собственной персоной! (Хозяином все в офисе называли Виктора Олеговича Мохова.)

Толян прищурился и прочел броскую надпись рядом с фотографией:

«ВСЯ ПРАВДА
О БУДУЩЕМ ПРЕЗИДЕНТЕ РЕСПУБЛИКИ!»

— Ну-ну, посмотрим, — насмешливо прошептал Толян и стал читать статью.

БОЛЬШОЙ ВАЛУН, ПОРОСШИЙ МХОМ, ИЛИ «КТО ВЫ, ГОСПОДИН МОХОВ?»

«Сегодня утром я проходил мимо будки объявлений и замедлил шаг возле большого красочного плаката, на котором был изображен Президент России, пожимающий руку какому-то упитанному господину. Подпись под изображением гласила, что упитанный господин — это наш почетный горожанин Виктор Олегович Мхов.

«Я на вас надеюсь!» — говорил Президент нашему земляку. Я остановился перед плакатом и задумался. Но тут незнакомый голос меня спросил:

— Кто этот человек?

Я обернулся и увидел перед собой незнакомого мужчину. В руках у человека был дорожный кейс. Судя по всему, он только что высадился с поезда.

— Как? — сказал я ему. — Вы не знаете? Это ведь почетный гражданин нашего города Виктор Олегович Мохов.

— Мохов? — Незнакомец нахмурил брови. — Какой такой Мохов? Не знаю такого.

— А вы местный или гость нашего города? — уточнил я.

— Я родился здесь, но десять лет прожил в другом городе.

— Ах, вон оно что. Так вы все пропустили!

— Пропустил? Что я пропустил?

— Самое главное. Кто был хозяином города десять лет назад?

— Полагаю, что горожане, — сказал незнакомец.

Я кивнул.

— Именно. А теперь хозяин нашего города — Виктор Олегович Мохов! Более того, через несколько месяцев он станет хозяином республики. Как вам это нравится?

— Мне это совсем не нравится, — еще больше нахмурился незнакомец. — И кто же он такой, этот ваш Мохов?

— Мохов? Мохов — это...

И тут я понял, что рассказать о Викторе Олеговиче в двух словах невозможно. Я оставил незнакомца без ответа и отправился в редакцию, где сел к компьютеру и припомнил, кто же такой Виктор Олегович Мохов. И откуда он, собственно, взялся на нашу... Впрочем, обо всем по порядку.

Мало кто знает, каким образом Виктор Олегович приобрел свой капитал. В постперестроечные годы на советском (тогда еще) пространстве еще не было того ужасающего развала, какой наступил пару-тройку лет спустя, когда Советский Союз приказал долго жить. В ходу были модные словечки «гласность», «перестройка», «хозрасчет». Ширилось кооперативное движение. Одним из флагманов этого движения и был наш уважаемый герой.

В конце 80-х годов прошлого века Мохов, будучи заводским комсоргом, организовал в одном из пригородов мастерскую по изготовлению обоев. Обои были, прямо скажем, так себе. Но при всеобщем дефиците товаров и на такие был бешеный спрос. Виктор Олегович, что называется, «приподнялся». Даже начал строить себе дом в сосновой роще.

Виктор Олегович показал себя хватким бизнесменом, человеком «новой формации», и на перспективного комсомольского вожака, промышляющего обойным делом, обратили внимание старшие товарищи.

В начале 90-х Мохов открыл автосервис, а чуть позже стал счастливым обладателем гостиницы «Радуга». Злые языки поговаривают, что сам Виктор Олегович не заплатил за гостиницу ни копейки, получив ее в «безвременное пользование» от отцов города, с которыми всегда умел находить общий язык.

Кто-то, вероятно, мне возразит, что, дескать, «этого не может быть, гостиницы просто так не дарят». Согласен. Но загвоздка в том, что в начале достопамятных 90-х в нашей стране творилось много странного.

Между делом заметим, что всему этому делу предшествовала небольшая заварушка, в результате которой на тот свет отправились двое бывших компаньонов Мохова, с которыми (как поговаривают злые языки) он «кое-что» не поделил. Причем один из них, абсолютно конечно же случайно, сварился заживо в сауне, расположенной на территории загородного хозяйства Виктора Олеговича. Заклинило дверь. Что ж, бывает.

Виктор Олегович горько скорбел на похоронах товарища и даже произнес прочувственную речь, в которой почему-то не упомянул о своих разногласиях с почившим.

Но это еще не конец нашей истории.

Через полтора года после приобретения гостиницы Виктор Олегович Мохов открыл на ее территории казино «Рука фортуны». И опять-таки злые языки поговаривают, что совладельцами казино были тогдашние криминальные авторитеты, с которыми Мохов совместно парился в сауне. (Вполне вероятно, что секрет заклинившей двери, погубившей делового партнера Виктора Олеговича, имеет к этим гражданам самое прямое отношение, но не будем гадать.)

Итак, в середине 90-х господин Мохов — владелец нескольких автомастерских и автомоек, хозяин гостиницы и совладелец клуба-казино «Рука фортуны».

Тут всплывает еще один поразительный факт. Некий журналист Ильин, который попытался приоткрыть завесу тайны над прошлым Мохова, пошел на прием к Мохову и... пропал. В прямом смысле этого слова. Через неделю Ильина вытащили из озера. Следов насилия на теле журналиста не нашли, а посему сделали вывод — «утонул по неосторожности». И дело с концом.

Погибли несколько человек, а Виктор Олегович продолжает свой триумфальный путь по головам, путь на вершину, прямиком в кресло Президента Республики.

Не пришло ли время остановить разбойника и убийцу? Возможно, пришло. Но Мохов крепкий орешек, и найдется ли человек, способный его «раскусить»?

Мы такого человека знаем. Он предпочитает не афишировать своего имени, но он задался целью наказать убийцу и отправить его туда, где ему давно полагается... сидеть».

— Ой, ё! — протянул Толян и поскреб в затылке. — Это ж надо, какая канитель. Надо пацанам показать.

Он снова посмотрел на фотографию, хмыкнул и покачал головой:

— А с виду правильный мужик. Вот пацаны удивятся.

Толян почувствовал что-то вроде душевного зуда от желания поскорее поделиться новостью с коллегами. У него даже зубы заныли (у Толяна всегда ныли зубы, когда он с нетерпением чего-нибудь ожидал).

Наконец за спиной у Толяна скрипнула дверь, и в офис ввалились парни. Толян обернулся и криво усмехнулся.

— А, приперлись! — громко сказал он. — Между прочим, я...

— Не бузи, пехота, — оборвал его один из парней, швыряя сумку на стеллаж.

— А ничего выглядишь, — иронично заметил второй. — Мы-то думали, ты тут с голоду пухнешь. А ты — свежачок. Хватай, мелочь!

Коллега бросил на стол Толяну чизбургер. Толян посмотрел на чизбургер и почувствовал голодную судорогу в желудке.

— За какие заслуги? — осведомился он.

— Ни за какие. Считай, что это просто любовь, малыш.

Юморист обнял Толяна за плечи и сделал вид, что хочет его поцеловать. Толян сморщился и оттолкнул насмешника. Парни заржали.

— Не хочешь, как хочешь, — весело сказал коллега. — Кстати, чизбургер я заберу. Ты его не заслуживаешь.

Не успел Толян моргнуть, как насмешник смел со стола чизбургер и принялся бойко его поедать.

— Ничего, малыш, будет и на твоей улице праздник, — с набитым ртом проговорил коллега.

— Пошли вы... — огрызнулся Толян и обиженно отвернулся к компьютеру. И тут взгляд его снова упал на портрет Хозяина. Виктор Олегович Мохов по-прежнему глядел на Толяна с мерцающего монитора — глядел хмуро и неприязненно.

— О, черт! — воскликнул Толян и хлопнул себя по лбу ладонью. — Чуть не забыл!

— Что случилось, малыш? Ты передумал и решил ответить мне взаимностью?

— Не отдавайся ему за чизбургер, парень! Требуй два!

— Три!

— Ведро гамбургеров!

— Да заткнитесь вы! — гаркнул на развеселившихся коллег Толян.

Парни, успевшие рассесться за своими компьютерами, весело переглянулись.

— Ого!

— А наш малыш-то с гонором!

— Тише, парни! — осадил компанию начальник отдела, молодой еще мужчина с черной как смоль бородкой и большими залысинами на выпуклом лбу. — Хватит потешаться над малышом. Вы и сами были новичками. Говори, Толя. Что ты хотел сказать?

Толян хотел обидеться и замолчать, но новость, которую он хотел сообщить, слишком сильно жгла ему гортань. И он не выдержал.

— Короче, парни, тут такая фигня. Посмотрите!

Толян отъехал от экрана монитора вместе с креслом.

— Что там такое? — поинтересовался начальник отдела.

— Фьюить... — присвистнул кто-то. — Да ведь это Хозяин!

— Ну и что? — пожал плечами начальник отдела. — И что с того? Какое-нибудь очередное интервью?

— Ага, интервью, — усмехнулся Толян. — А разоблачение не хотите? Тут написано, что Виктор Мохов убил человека.

— Да ладно заливать.

— Не гони, малец. И за базаром следи. Тут, конечно, стукачей нет, но все равно.

— Да точно вам говорю! Не верите — почитайте. Тут черным по белому написано: убил.

— Ага. Убил и в землю закопал, — откликнулся один из насмешников.

Тем не менее парни встали с мест и принялись обступать стол Толяна. Толян торжествовал. Наконец-то он оказался в центре внимания, и не как объект для шуток, а как полноправный член коллектива. Равный среди равных.

— Читайте, олухи! — задорно сказал Толян, поворачивая монитор так, чтобы парням было лучше видно.

Все-таки чертовски приятно было чувствовать себя этаким «ньюс-мейкером». Ну пусть не «ньюс-мейкером», но кем-то вроде этого. Теперь статью будут обсуждать до самого вечера, а если повезет — то и на следующий день. И главным в этом обсуждении будет он, Толян Азизов, потому что именно он первым открыл эту страницу.

— Не слабо, парни, да? У нашего Витюши-то рыльце в пушку. Отличился, блин!

— Тише ты, — осадил его начальник отдела Марк Сковородников.

Вопреки ожиданиям Толяна, никто из парней не веселился. Напротив, все смотрели на экран мрачно и серьезно.

— Ни хрена себе, — сказал один. — У Хозяина теперь точно инфаркт будет.

— Угу. Уже второй.

Толян недоуменно оглядел парней.

— Мужики, да вы что? Это же прикол? Мало ли чего в Сети вывешивают.

— Для тебя прикол, а для него... — Начальник отдела Сковородников вздохнул. — Ты Хозяина не знаешь...

7

Хозяин держал перед глазами распечатанные листы, и пальцы его мелко подрагивали. На широком лбу блестели капли пота. Лицо побагровело, и даже глаза заволокло какой-то мутной, красноватой пленкой.

— «Погибло несколько человек, а Виктор Олегович продолжает свой триумфальный путь по головам, путь на вершину, прямиком в кресло Президента Республики. Не пришло ли время остановить разбойника и убийцу?» — процитировал он глуховатым, неровным голосом, отвел взгляд от листа и посмотрел на Долгова поверх стеклышек очков. — Что скажешь?

Голос его на этот раз прозвучал резковато и зло, почти истерично. «Начинается, — подумал Долгов. — Вот дерьмо».

— Ну? — снова рявкнул на него Мохов. — Чего молчишь? Нечего сказать?

— Я не... — начал было Долгов, но Хозяин не дал ему договорить.

Он весь подался вперед, навалившись грудью на край стола так, что, казалось, еще немного, и стол треснет пополам и развалится, и Хозяин всем своим грузным телом рухнет на пол.

— Кто это сделал? — рявкнул он. — Кто это написал, я тебя спрашиваю?

«Спокойно, Андрюша. Спокойно». Долгов сдвинул брови и ответил спокойным, рассудительным голосом:

— Виктор Олегович, пока ничего нельзя сказать наверняка. Нужно время, чтобы все выяснить.

— Время? — Глаза Хозяина хищно сощурились. — И сколько тебе нужно времени? Полгода? Год? Или, по-твоему, я тебе плачу за то, что ты тут фланируешь по офису и вертишь передо мной своим тощим задом?

Упоминание про «тощий зад» (что было, то было) задело Долгова, и он слегка ощетинился.

— Виктор Олегович, вы, главное, не волнуйтесь, — с легкой ноткой язвительности произнес он. — Ситуация поганая, но нужно оставаться спокойными.

Мохов широко расставил руки и еще больше навалился на стол.

— Не учи меня спокойствию! — грозно пророкотал он. — Черт! Да я спокойней всех вас, вместе взятых! Что ты намерен делать? Быстро говори!

Долгов кашлянул в кулак и ответил:

— Я подниму на уши ребят из главка. Дайте мне пару дней.

— Пару дней? Работнички! Никто ни хрена не хочет делать. За пару дней можно в Китай и обратно на велосипеде съездить. На кой хрен я вообще вас держу?

— Виктор Олегович...

— Что «Виктор Олегович»? Сорок три года «Виктор Олегович»! Своей головой нужно думать, Андрюша, своей!

Последняя реплика не только была несправедлива, но и не имела никакого смысла. Долгов почувствовал, как в душе его вскипает ярость.

— Я найду мерзавца, — сухо сказал он.

— Ясное дело, найдешь, — кивнул Долгов. — Иначе я не ему, а тебе башку оторву. Выброшу тебя на улицу, как вонючую шавку. Туда, откуда подобрал, — на помойку!

Долгов молчал, пристально глядя на Мохова. Несколько секунд слуга и Хозяин молча глядели друг другу в глаза, затем последний отвел взгляд.

— Вытаращился... Дырку на мне хочешь просмотреть? — пробормотал Мохов и снова взял со стола распечатку статьи. Он пробежал взглядом по строкам, затем тряхнул листом и сказал: — Кто-то скрупулезно покопался в моей биографии. Кто-то, у кого есть выходы на источники. Я чувствую, что этот стервец должен быть где-то рядом. Рядом со мной.

— Если он где-то рядом, значит, мы его знаем, — сказал Долгов. — Нужно проработать всех. Хотя...

— Что? — быстро спросил Мохов.

— Чтобы найти мерзавца, мы должны знать...

Долгов снова оставил реплику недоговоренной.

— Да что знать-то? — вновь вспылил Мохов. — Что за идиотская манера подвешивать фразы. Что ты хочешь знать?

Долгов отвел взгляд и понизил голос:

— Знать — есть ли в этой писанине хоть доля правды?

— Что-о? — Лицо Хозяина потемнело. — Ты что, в самом деле, думаешь, что я убийца?

— Не обязательно. Но вы могли быть причастны к этому де...

— Заткнись! — рявкнул Мохов.

Долгов пожал плечами:

— Я просто предположил.

— Даже предполагать не смей!

— Как скажете-с.

— И перестань «сыкать»! Говори, как мужик, а не как лакей! И вообще, уйди с моих глаз, Андрей, — внезапно «потух» Виктор Олегович. — Я хочу побыть один, понимаешь? Один.

Долгов поднялся с кресла.

— Хотите, я зайду через час? — спросил он.

Виктор Олегович покачал круглой головой:

— Нет. Зайдешь, когда я позову.

Долгов кивнул, повернулся и молча вышел из кабинета.

Завидев Долгова, Татьяна отвлеклась от компьютера и тревожно на него посмотрела.

— Как он? — тихо спросила она.

— Держится, — лаконично ответил Долгов.

— Да, — протянула Татьяна, — надо же, как все не вовремя.

— Смотря для кого, — возразил Долгов. — Для Хозяина не вовремя, а для наших врагов — самое оно. У тебя есть сигарета?

— Только тонкие. Дать?

— Оставь себе.

Долгов двинулся к двери, но на полпути остановился, повернул голову и сказал:

— В ближайшие полчаса к нему не суйся. И никого с ним не соединяй. Иначе он наломает дров.

— Хорошо, — ответила Татьяна тихим, испуганным голосом.

8

Андрей заглянул в офис компьютерщиков, кивнул парням, встретился взглядом с начальником отдела Сковородниковым и сказал:

— Марк, можно тебя на пару слов?

Тот поднялся из-за стола и направился к двери. В коридоре Андрей протянул компьютерщику руку и приветливо сказал:

— Привет, старик!

— Здравствуйте, Андрей Маратович, — ответил компьютерщик, пожимая протянутую руку.

Андрей улыбнулся:

— Чего так официально? Мы же вроде были с тобой на «ты».

— Слишком давно не общались, — пожал плечами Марк.

— Да, брат... Всё дела. — Андрей вздохнул. — Бегаешь с утра до вечера, как лошадь, весь в мыле... С приятелями пообщаться некогда. Надо будет как-нибудь посидеть в баре, попить пивка. Ты как?

— Да я-то, в сущности, не против.

— Вот и хорошо, — кивнул Андрей. — Кстати, как твоя жена? Она ведь, кажется, болела?

Компьютерщик посмотрел на Андрея странным, слегка удивленным взглядом.

— Жена давно выздоровела, — сказал он. — Я, кстати, так и не поблагодарил вас за лекарства. Не было возможности.

— А, чепуха, — небрежно проговорил Андрей. — Если понадобится еще — обращайся. Слушай, дружище, тут такое дело. В Интернете появилась мерзкая статейка... — Андрей криво ухмыльнулся. — «Валун, покрытый мохом» — так она называется. Читал?

— Я? — опешил Сковородников.

— Ты.

Компьютерщик нахмурился.

— Вообще-то да, — неохотно признался он. — Статья действительно неприятная. Прямо не статья, а разоблачение.

— Ты веришь в то, что там написано? — быстро спросил Андрей.

Компьютерщик подумал и отрицательно покачал головой:

— Нет, не верю. Думаю, статью заказали враги Виктора Олеговича. Кстати, как он себя чувствует?

Андрей вздохнул и грустно ответил:

— Не скажу, что хорошо. Вся эта предвыборная гонка здорово его вымотала. А тут еще это.

— Понимаю, — кивнул компьютерщик. Он внимательно посмотрел на Андрея и спросил: — Могу я чем-нибудь помочь?

— Я к тебе по этому вопросу и пришел. Предвыборная кампания в разгаре, и мерзавец, который разместил статью в Интернете, на этом не остановится. Есть способ его как-нибудь вычислить?

— В принципе, попробовать можно. По ай-пи адресу. Если, конечно, он не смоется к другому провайдеру.

— Займешься этим?

— Можно, но у меня сегодня много работы. Не знаю, успею ли.

— Плюнь на работу. Работа подождет. Сперва найди мне этого мерзавца. И займись этим сейчас же, хорошо?

— Хорошо, Андрей Маратович, сделаю.

— Если что — звони мне прямо на мобильный. У тебя есть мой номер?

— Откуда?

— Запиши. — Андрей продиктовал компьютерщику номер своего мобильника. — Записал? Ну, значит, договорились. Жду твоего звонка, Марк. Привет жене!

9

Долгов волновался не зря. Едва за ним закрылась дверь, как Виктор Олегович Мохов потянулся к ящику стола и достал оттуда початую бутылку джина. Первый глоток он сделал прямо из горлышка — слишком уж сильно у Хозяина «горели трубы».

Сбив первую оскомину, Мохов достал широкий стакан и наполнил его джином наполовину. Закуски не было, да Мохов в ней и не нуждался. Он пил джин неразбавленным, маленькими глотками, поморщиваясь при каждом глотке.

«...Найдется ли человек, способный его «раскусить»? Мы такого человека знаем. Он предпочитает не афишировать своего имени, но он задался целью наказать убийцу и отправить его туда, где ему давно полагается... сидеть».

...Мохов залпом допил джин и брякнул стаканом об стол. Это ж надо, а! Обвинить его в двух убийствах — и все это черным по белому, на виду достопочтенной публики. Любой кретин может щелкнуть на «иконку» и прочесть о приключениях страшного убийцы Мохова. Черт знает что такое! И что это за «человек» такой? Какой-нибудь поганый журналист? А может, фигура покрупнее? Кто-нибудь из конкурентов?.. Вполне может быть... Сволочи! Найду и закопаю!

Мохов плеснул в стакан еще джина. В это время в дверь постучали.

— Виктор Олегович, можно? — услышал он голос Татьяны.

— Нет, — угрюмо ответил Мохов. Помедлил секунду и все-таки уточнил: — Что там у тебя?

Дверь приоткрылась, и в проеме показалось личико Татьяны.

— Виктор Олегович, принесли письмо. На конверте написано «срочно».

— Давай.

Татьяна вошла в кабинет, прошла к столу, положила на него конверт, повернулась и направилась к двери. Глядя на ее крепкие ягодицы, Мохов на мгновение забыл о свалившейся на него беде, но стоило Татьяне выйти из кабинета, как реальность снова вторглась в его опьяненный джином разум.

Виктор Олегович рассеянно посмотрел на письмо. На нем и впрямь было выведено большими красными буквами «СРОЧНО!». В душе у Мохова зашевелилось неприятное предчувствие.

«Еще не слава богу», — подумал он и взял конверт.

Пальцы после двух стаканов джина слушались плохо, и, прежде чем добраться до содержимого, Виктор Олегович разорвал конверт чуть ли не пополам. Подрагивающими пальцами он достал пачку цветных фотографий. Затем, не сводя с верхнего снимка взгляда, нашарил на столе очки и водрузил их на нос.

Несколько минут Виктор Олегович разглядывал фотографии. На его посеревших скулах отчетливо проступили красные пятна. Лицо стало потным и неприятным. Наконец он выпустил фотографии из пальцев, открыл верхний ящик стола и смахнул их туда. Затем посмотрел на дверь.

«ТАТЬЯНА!» — пульсировало у него в мозгу. Некоторое время он размышлял, затем мотнул тяжелой, круглой головой: «Нет, она здесь ни при чем. Она такая же жертва, как и я. Но как я мог влипнуть? Попался, как мальчишка».

В груди у Мохова сдавило, он сморщил лицо и приложил к груди ладонь. Посидел в этой позе с полминуты, дожидаясь, пока отпустит. Затем, почувствовав себя чуть лучше, протянул руку и снял телефонную трубку. Тут взгляд его упал на разорванный конверт.

«Ах да, — опомнился Виктор Олегович. — Про главное забыл».

Он горько усмехнулся, убрал руку с телефона и вытащил из конверта белый листок бумаги, сложенный вдвое. Раскрыл его и прочел:

«$10 000. Место и время укажем позже. Ведите себя хорошо».

Фраза была набита на компьютере и распечатана на лазерном принтере. Ничего примечательного — заурядный листок.

У Виктора Олеговича снова заболело сердце. Лицо его стало пергаментным, губы посинели.

— Черт... — выговорил он, сжимая пятерней грудь.

Пискнул зуммер коммутатора. Мохов нажал на кнопку.

— Виктор Олегович, — заворковал динамик голосом Татьяны, — к вам Долгов. Вы можете его принять?

— Скажи, пусть подождет минуту.

— Хорошо, Виктор Олегович.

Коммутатор пискнул и отключился.

— Вовремя... — прошептал Мохов, морщась от боли. — Задницей чует, стервец, когда нужен.

Дождавшись, пока боль утихнет, Мохов налил себе еще джина и быстро выпил. Боль окончательно отпустила. Виктор Олегович достал из кармана платок, вытер потное лицо, затем нажал на кнопку коммутатора и коротко приказал:

— Впусти Долгова.

10

Когда Андрей пошел в кабинет, Виктор Олегович сидел в кресле со стаканом в руке и читал нараспев:

> Здесь лежит купец из Азии, толковым
> был купцом он. Деловит, а незаметен.
> Умер быстро: лихорадка. По торговым
> он делам сюда приплыл, а не за этим...

— Бродский, — сказал Андрей, подходя к столу.

— Угадал. — Мохов отхлебнул из стакана.

Долгов знал, что у Хозяина есть манера — читать вслух стихи, когда ему особенно паршиво. Что-то вроде психотерапии. Что ж, каждый спасается от депрессии по-своему. Однако, чтобы угодить Хозяину, Андрей года полтора назад тоже взялся за стихи. Каждый вечер перед сном он учил наизусть по четверостишию и уже через несколько месяцев мог заткнуть за пояс любого профессионального чтеца с его хваленой профессиональной памятью.

Андрей сел на стул и закинул ногу на ногу.

— Татьяна сказала мне, что принесла вам письмо, — негромко произнес он, стараясь говорить спокойно и хоть немного успокоить Хозяина монотонной просодией своего голоса. (Прием этот часто срабатывал.)

— Да, есть такое.

— Это из-за него вы такой бледный?

Мохов прищурился:

— А я бледный?

— Слегка, — ответил Андрей.

Виктор Олегович отхлебнул джина и засмеялся:

— Ты всегда был наблюдателен. А я было думал тебя обмануть. Ладно, ты прав. Мне чертовски плохо.

— Сердце? — прищурил черные глаза Андрей.

Мохов кивнул:

— И оно тоже.

— Если хотите, я вызову «скорую», — предложил Андрей.

Виктор Олегович покачал головой:

— Нет. Никаких врачей. По крайней мере, сегодня. — Он снова отхлебнул джина. Андрей с неодобрением посмотрел на стакан. Мохов перехватил его взгляд и усмехнулся. — Алкоголь меня не убьет. Это мое горючее, ты ведь знаешь.

— Это ваша жизнь, — почти равнодушно заметил Андрей. — Что это было за письмо? Ведь вы хотите со мной о нем поговорить.

— Да, хочу. Мной серьезно занялись, приятель. Кто-то хочет сжить меня со свету.

Андрей слегка приподнял тонкую черную бровь.

— Вы про эту дурацкую статью в Интернете? — поинтересовался он.

— Не только. На меня объявили охоту, Андрей, — уныло проговорил Мохов.

Андрею была знакома эта интонация. Она подтверждала, что Хозяин впал в глубокую депрессию.

— Меня загнали в угол, — продолжил Мохов тем же упавшим голосом. — Хотят ударить по самому дорогому — по семье.

— Но в статье не было ничего сказано про семью, — возразил Андрей.

Виктор Олегович поднял на Андрея пустые глаза и глухо произнес:

— Ну, значит, я говорю не о статье.

— Не о статье? — удивился Андрей. — Тогда о чем?

Хозяин выдвинул верхний ящик стола, достал из него желтый кодаковский конверт и швырнул на стол.

— Вот, полюбуйся, — со вздохом сказал он. — Надеюсь, тебя это не слишком шокирует.

Андрей взял конверт, достал из него пачку фотографий и принялся неторопливо их разглядывать.

— Ну как? Нравятся? — с мрачной иронией осведомился Хозяин.

Андрей запихал пачку обратно в конверт и сказал:

— Сколько они за это хотят?

— Десять тысяч долларов, — ответил Мохов, устало откидываясь на спинку кресла. — Иначе грозятся разместить фотографии в Интернете. Я им отдам десять тысяч, они мне — негативы.

— Не так уж и много, — заметил Андрей.

Мохов поморщился:

— Дело не в этом. Откуда я могу знать, что фотографии не появятся в Сети?

— Можно объявить это фотомонтажом.

— Можно. Но, боюсь, он на этом не остановится. Пока негативы у него, он чувствует себя хозяином положения.

Андрей обдумал все, что сказал Хозяин, потом спросил, чуть понизив голос:

— С Татьяной уже говорили?

— Нет, — мрачно ответил Виктор Олегович. — Уверен, что она здесь ни при чем.

— Но поговорить все равно надо. На снимках именно она. Она может быть связана с...

— Нет, — грубо оборвал Мохов. — Выброси это из головы. И не расстраивай девчонку.

Андрей едва заметно усмехнулся.

— Вы в ней так уверены? — тихо поинтересовался он.

— Не меньше, чем в тебе, — сухо ответил Виктор Олегович. — К тому же она слишком умна, чтобы пойти на это. Она бы не стала подставляться.

— Как знать, — недоверчиво произнес Андрей. — Я бы не прочь с ней побеседовать, но раз вы говорите, что она...

— Дай слово, что не будешь к ней лезть, — потребовал Виктор Олегович.

— Даю, — совершенно спокойно ответил Андрей.

Мохов взял бутылку и наполнил стакан наполовину. Хотел отхлебнуть, но вдруг передумал и поставил стакан перед Андреем.

— Пей, — сказал он.

Андрей взял стакан и отхлебнул.

— Ну как? — осведомился Виктор Олегович.

— Как всегда, — ответил Андрей. — Дерьмо.

Мохов засмеялся.

— Ты единственный трезвенник, которого я знаю, — весело сказал он.

Веселье Хозяина попахивало истерикой, и Андрей отлично это понимал, однако вежливо улыбнулся и сказал — спокойно, почти бесстрастно:

— Насчет этих фотографий, босс... Я бы не загадывал заранее. Нужно все основательно проверить. Возможно, публикация в Интернете и эти снимки никак между собой не связаны.

Мохов надменно дернул губой.

— Ты веришь в такие совпадения?

— Вполне, — ответил Андрей. — Скоро выборы. Врагов у вас множество, и многие из них готовы дорого заплатить, лишь бы не допустить вас к власти.

Мохов с полминуты молчал. Затем пристально посмотрел на Андрея и сказал:

— Ты займешься этим?

— Да, — спокойно ответил тот. — Думаю, с нашими связями найти врага не будет большой проблемой.

— Мне озаботить милицию?

— Не стоит. Попробую обойтись своими силами. Если не получится, тогда можно будет подключать тяжелую артиллерию.

Виктор Олегович кивнул и потянулся за бутылкой.

11

За грубым, сколоченным из мореных дубовых досок столом сидел сухой, небритый мужчина лет сорока. Короткая стрижка, шрам, рассекающий левую бровь, колючий водянистый взгляд и синие наколки на пальцах выдавали в нем человека, которого следует если не уважать и бояться, то по крайней мере опасаться.

Он потягивал из кружки пиво и лениво поглядывал по сторонам, время от времени наклоняясь и сплевывая в пепельницу сквозь зубы, словно все, что он видел, вызывало в нем отвращение. Изредка он прикрывал набрякшие веки и будто бы дремал или чем-то грезил. Посидев так несколько секунд, он неожиданно выходил из своей странной дремы и снова принимался за свое пиво.

Когда небритый мужчина в очередной раз открыл глаза, он увидел, что за столиком, прямо напротив него, сидит человек. Как тот сумел так тихо усесться за стол, было непонятно. Человек этот был относительно молод и худ. Желтое лицо, черные, слегка раскосые, как у татарина, глаза, острые скулы.

Небритый мужчина вгляделся в лицо незнакомца, но желтая физиономия того не показалась ему знакомой. Между тем незваный гость улыбнулся и тихо сказал:

— Привет, бродяга.

Небритый окинул незваного гостя изучающим и неприязненным взглядом.

— Я тебя знаю? — сухо спросил он.

Незнакомец чуть склонил голову набок, внимательно разглядывая собеседника, и ответил — абсолютно спокойно:

— Достаточно того, что я тебя знаю. Ты Гиря.

Небритый откинулся на спинку стула и небрежно сказал:

— Я-то Гиря, а ты что за ком с горы?

— Я друг Сержа Чубарого. Можешь звать меня Андрей Маратович.

Гиря подумал, подвигал толстыми надбровными дугами, оттопырил нижнюю губу и задумчиво произнес:

— Чубарый авторитет. А вот тебя, паря, я в первый раз вижу. Откуда я знаю — друг ты ему или нет.

Незнакомец усмехнулся:

— Тебе нужны доказательства? Пожалуйста. Две недели назад ты с корешами взял кассу продуктового магазина «Лакомка». Кореша твои сидят на нарах, а тебя отмазали. Хочешь знать, кто именно тебя отмазал? Майор Коренев. А хочешь знать, кто попросил майора Коренева тебя отмазать?

Незнакомец замолчал, иронично поглядывая на Гирю. Гиря облизнул пересохшие губы, прищурился и сказал:

— Вон ты куда клонишь...

В голове у него был сумбур. С одной стороны, желтолицый незнакомец (Андрей Маратович, как он просил себя называть) выглядел, как полный фраер. С другой — он знал Сержа Чубарого. И еще этот майор Коренев... И «Лакомка»...

Гиря сглотнул слюну. Фраер оставался непроясненным, и Гиря начинал не на шутку тревожиться.

— Итак, — снова заговорил незнакомец (Андрей Маратович), — ты готов к разговору? Или хочешь, чтобы мы сидели и пялились друг на друга еще полчаса.

Гиря наклонился и сплюнул в пепельницу. Затем снова откинулся на спинку стула и криво усмехнулся.

— Говори, если есть что сказать, — вальяжно проговорил он. — А если нечего — проваливай. Вон Бог, а вон порог.

— Мне есть что сказать, — спокойно сказал Андрей Маратович. — Но сперва скажи ты, Гиря. Ты готов вернуться на нары?

— Ты пугать меня, что ли, думаешь, братишка? — с добродушной улыбкой проговорил Гиря. — Так не трудись. Я не боюсь ни тебя, ни майора Коренева, ни черта с рогами. Если у тебя ко мне дело, так давай — излагай. А вздумаешь мне угрожать...

Некоторое время мужчины смотрели друг другу в глаза. Затем усмехнулись — одновременно.

— Ты мне нравишься, — выдохнул Гиря. (Пристально изучив физиономию Андрея Маратовича, он пришел к выводу, что этого фраера лучше не обижать. В раскосых глазах незваного гостя, на самом их дне, таилось что-то мертвенно-спокойное, холодное, что-то от дикого хищного зверя, который сидит в засаде и выслеживает добычу.) — Ты мне нравишься, — повторил Гиря. — И я верю, что ты знаешь Чубарого. Угостить тебя пивом?

— Нет, — ответил Андрей Маратович. — Но за предложение спасибо. Я вижу, ты неплохо разбираешься в людях. А дело у меня к тебе следующее, Гиря...

12

Максим Воронов выбрался из машины и с наслаждением вдохнул свежий, влажный воздух улицы. В ресторане он малость перебрал, и теперь его немного мутило.

— Дверцу захлопни, — попросил таксист.

— Ах да. Извини, брателла.

Максим захлопнул дверцу такси. Машина тронулась и, развернувшись, покатила прочь со двора. Проводив ее взглядом, Максим достал из кармана сигареты и закурил. Захлопнув крышечку зажигалки, он вдруг втянул ноздрями воздух, затем поднес рукав к носу, понюхал его и поморщился.

«Опять духи, — с отвращением подумал он. — Всюду эти проклятые духи... Лучше бы от меня воняло машинным маслом или бензином».

Домой идти Максиму хотелось. Там та же вонь, только еще гуще и гаже. И кто только придумал эти духи! Но с другой стороны, бог знает, каким дерьмом воняло бы от этих старых кошелок, если бы они не поливали себя «Шанелью».

Максим усмехнулся своим мыслям, задумчиво посмотрел на кончик сигареты, вздохнул и тихо проговорил:

— Что за жизнь... С утра до вечера одни бабы. С друзьями пообщаться некогда.

— Завидую тебе, братан, — услышал он у себя за спиной чей-то негромкий, хрипловатый голос.

Максим вздрогнул и от неожиданности чуть не выронил сигарету. Обернувшись, он увидел перед собой невысокого коренастого мужчину в темном свитере. В сгущающихся сумерках Максим не смог разглядеть его лица.

— Чего тебе? — резко спросил Максим.

— Мне-то? Да ничего. А тебе?

Максим был на полголовы выше незнакомца и шире его в плечах, поэтому решил не церемониться с прохожим и послать его по известному всем адресу.

— Слушай, мужик, шел бы ты на...

— Ц-ц-ц, — тихо проговорил незнакомец и покачал головой. — Тише, фраерок. Не надо выражаться. У людей открыты окна, а возле окон могут быть дети.

— Да срать я хотел на тебя и на твоих детей, — презрительно проговорил Максим. — Чего ты ко мне прицепился, мудак? Иди куда шел.

— Значит, я мудак? — задумчиво уточнил незнакомец. — Я мудак, да? Ну-ка, повтори, чего сказал.

Максим снова смерил взглядом коренастую, сухопарую фигуру незнакомца. Мужик был явно слабее его, а значит, опасаться было нечего. Однако на всякий случай Максим решил чуть сбавить обороты. Проблемы ему были не нужны.

— Я бы тебе повторил, да вижу, ты и так хорошо запомнил, — сухо сказал он. — Хочешь здесь стоять — стой. А мне пора. Бывай, мужик!

Максим повернулся и пошел к подъезду. Незнакомец за его спиной цыкнул зубами и громко и отчетливо проговорил:

— Задрота припарашная.

Максим встал как вкопанный. Он понял, что незнакомец не просто обозвал его. Незнакомец плюнул ему в спину. Цыкнул сквозь зубы слюной ему на пиджак — на пиджак, который стоил двести баксов. Да хрен с ними, с баксами. Он плюнул в спину ему, Максиму Воронову. Какой-то недомерок с кривой рожей плюнул в него!

Подрагивая от гнева, Максим медленно обернулся.

— Ну все, мужик, ты покойник, — сухо проговорил он и, угрожающе набычив голову, двинулся на недомерка.

Вопреки ожиданию Максима незнакомец и не подумал отступать. Он ждал приближения Максима спокойно, как ждут, пока проедет машина, чтобы перейти через дорогу. На губах незнакомца поигрывала усмешка. Можно было предположить, что низкорослый наглец не прочь вступить в драку, но он даже кулаки не сжал. И это взбесило Максима еще больше. «За кого он меня принимает?» — пронеслось у него в голове.

Тут необходимо кое-что разъяснить. Дело в том, что Максим Воронов был когда-то чемпионом района по боксу. Соревнования были юношеские, да и минуло с тех пор лет двенадцать, но Воронов до сих пор считал себя неплохим бойцом. Например, однажды он сумел нокаутировать двух хулиганов, которые сделали опрометчивую попытку проинспектировать его бумажник возле пивбара. Хватило двух ударов, чтобы положить противников на асфальт (Максим не удержался, чтобы самому не проинспектировать их карманы, и в итоге разжился парой тысяч, которые и экспроприировал — «за моральный ущерб»).

Но этот странный незнакомец не был похож на уличных хулиганов. Он просто стоял и ждал. Максим надвигался на незнакомца медленно и твердо, сжимая по пути кулаки и не пытаясь скрыть своих намерений.

Мужик, по-прежнему ухмыляясь, сунул правую руку в карман.

Максим уловил это движение и взял правую руку незнакомца на заметку.

Наконец они сошлись вплотную. И тут произошло нечто непредвиденное. Правая рука незнакомца, с которой не спускал глаз Максим, так и осталась в кармане, зато с левой произошла мгновенная метаморфоза: незнакомец резко выбросил ее вперед, и в грудь Максиму уткнулось узкое лезвие ножа. Откуда взялся нож — одному Богу известно. Или (что вернее) дьяволу.

Максим остановился как вкопанный, слегка отведенное назад для удара плечо застыло, словно оцепенело. Максим во все глаза смотрел на лезвие ножа.

— Оп-па! — проговорил наглец и тихо засмеялся.

Максим перевел взгляд с ножа на лицо незнакомца.

— Какого черта? — спросил он дрогнувшим голосом. — Чего тебе надо?

Незнакомец перестал смеяться.

— Чего мне надо? — тихо переспросил он.

— Да. Чего ты хочешь?

— Хочу посмотреть, какого цвета у тебя кишки, фраерок. Хочу выпотрошить тебя, как курицу.

— Но... зачем? — недоуменно и испуганно спросил Максим. — Тебе нужны деньги?

Незнакомец насторожился.

— А у тебя есть? — недоверчиво поинтересовался он.

Максим сглотнул слюну и ответил:

— Немного.

— Сколько?

— С собой рублей... пятьсот.

Незнакомец нагло усмехнулся:

— Не густо. Как же ты платишь за своих баб, если ходишь с пустым кошельком? Хотя, пардон, кажется это они за тебя платят. Ты ведь альфонс?

— Э-э-э... Я...

— Чего ты блеешь, как овца? Отвечай, как мужик. Альфонс или нет?

Максим покосился на мерцающее лезвие ножа и промямлил:

— Я, собственно, не совсем понимаю, какой смысл вы вкладываете в это...

— Ну ты тупой, — дернул щекой незнакомец. — Платят за тебя бабы в кабаках?

— Случается. Но я бы не сказал, что это норма, потому что...

— Закрой, — небрежно приказал незнакомец.

— Что? — не понял Максим.

— Рот закрой, — насмешливо ответил незнакомец. — Утомил. А теперь слушай меня внимательно, писюк. Видишь вон ту машину? — Он кивнул через плечо на одиноко стоявшую у бордюра черную «мазду». — Видишь или нет?

Максим прищурился и кивнул:

— Да.

— Чего да?

— В-вижу.

— Молодец. Топай туда. Только потихоньку. Имей в виду: если что, я церемониться не буду. Чирк — и все.

За время разговора Максим успел прийти в себя. Он слегка приосанился, на лице его появилось выражение оскорбленной гордости.

— А если не пойду? — с вызовом произнес Максим. — Ты что, зарежешь меня? Прямо во дворе?

— Ты в этом сомневаешься?

Максим вспомнил, что с подобными субъектами нужно вести себя уверенно, как с собаками, выдавил из себя усмешку и сказал:

— Убери нож, парень. Тут полно людей. Тебя наверняка видели. Твою рожу раз увидишь — не забудешь, с закрытыми глазами нарисуешь.

Вместо ответа незнакомец вдруг дернул рукой. Максим вскрикнул и отпрянул, схватившись рукой за порезанную щеку. Между его пальцев текла кровь.

— Ты что, сука, делаешь? — страдальчески простонал он.

Удар ногой в пах заставил Максима взвыть и согнуться пополам.

— Это тебе за суку, — пояснил незнакомец. — Хочешь еще?

— Ты меня порезал... — почти плача простонал Максим. — Я весь в крови.

— Ничего с тобой не случится, фраерок. В машине есть пластырь. Заклеишь, чтобы не испоганить салон. Топай к машине. Ну!

На этот раз Максим подчинился. Его рука, прижатая к щеке, была испачкана кровью, но не сильно; судя по всему, порез был не слишком глубокий.

— Ты меня изуродовал, — плакал, шагая к «мазде», Максим.

— Шрамы украшают мужчину, — возразил незнакомец. — А будешь скулить, я тебе еще больше вывеску попорчу.

13

Наконец Максим остановился возле машины.

— Обожди малек, — сказал незнакомец.

Он переложил нож в другую руку, достал из кармана грязный платок и протянул его раненому.

— Прижми к роже. Капает еще.

Максим посмотрел на платок и поморщился:

— Он грязный.

— Ничего, ты тоже не чистый. Держи, говорю! Или тебе вторую долю раскроить?

Максим взял платок и прижал его к окровавленной щеке.

— Не капает? — деловито осведомился бандит.

Максим всхлипнул и ответил:

— Нет.

Бандит кивнул, затем легонько стукнул костяшками пальцев по тонированному стеклу «мазды». Стекло с тихим жужжанием опустилось.

— Вот, — сказал бандит мужчине, который сидел в салоне. — Привел тебе твоего архаровца. Впустишь?

— Пусть садится на заднее сиденье. Сам сядешь рядом с ним.

Бандит открыл дверцу, запихнул Максима в салон, затем забрался сам. Человек, сидевший на водительском кресле, обернулся. У него было узкое, смуглое лицо и раскосые, как у калмыка, глаза. Он мельком глянул на Максима, перевел взгляд на бандита и сухо спросил:

— Что у него с лицом?

— Поцарапался, — насмешливо ответил тот.

— Не хотел идти?

— Угу.

Узкоглазый кивнул и перевел взгляд на Максима.

— Извините, забыл представиться, — спокойно сказал он. — Меня зовут Андрей Маратович. А вас — Максим Воронов, не так ли?

Максим всхлипнул, скривил губы и обиженно ответил:

— Я вас не знаю.

— Теперь знаете, — возразил узкоглазый. — Надеюсь, вы в состоянии внимательно слушать?

Максим промолчал. Тогда бандит толкнул его локтем в бок и грубо сказал:

— Отвечай, тварь, когда с тобой солидный человек разговаривает.

Максим скривился от боли и жалобно попросил узкоглазого:

— Скажите ему, чтоб он меня не трогал.

— Гиря, не трогай его, — сказал бандиту узкоглазый. Тот ощерил рот в усмешке:

— Будет хорошо себя вести — не трону. А будет плохо... — Он качнул перед носом у Максима лезвием ножа.

— Ну-ну, — осадил его узкоглазый. — Не слишком размахивай ножом, а то кого-нибудь поранишь. А вы, Максим, не обращайте на Гирю внимания. Он вас не убьет. По крайней мере, пока я его об этом не попрошу, — добавил без тени усмешки узкоглазый. — Итак, вы готовы побеседовать?

— Готов, — промямлил Максим.

— Отлично. — Андрей Маратович облизнул кончиком языка узкие губы и заговорил снова: — Я знаю, что вы пытались шантажировать одного известного человека. Сфотографировали его во время любовных утех и теперь угрожаете отдать снимки газетчикам. Вспомнили, о ком я говорю?

Максим страдальчески сморщился.

— Вы имя назовите, — попросил он.

Андрей Маратович несколько секунд сверлил Максима глазами, затем вдруг кивнул и усмехнулся:

— Ах вот оно что. Я вижу, у вас это дело поставлено на поток. А я-то думал, почему всего десять тысяч? Ведь вы могли попросить в три раза больше.

— Я не жадный, — слабо проговорил Максим.

— Правильно, — сказал узкоглазый. — С миру по нитке — голому рубашка. Кто будет подымать бузу ради десяти косарей? Но тут, уважаемый Максим, вы просчитались. Человек, о котором я говорю, не просто бизнесмен. И отчитывается он не только перед собственной женой. Он политик, а это, согласитесь, особая статья.

В глазах Максима мелькнуло понимание.

— Вон вы о ком, — облегченно вздохнул он. — О Мохове.

— О нем, — кивнул Андрей Маратович. — Видите ли, Виктор Олегович — мой ближайший друг. И с моей стороны было бы полным свинством не помочь ему в беде.

— И мой тоже, — подал реплику Гиря. — Олегович — человек. Я любому пасть за него порву.

— Вот видите, — абсолютно серьезно произнес Андрей Маратович. — Народ его любит. И если вы идете против Мохова, значит, вы идете против народа. Вы ведь не хотите идти против народа?

— Не хочу, — слабо проблеял Максим.

— Вот и хорошо. — Андрей Маратович прищурил и без того узкие глаза и вдруг резко спросил: — Где негативы?

— Нега... — Максим сглотнул слюну и наморщил лоб, пытаясь сообразить. — Они у меня... в квартире.

— Вы уверены?

— Да. Лежат в ящике стола.

— В нижнем или верхнем?

— В верх... то есть в нижнем.

Андрей Маратович удовлетворенно кивнул.

— Отдайте ключи от квартиры Гире, — сказал он. — Он сходит и заберет негативы. А мы с вами подождем в машине. Вы не против?

— Я? — Максим опасливо покосился на сидящего рядом бандита. Тот дружелюбно ему улыбнулся. Максим вздохнул и потянулся рукой к карману.

— Только без глупостей, — предупредил Андрей Маратович.

Предупреждение было излишним. У Максима в кармане не было оружия. А если бы было, он бы все равно не решился им воспользоваться. Обычно Максим постоянно носил с собой короткоствольный «Удар», заряженный газовыми мини-баллонами. Но сегодня утром, как назло, оставил его дома. А может, не назло? Может, правильно сделал, что оставил? Мужики-то вроде серьезные. С этими лучше не шутить. И не столько из-за этого мордатого уголовника (с уголовниками Максим общался и раньше и более-менее знал, чего от них ожидать), сколько из-за второго —

узкоглазого. Было в его лице что-то такое... изуверское, что ли. Даром что интеллигентный. Такой оторвет тебе руку и будет спокойно наблюдать, как ты корчишься от боли. Как ребенок, который отрывает бабочкам крылья из простого любопытства и не чувствует при этом никаких угрызений совести.

С этими невеселыми мыслями Максим достал из кармана ключи и передал их бандиту.

— Благодарствую, — сказал тот и взялся за ручку замка.

— Только умоляю вас — аккуратнее, — жалобно попросил Максим. — Там у входа в гостиную, на тумбочке, дорогая ваза.

— Не скули, фраерок, вазу не трону.

Бандит выбрался из машины.

— Ну вот, — сказал Андрей Маратович, по-прежнему сидя к Максиму спиной. — Теперь мы одни. Смотрите на мой затылок? Хотите угадаю, о чем вы думаете? «Вдарить бы ему сейчас по темечку да смыться».

Максим отвел взгляд. Ничего подобного он не думал, поскольку еще несколько минут назад решил не спорить с узкоглазым. Как говорится, себе дороже.

Андрей Маратович обернулся и закинул локоть на спинку сиденья.

— Кто снимал? — спокойно спросил он.

— В смысле... фотографии?

— Именно.

— Я сам.

— Кто еще в этом деле? Администратор?

— Э-э-э... — Максим хотел было соврать, но не смог. Глядя в эти раскосые, неподвижные глаза, абсолютно невозможно было врать. Максим кивнул: — Да. И еще горничная.

— Татьяна тоже в деле?

— Да. Собственно... она это и предложила, — промямлил Максим. Не специально промямлил, как-то само собой получилось.

— Значит, сама? — прищурился Андрей Маратович.

— Сама, — снова кивнул Максим. — Она сказала, что Мохов боится скандала и заплатит. Я ее отговаривал. Говорил, что Виктор Олегович не из тех, кто платит. И что его нельзя трогать. Но она... она стояла на своем.

— Ясно. Ты с ней спишь?

— Э-э-э...

— Ладно, не отвечай. Сам знаю, что спишь. — Узкоглазый цинично усмехнулся. — С ней кто только не спал. Она и взвод солдат выдержит, не поморщится.

Максим вымучил из себя улыбку:

— Она такая...

— Что? — вздернулся Андрей Маратович.

— Я говорю... вы правильно подметили. Танька взвод солдат...

— Заткнись! — неожиданно рявкнул узкоглазый. — Что ты понимаешь, подстилка? Не суди о людях по себе, понял?

На лице Максима, несмотря на опасность и двусмысленность ситуации, снова появилось обиженное выражение.

— Но ведь вы сами... — начал было он, но Андрей Маратович не дал ему договорить.

— Ты и ногтя ее не стоишь, — с непонятной ненавистью произнес он. — Ты тля. Паразит. Ленточный червь. А она пытается хоть как-то наладить свою жизнь. Где вы познакомились?

— В клубе, — сдавленно ответил Максим. — Я угостил ее коктейлем.

— Ты цепляешь девчонок у барной стойки?

— Иногда да.

Андрей Маратович дернул уголками губ и неприязненно процедил сквозь зубы:

— Ухарь. Такой же ублюдок, как ты, обрюхатил мою старшую сестру. И что бабы находят в таких, как ты? Ни мозгов, ни смелости. Одна только смазливая рожа, да и та противная. Ну, скажи мне.

— Я... не знаю, — пробубнил Максим.

— Не знаешь, но пользуешься? — Узкоглазый хмыхнул. — Да ты у нас талант. Талант, а?

— Не знаю... Наверное. — Стараясь примоститься поудобнее, Максим слишком плотно прижал платок к покалеченной щеке и поморщился. — Если у человека что-то получается, значит, у него есть талант, — с неожиданным упрямством в голосе произнес он.

— Ты еще и рассуждать умеешь, — глухо проговорил Андрей Маратович. — Выходит, смазливая физиономия — не единственное твое достояние? У тебя, наверно, и тело красивое. Ты качаешься?

— Хожу в спортзал три раза в день, — не без гордости ответил Максим.

— И драться умеешь?

— Занимался когда-то боксом.

— Хм. Спорим, я тебя уложу? — В узких глазах Андрея Маратовича замерцал тусклый огонек. — Ставлю сотню баксов, что я тебя уложу.

В лицах обоих мужчин появилось что-то мальчишеское.

— Один на один? — уточнил Максим.

— Один на один!

— И без оружия?

— Абсолютно!

Максим посмотрел на худую шею узкоглазого, на его острые плечи и покачал головой:

— Сомневаюсь.

— Почему?

— У нас с вами разные весовые категории. Я килограмм на десять тяжелее. И еще — у меня нокаутирующий удар с правой.

— Хочешь сказать, что ты отправишь меня в нокаут?

— Если один на один и без оружия...

— Сто баксов! — В руке у Андрея Маратовича откуда ни возьмись появилась стодолларовая бумажка. — Сможешь меня уложить — они твои.

Максим весь подался вперед, забыв даже про порезанное лицо:

— Идет. — Внезапно он одумался и снова обмяк. — Но... я не хочу с вами драться.

— Почему?

— Не хочу, и все.

— Испугался?

— Считайте, что да.

Андрей Маратович закусил губу и прищурил глаза так, что они превратились в две черные зловещие щели. Он вдруг повернулся к лобовому стеклу и завел мотор. Максим посмотрел на дверь подъезда, думая, что узкоглазый увидел возвращающегося Гирю. Но там никого не было.

Машина резко тронулась с места. Максим вздрогнул и перевел взгляд на Андрея Маратовича.

— Куда мы едем? — растерянно спросил он.

Узкоглазый ничего не ответил. Машина вывернула со двора и стала набирать скорость.

— Мы не будем ждать вашего приятеля? — снова, с тревогой в голосе, спросил Максим.

Ответа и на этот раз не последовало.

14

Минут десять они ехали по городу, затем машина вдруг притормозила и свернула с трассы на асфальтовую аллею. Прогнав машину по аллее метров пятьсот, Андрей Маратович снова повернул. Теперь они оказались на посыпанной гравием дорожке рядом с небольшим прудом, огороженным бетонным парапетом.

Машина остановилась.

— Вылезай, — коротко приказал Андрей Маратович.

Максим посмотрел на пруд и поежился. На улице почти совсем стемнело.

— Куда это мы приехали? — с опаской спросил Максим.

— Куда надо. Вываливайся из машины, если не хочешь, чтобы я тебя за волосы вытащил.

Голос узкоглазого звучал спокойно, без всякой угрозы, но Максим посчитал нужным повиноваться. Он выбрался из «мазды», вдохнул свежий воздух улицы и стал переминаться с ноги на ногу, разгоняя кровь по затекшим ступням.

Андрей Маратович выбрался вслед за ним. Он захлопнул дверцу и встал напротив Максима. Некоторое время они молча разглядывали друг друга, и с каждой секундой взгляд Максима становился все увереннее и увереннее. Его противник уступал ему как в росте, так и в ширине плеч. Порезанная щека напоминала о себе пульсирующей, жаркой болью, но Максим почти не обращал на нее внимания. Оставшись один на один с врагом, он снова превратился в мужчину. Первым заговорил Андрей Маратович:

— Ну что? — тихо и угрюмо сказал он. — Ты готов?

— К чему? — поднял бровь Максим.

— Кажется, ты хотел заработать сто баксов, — так же тихо произнес узкоглазый.

Максим усмехнулся. Глотнув свежего воздуха, он полностью овладел собой и теперь выглядел не испуганным щенком, как полчаса назад, а вальяжным хозяином жизни.

— Ты хочешь драться? — спросил Максим.

Узкоглазый кивнул:

— Да.

— Что ж... — Максим повел могучими плечами. — Сколько ты там поставил? Сто баксов? — Он поднял левую руку и показал безымянный палец, на котором поблескивал платиновый поясок. — Ставлю это кольцо, — сказал он грубым голосом. — Против твоих ста баксов.

— Годится, — в тон ему ответил Андрей Маратович.

Максим несколько раз подвигал руками и шеей, разогревая мышцы, размял костяшками пальцев нос. Узкоглазый следил за его манипуляциями спокойным, чуть насмешливым взглядом.

«Смотри, смотри, — со злостью подумал Максим. — Пока есть чем смотреть. Сейчас я тебя по капоту размажу, доходяга».

— Долго еще? — поинтересовался Андрей Маратович.

Максим еще пару секунд подвигал плечами, затем опустил руки, сжал пальцы в кулаки и сказал с ноткой холодного высокомерия в голосе:

— Я готов.

Не успел Максим договорить последнее слово, а узкоглазый уже ринулся на него — резко, как распрямившаяся пружина, с холодной, бешеной яростью в глазах. Максим успел заметить смену опоры в ногах противника, поэтому предвидел нападение и легко уклонился от первого удара. Под второй он поднырнул, сделал резкий реверс и ударил соперника кулаком под дых. Узкоглазый остановился, выпучив глаза, и Максим без особого труда провел серию ударов по его корпусу, выбивая из тощего тела дух.

Обычно после такой серии противник уже не приходил в себя. Максим и на этот раз собрался завершить серию правым хуком в челюсть и послать узкоглазого в нокаут, но не успел. Тот вдруг распрямился, как прижатый к земле и внезапно отпущенный стебель, и два раза ударил Максима по лицу — короткими, хлесткими ударами.

Удары не отличались большой силой, но атака противника была столь внезапной, что Максим опешил и на секунду выпустил инициативу из своих рук. Узкоглазый воспользовался этим. Град посыпавшихся вслед за тем ударов ошеломил Максима. Узкоглазый дрался почти как девчонка — истерично, суматошно, не придерживаясь никаких правил, но большая часть его ударов по какому-то странному стечению обстоятельств достигала цели.

Максим, взревев, как разъяренный медведь, бросился на противника, сбил его с ног и повалился на него всем своим весом. Он хотел схватить узкоглазого за горло, но тот непостижимым образом выскользнул из «объятий» Максима, откатился в сторону и лягнул Максима ногой в пах.

Что было дальше, Максим плохо сознавал. Противник бил его ногами и руками, рвал его ухо зубами, царапал искалеченную щеку острыми ногтями. На какой-то миг Максим, взвыв от ужаса и боли, увидел близко от себя лицо Андрея Маратовича и поразился. Лицо это было абсолютно спокойным и сосредоточенным, словно его обладатель не дрался, а выколачивал пыль из развешанного на перилах ковра. И тогда Максиму стало по-настоящему страшно. Он вдруг понял, что странный узкоглазый человек убьет его. Задушит, порвет ногтями, перегрызет зубами горло. Максим понял, что перед ним не человек даже, а какая-то жуткая бездушная машина, получающая удовольствие от разделывания чужой плоти. И тогда он закричал — громко, визгливо. Это был вопль жертвы, попавшей в когти хищника.

— Хватит! — закричал Максим, прикрывая руками голову. — Перестань!

Максим уже не надеялся, но, вопреки его ожиданиям, крики подействовали. Град ударов прекратился. Максим лежал на асфальте, обхватив голову руками и зажмурив глаза. Кто-то схватил его левую руку (так грубо, что хрустнули суставы) и сдернул с безымянного пальца платиновое кольцо.

— Ты... проиграл, — услышал Максим над собой глуховатый, хрипловато-одышливый голос Андрея Маратовича.

«Я жив», — подумал Максим и осторожно открыл глаза.

Узкоглазый стоял перед ним в испачканном светлом пиджаке, подобно гипсовому изваянию. Он тяжело и хрипло дышал — видимо, драка вымотала и его.

Максим хотел подняться, но Андрей Маратович небрежно толкнул его ногой.

— Лежи! — приказал он. Затем сунул руку за лацкан пиджака и достал маленький автоматический пистолет, типа пятизарядного вальтера. Направил дуло на Максима и сказал: — Ты уже понял, что место это безлюдное. Когда-то здесь сидели рыбаки, но год назад ушли и они. Знаешь, почему?

— Вероятно, потому, что рыбы не стало, — предположил Максим, глядя на маленький пистолет, дуло которого было направлено ему прямо в лицо.

— Верно, — усмехнулся узкоглазый. — Так что мы здесь одни. Калибр у этой игрушки небольшой, стреляет она почти беззвучно. Выстрела никто не услышит.

— Зачем вы мне все это говорите? — севшим голосом спросил Максим.

— Затем, что я могу пристрелить тебя, а потом спокойно смыться отсюда. Никто меня не увидит и никто не остановит. А твой труп найдут только завтра, когда студенты сельхозакадемии пойдут на занятия. Он будет плавать в воде с распухшей рожей. — Андрей Маратович передернул плечами. — Поганое, должно быть, зрелище.

— Я... — начал было Максим, но узкоглазый его перебил:

— У меня руки чешутся тебя прикончить, — холодно и тихо произнес он. — Но если ты расскажешь все, я оставлю тебя в живых. Ну так как? Хочешь попытаться спасти себе жизнь?

— Я... не понимаю, что вы от меня хотите. — На глазах у Максима стояли слезы, голос его подрагивал. — Я сделал все, как вы просили. Ваш уголовник наверняка уже перевернул всю мою квартиру и изъял все негативы. Даже те, которые не представляют для него интереса. Что вы еще от меня хотите?

— Статья, — загадочно произнес Андрей Маратович. — Статья в Интернете. Это ведь твоих рук дело?

— Ста... — Максим обескураженно мотнул головой. — Какая статья? Не понимаю, о чем вы.

— Большой валун, поросший мхом, — так же загадочно ответил Андрей Маратович.

Плечи Максима затряслись.

— Господи... — плаксиво загнусавил он. — Зачем вы меня мучаете? Я ничего не знаю ни о каких валунах.

— «Вся правда о будущем Президенте Республики», — холодно процитировал Андрей Маратович. — И не делай вид, что ничего об этом не знаешь. Этот пасквиль появился в Интернете сегодня утром, а вечером его уже не было. Говори, паскуда, ты сам ее написал или кого-нибудь попросил?

Максим обхватил ладонями голову и стал раскачиваться, тихонько ноя под нос:

— Я не знаю... Не знаю, о чем вы говорите... Я устал... Я хочу домой... У меня раскалывается голова...

— Сейчас она у тебя на самом деле расколется, — с холодной насмешкой произнес Андрей Маратович. — Как орех. Спущу курок — и разлетится пополам. Вместе с мозгами.

Максим вскинул голову и посмотрел влажными глазами на Андрей Маратовича.

— Хватит меня пугать! — истерично взвизгнул он. — У меня штаны... мокрые. Не верите — можете пощупать. Я ничего не знаю ни про какую статью. И перестаньте меня мучить.

С полминуты Андрей Маратович молча разглядывал лицо Максима, тускло освещенное фонарем. И убрал пистолет.

— Ладно, — сказал он. — Будем считать, что я тебе поверил. Если узнаю, что обманул, из-под земли достану. Вгоню тебе этот пистолет в жопу и нажму на спуск.

Максим поднял дрожащую руку и осторожно потрогал пальцами лицо. Боли почти не было, но по собственному опыту Максим знал, что это шок и что через минуту лицо запылает, словно его прижигают паяльной лампой.

Узкоглазый посмотрел на него с усмешкой и сказал:

— Ты, кстати, правильно сделал, что закричал. Я запросто мог тебя задушить. — Максим ничего не ответил. Андрей Маратович окинул его внимательным взглядом и добавил: — Плохо выглядишь. Глаза-то хоть целы?

— Целы, — промямлил Максим.

Андрей Маратович кивнул:

— Хорошо. Остальное через пару дней зарастет. Иди к пруду — умойся.

Максим тяжело поднялся на ноги и поплелся к мерцающей кромке воды.

Холодная вода обожгла израненное лицо, но слегка прояснила мысли. «Что здесь происходит? — мучительно подумал Максим, силясь разглядеть свое отражение в темной воде. — И что я здесь делаю? Абсурд какой-то».

— Умывайся лучше, — посоветовал ему Андрей Маратович. — И волосы тоже, у тебя на них кровь. Черт, и когда только я успел так тебя измордовать?

В голосе узкоглазого чувствовалось удовлетворение и даже скрытое торжество. Он говорил как победитель.

— Ты нечестно дрался, — со странной смесью уныния и злобы огрызнулся Максим. — Мы не договаривались кусаться и царапаться.

— Мы и под дых бить не договаривались, — парировал Андрей Маратович, — но это тебя не остановило. Кстати, хороший был удар. Я даже подумал, что мне конец. Ты зря потом бил по почкам, тебе нужно было вырубить меня ударом в челюсть. У меня слабая челюсть, — почти добродушно пояснил Андрей Маратович.

Максим зачерпнул пригоршню воды и выплеснул себе на волосы.

— Ладно, — сказал Андрей Маратович, — хватит ребячиться.

Максим еще раз промыл лицо, достал из кармана грязный платок и прижал к кровоточащей щеке. Затем поднялся на ноги и повернулся к узкоглазому.

— Верни кольцо, — попросил Максим. — Я тебе за него заплачу.

Андрей Маратович усмехнулся и покачал головой:

— Не верну. Я его выиграл. Теперь оно мое.

— Это память о матери, — с чувством сказал Максим.

Узкоглазый пожал острыми плечами:

— Мне плевать. Кольцо останется у меня. Но ты можешь попробовать у меня его отнять. Есть желание?

Желания продолжать драку у Максима не было. Он и после первой схватки чувствовал себя полуживым.

— Нет? Ну дело твое, — сказал Андрей Маратович. Он отряхнул рукав пиджака и двинулся к машине, бросив на ходу: — Поехали. Довезу тебя до дома. Гиря нас, наверное, уже заждался.

При воспоминании о Гире на душе у Максима стало еще паршивее. Тем не менее он послушно поплелся к машине.

15

До дома оставался еще квартал, когда Максим вдруг повернул голову и, ткнув пальцем в стекло, взволнованно произнес:

— По-моему, это ваш приятель!

Андрей отреагировал мгновенно, он тут же притормозил и посмотрел в окно. Коротко спросил:

— Где?

— Да вон! Идет в сторону метро! Видите?

Теперь Андрей увидел. Гиря шел по улице ссутулившись и сунув руки в карманы брюк, шел торопливо и целенаправленно.

— По-моему, он решил от вас смыться, — сказал Максим. И вдруг схватился за голову и простонал: — Черт... Так я и знал.

— Что? — быстро спросил Андрей, следуя взглядом за спешащим к метро Гирей.

— Он удирает! Значит, он выпотрошил всю полку!

— Сиди здесь! — сухо сказал Андрей.

Он остановил машину, быстро открыл дверцу и выскочил на улицу. На улице накрапывал дождь и дул ветер. Андрей, не обращая на это внимания, быстро зашагал за Гирей. Между ними было метров пятьдесят. Оглянувшись, Гиря вдруг свернул к скверу, чтобы сократить путь к метро. Андрей последовал за ним.

Мокрый, черный сквер был безлюден и выглядел жутковато. Гиря шел по асфальтовой дорожке не оборачиваясь. Руки его по-прежнему были в карманах, а маленькая голова по-цыплячьи вжалась в плечи, спасаясь от холодного дождя.

Андрей зашагал быстрее. Он почти нагнал Гирю, когда тот неожиданно обернулся и крикнул:

— А ну, стоять!

По инерции Андрей едва не налетел на уголовника и остановился всего в полшаге от него. В живот Андрею ткнулось лезвие ножа.

— Куда спешим, фраерок? — глумливо спросил Гиря, хищно посверкивая на Андрея прищуренными глазами.

Андрей опустил взгляд на нож, снова поднял его и сказал:

— Убери перо.

— Да ну? — так же глумливо отреагировал Гиря.

Дождь усиливался. Мерцающие капли стекали с мокрых волос Гири на его покатый, шишковатый лоб. Андрей снова посмотрел на нож и, не желая рисковать, сделал шаг назад.

— Молодец, — кивнул Гиря, по-прежнему держа нож перед собой. — А теперь поворачивайся и топай к машине, фраерок. И не глупи.

— Почему ты не дождался меня? — спокойно спросил Андрей.

— Ты слишком долго катался, — ответил Гиря. — Я устал ждать.

— Хорошо. Но у нас с тобой был договор, — сказал Андрей. — Ты должен был найти негативы и отдать их мне.

Гиря ухмыльнулся:

— Я помню. Стой, где стоишь. — Он сунул левую руку в задний карман брюк и вынул оттуда небольшой бумажный пакет. Протянул его Андрею, но передумал и швырнул на деревянную скамью. Дождь забарабанил по белой бумаге конверта.

— Чего стоишь? — гаркнул Гиря. — Размокнет.

Андрей повернулся, спокойно подошел к скамейке и взял конверт.

Гиря облизнул мокрые от дождя губы и тихо проговорил:

— Теперь мы в расчете.

— Откуда я знаю, что это *те самые* негативы? — спросил Андрей.

— Проверь.

— Здесь темно. Я ничего не увижу.

— Увидишь. Там надпись.

Андрей поднял конверт к глазам. На нем было написано всего одно слово: «Мохов».

— Прочитал? — поинтересовался Гиря, дернув уголками губ.

Андрей посмотрел на него исподлобья.

— Да, прочитал.

— А теперь вали. Если когда-нибудь снова встанешь у меня на пути...

— Это еще не все, — оборвал его Андрей.

Несколько секунд Гиря молчал, сверля собеседника глазами, затем разжал мокрые губы и бросил:

— Вот как? Чего же тебе еще надо, фраер?

Андрей кивнул подбородком на оттопыренную рубашку уголовника.

— Покажи, что у тебя за пазухой, — властно сказал он.

— Ц-ц-ц, — поговорил Гиря, усмехаясь и покачивая головой. — А ты наблюдательный.

— Что у тебя за пазухой? — повторил Андрей.

Лицо Гири стало злым и безжалостным.

— Я отдал тебе твои негативы, — пролаял Гиря. — Мы в расчете.

— Я так не думаю, — проговорил Андрей так тихо, что слова его почти слились с шумом дождя.

— Мне плевать, что ты думаешь! — озлобленно рявкнул Гиря. — Мы в расчете, и я...

— Расстегни рубашку, — сухо и совершенно спокойно приказал Андрей.

В этих простых словах была такая мрачная и зловещая сила, что Гиря поневоле поежился.

— Тебе мало супа да котлет, тебе еще десерт подавай? — истерично крикнул он. — Любишь сладкое, Дрюня? А жопа не слипнется?

— Так, — усмехнулся Андрей. — Бунт на корабле. Захотел на нары, Гиря?

— На нары ты сам у меня пойдешь. У меня полный карман такого барахла, за которое мне не то что кассу продмага, мне сбербанк простят.

— Может, поделишься?

— Пусть с тобой Бог делится, у него добра много. Мне надоело с тобой болтать. Я...

Андрей вынул из кармана пистолет и направил его на Гирю.

Когда Андрей вернулся, дождь уже почти прекратился.

— Вас долго не было, — боязливо проговорил Максим, когда Андрей забрался в салон. — Вы его поймали?

Андрея вынул из бардачка платок и вытер мокрое лицо. Несмотря на природную смуглость, он был бледен, под глазами пролегли тени.

— Так вы его поймали? — повторил свой вопрос Максим.

Андрей, не отвечая, протянул ему мокрый конверт.

— Это он?

Максим посмотрел на конверт, судорожно сглотнул слюну и кивнул:

— Да.

Андрей удовлетворенно кивнул и запихал конверт в бардачок. Затем достал что-то из внутреннего кармана пиджака и швырнул туда же. Максим проследил за ним взглядом, и зрачки его расширились.

— Это же...

— Помолчи, — усталым голосом сказал Андрей и закрыл дверцу бардачка.

— Вы меня разорили, — хрипло проговорил Максим. — Вы забрали все, что у меня было.

Андрей повернулся и пристально посмотрел на своего пленника.

— Помолчи, — сухо и насмешливо проговорил он.

— Зря вы это... Зря. Имейте в виду, я тоже умею играть в такие игры.

Андрей прищурился:

— Да ну?

— Я не хочу вам угрожать, но я тоже могу сделать так, что у вас появятся проблемы.

Максим говорил быстро, сбивчиво и взволнованно. Казалось, вспыхнувшие гнев и обида застили ему глаза и разум.

— Я тоже могу нанять крепких ребят, чтобы они подкараулили вас у подъезда, — продолжал бормотать Максим. — Они пересчитают вам все кости. И это будет справедливо. То, что лежит в бардачке, принадлежит мне, и только мне.

— Принадлежало, — поправил его Андрей. — Но я оказался сильнее, чем ты. — Он усмехнулся одной частью лица и добавил: — Сильные всегда обижают слабых. Это закон жизни. А теперь — убирайся из машины.

— Что?

Андрей дернул губой и брезгливо произнес:

— Пошел отсюда вон.

Некоторое время Максим смотрел на собеседника, раскрыв от изумления рот. Наконец губы его задрожали, и он проговорил:

— Клянусь, ты пожалеешь... Ты сильно об этом пожалеешь...

— Вон! — рявкнул Андрей.

Максим выскочил из машины.

16

— Алло, Андрей Маратович?

— Да. Кто это?

— Системный администратор. Марк Сковородников. Мне нужно с вами поговорить.

Долгов откинулся на спинку кресло и устало сказал:

— Ну так говори.

— Не хотелось бы по телефону.

На лбу у Долгова появились две складки, рот насмешливо искривился. «И у этого конспирация», — подумал он. А вслух сказал:

— Хорошо, Марк. Ты сейчас где?

— В баре возле офиса. Помните, вы хотели посидеть и попить пива? У вас есть шанс это сделать.

Андрей поднял руку и посмотрел на часы. «Черт, времени, как всегда, в обрез. Не дай бог этот придурок вызвал меня по какому-то пустяку, уволю к чертовой матери!»

— Ладно, Марк, — сказал Долгов в трубку. — Минут через пять подойду.

— Жду.

Сисадмин отключил связь.

А уже через пять минут Андрей был в баре. Он плюхнулся за стол, огладил разметавшиеся полы пиджака и сразу же, без всяких утомительных предисловий, взял быка за рога.

— Что случилось, Марк?

Сковородников, похоже, никуда не спешил. Он отхлебнул из высокого бокала пива и сказал:

— Может, сперва закажете себе пива, Андрей Маратович?

Долгов хотел разразиться гневной тирадой, но вовремя себя сдержал. Кто знает, что на уме у этой компьютерной крысы?

— Да, ты прав, — спокойно сказал Долгов. — Официант!

Вскоре второй бокал был на столе. Андрей отхлебнул пива, удивляясь тому, каким вкусным оно было, и тому, что за последний год он вообще успел позабыть, какое оно на вкус.

— Как семья? — спросил он.

Сковородников улыбнулся:

— Нормально. Жена передавала вам привет и просила еще раз поблагодарить за лекарства.

— Нет проблем. Всегда рад помочь.

— Как вам пиво, Андрей Маратович?

— Ничего.

Сковородников улыбнулся с таким видом, словно он сам это пиво сварил.

— В этом баре не разбавляют, — самодовольно произнес он. — Поэтому я часто сюда хожу.

— Надеюсь, не во время рабочего дня? — пошутил Андрей.

Сковородников покачал кудлатой головой:

— Только во время обеденного перерыва.

— Понимаю. А голова потом после пива не кружится? Когда долго смотришь в монитор? — иронично поинтересовался Андрей.

— Нет. Голова у меня крепкая. А вот техника иногда подводит.

— Что ты имеешь в виду? — спокойно спросил Андрей.

Сковородников облизнул толстые губы и сощурил глаза.

— Помните, вы говорили, что кто-то объявил Виктору Олеговичу войну, — вкрадчиво начал он.

— Помню.

— Похоже, это правда.

Андрей несколько секунд молчал, потом отодвинул от себя бокал с недопитым пивом и сухо произнес:

— Так, Марк. Вот с этого места давай поподробнее.

— Вы пиво пейте, пока холодное.

— Я пью. — Андрей снова взялся за бокал.

— Может, хотите к пиву орешков или сухариков? Я закажу.

Андрей качнул головой:

— Нет, не стоит. Так кто объявил Мохову войну? И почему ты вообще так решил?

Компьютерщик оглянулся как шпион, опасающийся слежки, чуть наклонился к Андрею и тихо проговорил:

— К нам в систему забрался хакер.

— Вот как, — опешил Андрей, который совершенно не разбирался в компьютерах и для которого слово «хакер» означало что-то вроде «компьютерный воришка». — Как ты это выяснил?

— Случайно. Хакер очень умелый. Замаскировался будь здоров. Но совершил пару просчетов.

— Так. — Андрей наморщил лоб. — Что, по-твоему, он делал в нашей системе?

— Точно не знаю. Портить этот парень ничего не портил, поэтому думаю, что он влез, чтобы скачать информацию.

— Ему это удалось?

Сковородников пожал плечами:

— Не знаю. Сегодня я его купировал. Но все зависит от того, насколько давно он сидит в нашей системе. Может, он пасется у нас уже дня три?

— Такое возможно?

— Вполне. Говорю же — я и сегодня вышел на него случайно. Сегодня я с ним справился, но не исключено, что он повторит попытку.

— Гм... Погано.

— Да, Андрей Маратович, хорошего тут мало.

Компьютерщик отхлебнул пива.

— Этого хакера можно найти?

— Я бы сказал «нет». Можно попробовать, но вы же знаете, как эти парни умеют шифроваться. Они систему ЦРУ взламывают, и им это сходит с рук.

— Хорошо. А можно поставить какую-нибудь защиту? — поинтересовался Андрей. — Только надежную. Такую, чтобы он не смог прорваться?

— Я над этим работаю. Но у меня мало времени. Приходится заниматься другой работой.

— Считай, что с сегодняшнего дня ты освобожден от всех работ, кроме этой. Да, и вот еще.

Андрей достал из кармана бумажник, отсчитал несколько купюр и протянул их компьютерщику:

— Это тебе.

Компьютерщик посмотрел на деньги, затем перевел взгляд на Андрея и спросил:

— Что это?

— Премия. За то, что обнаружил злоумышленника.

— Не нужно. Это ведь моя работа.

— Правильно. А за хорошо выполненную работу полагается премия. Держи!

Сковородников, похоже, был сильно смущен.

— Это большие деньги, — неуверенно проговорил он.

— Я знаю, — улыбнулся Андрей. — Если усовершенствуешь защиту — получить еще два раза по столько. А если найдешь хакера...

Компьютерщик качнул головой:

— Я бы на это не надеялся.

— А вдруг, — пожал плечами Андрей. — Может, найти тебе кого-нибудь в помощники?

— Не стоит. Я хороший специалист, можете мне поверить.

— Я верю. Но если понадобится помощник — только свистни. Ладно, Марк, мне пора. Если что — звони мне на мобильный. Пока!

Долгов бросил на стол пару мятых купюр и встал из-за стола.

17

После разговора с компьютерщиком Андрей пребывал в странном состоянии духа. С одной стороны, сообщение об обнаружении хакера расстроило его, с другой — мобилизовало. Он чувствовал себя готовым к борьбе. Заваруха намечается нешуточная, но тем интереснее.

Хозяин сказал, что сегодня вечером из Москвы прилетит частный детектив. Сообщение о его прибытии развеселило Андрея. Воображение мгновенно нарисовало всем знакомый образ: клетчатый твидовый костюм, трубка, горбоносый профиль. «Пишите мне на Бейкер-стрит, двадцать два», «Элементарно, Ватсон!»

Помощь, конечно, не помешала бы, но она была не настолько необходима, чтобы оправдывать вторжение в «частные дела» Хозяина незнакомого человека. К тому же из Москвы. Черта лысого он поймет в здешних делах!

Шагая по коридору офиса, Андрей обдумывал план дальнейших действий. Одна из дверей открылась, и в коридор вышла Татьяна. Она заметила Андрея, но отвернулась и быстро пошла в другую сторону.

— Татьяна! — окликнул ее Андрей.

Девушка остановилась и оглянулась.

— Чего тебе? — сухо спросила она.

Андрей замялся, имя девушки он выкрикнул почти инстинктивно и еще не успел определиться, нужно ему с ней говорить или нет.

— Что с тобой? Столбняк напал? — насмешливо сказала Татьяна. — Ладно, созреешь — догонишь.

Она отвернулась и снова пошла по коридору.

— Постой! — снова окликнул ее Андрей.

Татьяна остановилась.

— Ну? — нетерпеливо спросила она.

Андрей быстро подошел к девушке и схватил ее за руку.

— Ты больше не должна встречаться с Хозяином! — неожиданно резко и пылко проговорил он.

Девушка удивленно посмотрела на Андрея, затем перевела взгляд на руку.

— Ты делаешь мне больно, — сказала она.

Андрей разжал пальцы.

— Ты больше не должна встречаться с ним, — повторил он, на этот раз гораздо спокойнее.

— Вот как? — Татьяна едко усмехнулась. — Мне кажется, это не тебе решать, Андрюша. Ты слишком много о себе возомнил. А ты всего-навсего помощник.

— Если ты еще хоть раз ляжешь с ним в постель, я... Зрачки девушки сузились.

— Ну? — холодно спросила она. — И что ты сделаешь?

— Я расскажу Хозяину, что Максим твой любовник.

Лицо Татьяны вытянулось. Несколько секунд она молчала, обдумывая сказанное, затем быстро и нервно проговорила:

— Не понимаю, о чем ты. Среди моих знакомых нет ни одного Максима.

— Ты можешь изворачиваться, как хочешь, но я тебя насквозь вижу, — глухо проговорил Андрей. — Максим всего лишь пешка в твоих руках. Ты переспала с ним, притворилась влюбленной дурочкой и натолкнула его на идею шантажа. Он-то думает, что идея принадлежит ему.

— Я по-прежнему не понимаю, о чем ты говоришь.

— Правда? Тогда почему ты не уходишь?

— Потому что пытаюсь тебя понять. Но, похоже, ты сошел с ума.

На смуглых скулах Андрея заиграли желваки.

— Не хитри со мной, детка, — с холодной яростью произнес он. — Я тебе не Максим. И не играй на моем поле. На нем нет места для двух игроков.

— Кретин, — сухо проговорила Татьяна и развернулась, чтобы идти, но Андрей снова поймал ее за руку и силой развернул к себе.

Татьяна негромко вскрикнула и, злобно сверкнув на Андрея глазами, сморщилась от боли.

— Повторяю, не играй на моем поле, — тихо сказал Андрей. — Иначе я займусь тобой всерьез.

— У тебя руки коротки, — с ненавистью проговорила Татьяна. — Если не отпустишь руку, я закричу. На нас и так уже смотрят.

Андрей оглянулся, увидел, что по коридору идет сотрудник, и выпустил запястье девушки из своих крепких пальцев.

— Еще раз ко мне прицепишься — выцарапаю глаза, — предупредила Татьяна, развернулась и быстро зацокала каблучками по мраморному полу.

Андрей проводил девушку взглядом, пока она не скрылась за поворотом, затем развернулся и побрел в другую сторону, морща в задумчивости лоб.

— Неужели я ее недооценил?.. — тихо бормотал он себе под нос. — Неужели?..

18

— Аня, привет! — поприветствовал Турецкий секретаршу, переступив порог приемной.

— Здравствуйте, Александр Борисович! — просияла луноликая, смазливенькая секретарша. — Давно вас не было видно.

— Да уж. С некоторых пор я здесь редкий гость. А ты соскучилась?

— Очень! Вы тут единственный, кто понимает толк в хорошем кофе. Нынче все вдруг переключились на зеленый чай. О здоровье, что ли, заботятся?

— Наверно, — с улыбкой ответил Турецкий. — Правильно, кстати, делают. Бери пример с них, а не с меня. Проживешь девяносто лет.

— Вот еще! — фыркнула юная секретарша. — Я хочу умереть молодой и красивой, как Мерилин Монро. Какой смысл быть старым, больным и некрасивым?

— Поверь мне, Анечка, смысл есть. Перед тобой старый, больной и некрасивый человек. И ничего — жить все равно хочется.

— Ну, — засмеялась секретарша, — какой же вы старый и некрасивый? Вы мужчина в самом расцвете лет! Как Карлсон!

— Спасибо за комплимент, — весело сказал Турецкий. Он кивнул на дверь. — Монстр у себя?

— На месте, — в тон ему ответила секретарша. — И уже минут десять вас ждет... Ой, правда, чего это я вас отвлекаю? — внезапно засуетилась девушка. Она сняла трубку и деловито проговорила: — Константин Дмитриевич, тут Александр Борисович пришел... Поняла. — Она положила трубку и посмотрела на Турецкого. — Константин Дмитриевич вас ждет.

— Ты ему сказала, что я без фрака? — насмешливо осведомился Турецкий.

— Думаю, он в курсе, — улыбнулась секретарша.

Александр Борисович раскрыл дверь и замер на пороге, насмешливо глядя на хозяина кабинета. Тот сидел за столом в одной рубашке, желтый галстук был сбит набок, пара пуговиц расстегнулась, открыв постороннему взгляду майку цвета морской волны. Седоватые волосы Меркулова торчали во все стороны, словно никогда не были знакомы с расческой. Вид у него был запаренный.

Меркулов поднял взгляд от бумаг, глянул на Александра Борисовича и сказал:

— А, Саня, привет! Рад тебя видеть. Заходи, не мнись у порога.

— Что, правда? — поднял брови Турецкий.

— Чего правда? — не понял Меркулов.

— Можно войти? Для меня это большая честь!

Константин Дмитриевич поморщился:

— Турецкий, кончай паясничать. Заходи и располагайся, где тебе удобнее.

Александр Борисович закрыл дверь и заметил с усмешкой:

— Я бы предпочел расположиться в твоем кресле. Надеюсь, ты не против?

— Против.

— Вот тебе и радушный хозяин. Чего так?

Меркулов слегка прищурился.

— В кресле заместителя генпрокурора должен сидеть человек добрый и сдержанный, — назидательно сказал он. — А ты злой и нервный.

Турецкий вздохнул:

— Ты прав. К тому же твое кресло чересчур жестковато для моего деликатного зада. Не ровен час, наживу себе геморрой.

— Насчет геморроя ты прав, — угрюмо признал Константин Дмитриевич. — Впрочем, я это называю работой. Кофе будешь?

— Конечно, — ответил Александр Борисович, усаживаясь на стул, и добавил: — Предпочитаю молотый мокко.

— Молотый дома будешь пить. — Меркулов снял трубку. — Аня, принеси нам, пожалуйста, кофе и чай.

Турецкий достал сигареты. Меркулов посмотрел на него, нахмурился, но ничего не сказал. Турецкий сделал вид, что не заметил его гримасы, и закурил.

— Только не дыми в мою сторону, — проворчал Константин Дмитриевич, — я два бронхита за полгода на ногах перенес. Третьего мне не пережить.

— Ты себя недооцениваешь, — сказал Турецкий, но дым выдохнул в сторону. — Окно, кстати, открой, страдалец.

— Без тебя бы не догадался.

Константин Дмитриевич протянул руку и открыл створку окна.

— Полагаю, обмен любезностями закончен? — осведомился он у Турецкого. — Теперь можем перейти к делу?

— Я уже пять минут этого жду. Что случилось, Константин Дмитриевич? Кто-то угрожает Президенту, и ты решил, что я единственный, кто может...

— Откуда ты знаешь? — удивленно перебил его Меркулов.

— Что знаю? — опешил Александр Борисович.

— То, что ты сказал. Про Президента и все прочее.

У Турецкого слегка вытянулось лицо.

— Подожди... — Он недоверчиво посмотрел на Меркулова. — Ты что, серьезно? Или опять твои приколы?

— Никаких приколов, Саня, — покачал головой Константин Дмитриевич.

— То есть ты хочешь сказать, что вызвал меня сюда по заданию Кремля? — иронично усмехнувшись, уточнил Александр Борисович.

— Да нет, Сань, Кремль здесь ни при чем. Я...

Дверь кабинета открылась, секретарша внесла поднос с двумя дымящимися чашками. Поставила их на стол, незаметно подмигнула Турецкому и, пожелав приятного аппетита, вышла из кабинета.

— Где ты их набираешь? — завистливо проговорил Турецкий.

— Места надо знать, — ответил Меркулов. Он придвинул к себе чашку, заглянул в нее и поморщился. — Опять зеленый. Один раз сказал ей, что у меня пошаливает сердце, с тех пор упорно таскает мне зеленый чай. Ну что прикажешь делать? Уволить ее?

— Точно, уволь. А в причинах укажи: за трогательную заботу о здоровье начальника.

— Да ну тебя... — Меркулов поднял чашку и брезгливо отхлебнул. — Ни вкуса, ни запаха, — резюмировал он. — Одни витамины. У тебя-то хоть крепкий?

— Ложку можно ставить. Меня твоя секретарша не жалеет.

— Я тебя тоже жалеть не стану. — Константин Дмитриевич сделал еще глоток, отодвинул от себя чашку, откинулся на спинку кресла и пристально посмотрел на Александра Борисовича. — Дело, Саня, сугубо конфиденциальное, — начал он, перейдя на деловой тон. — Ты слышал когда-нибудь такое имя — Виктор Олегович Мохов?

— Слышал, — ответил Турецкий. — Пару лет назад я был в командировке в его палестинах. Он уже тогда считался хозяином города, хотя на президентское кресло его амбиций не хватало.

— Теперь хватает с избытком, — заметил Константин Дмитриевич.

— Да, я в курсе. — Турецкий затянулся сигаретой и стряхнул пепел в блюдце. — Если я ничего не путаю — а я ничего не путаю, — Мохов сейчас баллотируется в Президенты Республики. И кажется, у него неплохие шансы. Я видел репортаж в новостях.

— Ты прав. Шансы у него очень неплохие. Несколько дней назад Мохов был в Кремле и заручился поддержкой Президента.

— Ну, в таком случае ему не о чем беспокоиться, — небрежно сказал Александр Борисович, никогда не питавший теплых чувств к политикам, зная им истинную цену. — Победа у него в кармане.

Меркулов...

— Он тоже так думал. Видишь ли... у Мохова, как у многих региональных политиков, довольно темное прошлое.

— Нашел чем удивить, — скривился Александр Борисович. — По половине из них до сих пор нары плачут.

— Ну, на какой половине Мохов — не нам с тобой судить, — довольно сухо возразил Константин Дмитриевич. — Мы на него дел не заводили. А раз так, то в наших глазах, как и в глазах общества, Виктор Олегович Мохов — законопослушный гражданин.

— Повтори еще раз — я запишу, — насмешливо попросил Турецкий.

— Поиздевайся еще, — дернул бровью Меркулов. — Так вот, Саня, два дня назад в Интернете появилась статья о... — Константин Дмитриевич замялся, подыскивая нужное слово.

— О подвигах нашего кандидата? — подсказал ему Турецкий.

Меркулов кивнул:

— Угу. Точнее сказать — о некоторых ошибках молодости кандидата, большая часть из которых вымышлена.

— Этого ты не знаешь, — отрезал Александр Борисович.

Меркулов пристально на него посмотрел и спокойно произнес:

— Ты тоже.

— А я теперь лицо частное и верю не фактам, а своему чутью, — парировал Турецкий.

— Слушай, давай расставим все точки над «и». Я не утверждаю, что Мохов — непорочный ангел. Дерьма в его жизни хватает. Но среди его противников тоже нет ни одного святого старца.

— Естественно, — фыркнул Турецкий. — Откуда же им было взяться в девяностые.

— Вот видишь, ты сам все понимаешь, — с добродушной улыбкой заметил Константин Дмитриевич. — Я знаю Мохова лично. Поверь мне на слово, он неплохой мужик. Слышал я кое-что и о его политических противниках. Это такая сволочь, что клейма ставить негде.

— Кто бы мог подумать!

Меркулов слегка поджал губы:

— Сань, ты можешь хотя бы пять минут не ерничать? Я отвык от твоих подколок.

— Хочешь со мной работать — привыкай снова.

— Ты стал злым, — грустно констатировал Константин Дмитриевич.

Турецкий пожал плечами:

— А ты — скучным. И еще неизвестно, что хуже.

С полминуты коллеги угрюмо молчали. Турецкий курил. Меркулов помешивал ложечкой чай, не глядя на Турецкого.

— Ладно, — заговорил наконец Константин Дмитриевич. — У тебя есть повод быть злым, и я на тебя не в обиде.

— Покорнейше благодарю, — снова съерничал Турецкий.

— Теперь, когда я признал это, мы можем поговорить серьезно? Правда, Сань, за последние дни я устал как собака. Работы — море, к тому же бессонница стала мучить.

— А разве когда-нибудь было по-другому? — спокойно возразил Турецкий.

— Да нет. Но тогда мы с тобой были помоложе.

— Ты прав. Мы были моложе, и у нас были принципы. А теперь ковырни нас с тобой — и столько дерьма повалится, что святых вон выноси.

По лицу Константина Дмитриевича пробежала тень. Он пригладил ладонью седеющие волосы, словно успокаивая себя, и сухо поинтересовался:

— Ты что, записался в проповедники?

— Вовсе нет, — нервно дернул ртом Александр Борисович. — Просто противно. По всем этим господам нары плачут, а они идут в прокуратуру и вместо хорошего срока получают хорошую защиту. Мы для них что-то вроде зонтика. Вот это и бесит.

— Н-да, — задумчиво протянул Меркулов, поглядывая на Турецкого из-под сдвинутых бровей. — Уход из Генпрокуратуры пошел тебе на пользу. Советую отрастить бороду, напялить рубище и уйти в пустыню. Страждущие потянутся к тебе косяком.

— Ты завидуешь, что ли?

— А то. Всю жизнь мечтал, чтобы меня звали святой старец Константин. Сам бы в пустыню ушел, да грехи не пускают. У меня не такая чистая и трепетная душа, как у тебя, отец Александр. Случается и в дерьмо наступить.

Он отвел взгляд от Турецкого и помолчал, не давая обиде прорваться наружу.

Александр Борисович слегка покраснел.

— Ты чай-то пей, — мягко и слегка смущенно сказал он. — Остынет. А за грубые слова извини. Прорвало.

— Бывает, — пожал плечами Константин Дмитриевич, по-прежнему не глядя на Турецкого.

Александр Борисович поморщился:

— Что-то я, Костя, и в самом деле как с цепи сорвался. Срываю на тебе злость.

— Я уже сказал: у тебя есть повод, — тем же тоном ответил Константин Дмитриевич.

Турецкий вмял сигарету в блюдце.

— Давай начнем с начала, Костя. На этот раз я не буду вести себя как двенадцатилетний шалопай. Вспомню, что когда-то я был профессионалом. Давай излагай. Что там была за статья?

Турецкий достал новую сигарету. Константин Дмитриевич подождал, пока он прикурит, затем достал из ящика стола пару распечатанных листков и протянул их Турецкому.

— На, ознакомься.

— Интернетовская статья? — вскинул брови Александр Борисович.

— Угу.

Турецкий взял листки и пробежал их взглядом.

— Весьма познавательно, — прокомментировал он прочитанное и поднял взгляд на Константина Дмитриевича. — Адрес сайта известен?

— Это частная страница, — ответил тот. — Блог, что-то типа дневника. Просуществовала ровно день, потом исчезла.

— Так, может, ничего страшного? Сколько человек могли ее прочесть? Двое-трое.

— Ошибаешься. Страницу делал профессионал. Он забросал Интернет-форумы и чужие блоги ссылками на этот текст.

— Ага. Стало быть, трафик был, — глубокомысленно изрек Александр Борисович.

— Если ты имеешь в виду количество посещений, то оно зашкалило за пятьсот.

— И это за один день?

— Да, — кивнул Меркулов. — Уверен, что многие распечатали ее или просто скопировали и переслали текст друзьям.

— Чего ради им это было делать? — поинтересовался Александр Борисович.

— На той же странице, что и статья, было предупреждение. Мигала красненькая иконка, на которой было написано, что, дескать, этот сайт просуществует всего день. Спешите скачать текст, если хотите знать правду о вашем будущем Президенте. Что-то в этом роде.

— Н-да, — сказал Турецкий и задумчиво потер пальцами подбородок. — Народу нравятся такие истории. Тайны, теории заговоров...

— Запретный плод сладок, — подтвердил Меркулов. — Представь, что хотя бы треть посетителей страницы распечатали статью и показали ее своим друзьям и родственникам.

— Неплохой тираж для провинциального издания, — заметил Турецкий.

— В том-то и дело. Тут, Сань, есть еще один важный момент. Я тебе уже говорил, что немного знаю Мохова. Так вот, у него проблемы со здоровьем. Нервы, сердчишко и так далее. У него уже был один инфаркт. Ну и плюс к этому он немного закладывает за воротник.

— Насколько немного? — прищурился Турецкий.

— Запои по два-три дня. Запирается в своем шикарном кабинете и пьет горькую, пока не взвоет от боли, и секретарше приходится вызывать «скорую», чтобы прочистить ему кровь. Кстати, первый свой инфаркт Мохов заполучил именно так. Говорят, в тот раз еле успели довезти его до больницы. Еще б немного и...

Константин Дмитриевич оставил фразу недоговоренной.

Турецкий курил, с задумчивым видом поглядывая на кончик тлеющей сигареты.

— Что думаешь по этому поводу? — спросил Константин Дмитриевич.

— То же, что и ты, Костя. Этой статьей враг Мохова хотел убить двух зайцев сразу. Первое — испортить репутацию Мохова. Второе — наудачу, конечно — прикончить самого Мохова. Нет человека — нет проблемы. И дело не пришьешь, поскольку чувак помер от сердечного приступа. — Александр Борисович стряхнул пепел и пристально посмотрел на Меркулова. — О здоровье Мохова и о той истории с инфарктом и бутылкой многие знают?

— Думаю, да. Особой тайны из этого никто не делал.

— Зря. Теперь противники знают слабое место Мохова и будут лупить по этому месту прямой наводкой. Пока не прикончат. У него, кстати, есть под рукой личный врач или кто-нибудь в этом роде?

Константин Дмитриевич покачал головой:

— Нет. Врачей Мохов недолюбливает. Предпочитает лечить свои болячки сам.

Турецкий усмехнулся:

— Знаю я, как такие господа лечат стрессы. Водкой или вискарем. Было время, сам так лечился.

— А сейчас? — тихо спросил Константин Дмитриевич.

— Что? — не понял Турецкий.

— Сейчас как лечишься?

— Никак. Сейчас я здоров. Ну или почти здоров, — нехотя добавил Александр Борисович, с момента своего ранения на корню пресекавший все попытки влезть ему в душу. — А почему ты спрашиваешь?

— Ну не зря же я тебя сюда пригласил, — интригующе проговорил Константин Дмитриевич.

— Вот как? — усмехнулся Турецкий. — А я думал, просто хочешь посоветоваться. Ну тогда давай, выкладывай. Чего ты от меня ждешь?

Меркулов немного помедлил, обдумывая, с чего начать, затем сказал:

— Мохов позвонил мне вчера вечером. Просил разобраться во всей этой истории.

— Он решил привлечь Генпрокуратуру? — изумился Турецкий.

— Нет, не совсем. Вернее, совсем нет. Это был частный звонок и, соответственно, частная просьба. Мохов считает, что мы с ним приятели. И в общем, имеет для этого все основания. Лет десять назад он здорово помог мне в одном деле. Дал информацию на одного местного мафиози, которого мы никак не могли прищучить. Ниточки тянулись в Москву, ну и...

Меркулов пожал плечами, давая понять, что говорить тут, в общем, не о чем.

— Вернемся к нашим баранам, — сказал он после паузы. — Мохов сказал, что хочет расследовать все в частном порядке, без огласки и так далее. Но своим людям после всего, что произошло, не слишком доверяет. Попросил меня порекомендовать ему частное агентство «с репутацией». Я порекомендовал «Глорию» и тебя лично. Я правильно сделал?

— Смотря по тому, сколько этот тип готов заплатить, — сухо сказал Турецкий.

— Платит он хорошо.

— Насколько хорошо?

Меркулов взял карандаш, нацарапал на листке со статьей несколько цифр и повернул листок к Турецкому. Тот глянул на цифры и присвистнул:

— Расходы включены?

Меркулов покачал головой:

— Нет. Расходы идут отдельной статьей. — Он снова взялся за карандаш, нацарапал еще одну цифру. — В день, — прокомментировал Константин Дмитриевич начертанное. — Кроме того, если появятся дополнительные расходы, он готов их оплатить.

— Щедрый дядя. Видно, очень сильно хочет стать Президентом.

— Иначе бы не ввязался в это дело, — сказал Константин Дмитриевич.

— Почему ты связался со мной, а не с Плетневым? Он оперативнее... на ногу.

— Но на место поедешь ты, — парировал Константин Дмитриевич. — Плетнев и прочие — хорошие парни, но они всего лишь оперативники. А я дал Мохову слово, что порекомендую ему настоящего следователя. Парни пусть будут на подхвате, а степень участия и соответственно долю каждого определите сами. — Меркулов пожал плечами. — По-моему, все логично.

— Да, логика железная, — дернул уголком рта Турецкий.

— Так ты согласен? — прямо спросил Меркулов.

— Гм...

— Сань, давай без твоих ужимок. Мохов ждет ответа. Думаю, помощники сейчас прячут от него бутылку и добавляют ему в чай успокоительное.

— Вообще-то я получил предложение прочесть курс лекций в одном американском колледже, — раздумчиво проговорил Александр Борисович.

— Я в курсе, — кивнул Меркулов. — Разведка уже доложила. Но, если не ошибаюсь, у тебя в запасе есть целая неделя.

— Думаешь, этого хватит? — прищурился Турецкий.

— Для такого профессионала, как ты, да.

Александр Борисович улыбнулся:

— Умеешь ты убеждать, Константин Дмитриевич. Что ж, пожалуй, я возьмусь за это дельце.

— У вашего агентства уже несколько месяцев нет денежных дел, — сказал Меркулов.

— Возможно, ты прав. Слушай, ты что-то начал рассказывать про какое-то давнишнее дело... Про помощь, которую оказал тебе Мохов сто пятьдесят лет назад.

— Не думаю, что об этом стоит рассказывать, — сказал Меркулов.

Однако Александр Борисович Турецкий придерживался другого мнения.

— Это может быть важно. Так на кого тогда накапал Мохов?

— Айрат Кашапов по кличке Татарин, — ответил Меркулов. — Помнишь такого?

— Припоминаю, — кивнул Александр Борисович.

Он и в самом деле вспомнил Татарина. Лет десять назад тот был опасным человеком, и, чтобы выступить против него, требовалось большое мужество. Если, конечно, Мохова хорошенько не прижали. Или если он сам не вознамерился прибрать к рукам «бизнес» Татарина. Хотя... Мохов вроде бы всегда старался играть по правилам. В беспределе, по крайней мере, он замечен не был.

— Авторитетный был товарищ. И дело было громкое. Он еще сидит?

— Угу. Два убийства с отягчающими. Еще лет пять будет вшей кормить — и это в лучшем случае.

— Он еще имеет какое-нибудь влияние?

Константин Дмитриевич покачал головой:

— Вряд ли. Насколько я знаю, Татарин на зоне скис. Отошел от дел, увлекся религией, стал выращивать цветы в горшочках и тому подобное. Сейчас всем заправляют молодые, стариков отправили «на пенсию».

— Ясно. Мохов уже что-нибудь предпринял?

— Уверен, что да. Но результатов никаких. Знаешь, Сань, желательно выехать туда сегодня вечером. Мохов все утро обрывал телефон, все спрашивал — когда. Горит у мужика.

— Ну, если горит — потушим, — сказал Турецкий и вмял окурок в блюдце.

19

Из дневника Турецкого

«Забавно все-таки устроен мир. Вроде и без семьи человек чувствует себя хреново, волком воет от одиночества. Но и семья иногда — довольно поганая вещь для его нервной системы. При том, что мне еще повезло с женой (пишу это без всякой иронии, на полном серьезе). А каково мужикам-бедолагам, которых с души воротит от вида собственной жены? Я таких знаю. Домой после работы не спешат, околачиваются все вечера подряд в спортбарах. Хорошо еще, если дети есть, без них вообще труба.

Вот, скажем, вчера вечером моя благоверная мне заявляет: «Шура, мне кажется, ты должен принять это предложение. Ты накопил достаточно опыта, чтобы поделиться им с молодежью». Какой из меня, к чертям собачьим, учитель? Чему я их научу?

Благо бы еще наши парни и девчата, с ними я, пожалуй, мог бы найти общий язык, но американцы... Что у них в головах? Ганнибал Лектер и агент Кларисса Старлинг? Молчание ягнят и ворчание ветчины? Они ж на своих дешевых боевиках воспитаны. Настоящая жизнь покажется им серой и скучной, пока эта самая жизнь не стукнет их по головам и вдруг выяснится, что жизнь — штука довольно страшная и дерьма в ней гораздо больше, чем крови цвета томатного сока.

Ладно, хватит лирики. Что-то в последнее время меня постоянно тянет на сопли. Старею, что ли? Нога еще, сволочь, покоя не дает. Ладно бы только к дождичку ныла, это мы как-нибудь пережили бы. Но ведь на улице солнечно и сухо. Что этой сволочи надо? Почти полвека вместе, а ведет себя как неродная.

Н-да, юморок у меня сегодня... Интересно, как со мной Ирина уживается?

А вообще, забавно. Жил себе мужик, не тужил, работал по мере сил, о пенсии даже во время жесточайших простуд и собачьей усталости не помышлял. Знал, конечно, что работа опасная и что в один прекрасный момент «лавочка» под названием жизнь может просто закрыться. Но никогда не думал о том, что «лавочка» может закрыться не совсем. Осталась щель, и что с ней делать?

Денису Грязнову в тот день повезло больше, чем мне. Вспышка света — и все. А для меня эта вспышка стала началом. Началом новой жизни, которая больше похожа на смерть. Х-хех. Как сказал, а! Может, мне на старости лет в писатели переквалифицироваться? Беллетрист Александр Турецкий! Звучит?.. Вообще-то не совсем. А если честно, то совсем никак. Скорей уж — «Автор мемуаров Александр Турецкий». Вот это уже неплохо, и порассказать, кстати, есть о чем. С такими личностями знакомство вел, что Ленька Пантелеев отдыхает, а Горбун из «Черной кошки» нервно курит в углу.

Историй, в общем, хватит. А в перерывах между этой трепотней забацать что-нибудь жутко умное. Что-нибудь о смысле, а вернее — о бессмысленности жизни. Как там называлась та дурацкая книжка, которую читала Нинка? «Афоризмы и максимы» — так, кажется. Что ж, афоризмов могу навалять на полтыщи страниц. А книжку так и назовем — «Мудрености», автор — философ-экзистенциалист, бывший мастер меча и кинжала сэнсэй Турецкий.

Ох, что-то я сегодня болтлив. Но только ли сегодня? Это пятая тетрадь, а я все пишу и пишу и угомониться не могу. В самом деле, на старости лет превращаюсь в словоблуда-графомана. Хорошо хоть писательских амбиций нет, а то бы вообще труба.

Хотя от Букеровской премии я бы не отказался. Купил бы себе хороший катер, пару-тройку спиннингов, пригласил бы ребят из «Глории» и покатил бы в дельту. Тройная уха под водочку, копченая щука с пивом. Лафа! И никаких тебе американских студентов с их идиотскими улыбочками, никаких кровавых луж и сломанных судеб... Ни-че-го.

Ладно. Кончаем треп.

Через полчаса мне выходить».

Часть вторая
СЛЕДСТВИЕ ВЕДЕТ «СЭНСЭЙ»

1

Александр Борисович окинул взглядом толпу встречающих и увидел табличку со своим именем. Табличку держал худой жилистый парень с желтым лицом и черными, слегка раскосыми глазами.

Турецкий подошел к парню, улыбнулся и сказал:

— Приветствую! Можете опустить табличку. Хватит мне рекламы.

Узкоглазый окинул его изучающим взглядом с ног до головы.

— Вы Турецкий?

— Он самый. А вы...

— Андрей, — ответил узкоглазый. — Помощник Виктора Олеговича. Вы прилетели вовремя.

— Да, самолет не опоздал.

Андрей усмехнулся:

— Я не об этом. Хотя и об этом тоже.

— Вы еще кого-то ждете? — поинтересовался Александр Борисович.

— Нет.

— Тогда, я думаю, табличку можно опустить. А то собьем с толку какого-нибудь турка.

Андрей мелко засмеялся и опустил табличку.

— Турки до нас не добираются, — сказал он.

— А кто же строит дома?

— Хватает узбеков и молдаван. — Андрей скользнул взглядом по саквояжу Турецкого и по его трости. — Хотите помогу донести, — предложил он.

— Спасибо за трогательную заботу, но он не тяжелый. Лимузин уже подогнали к выходу?

— А то, — улыбнулся Андрей.

— Что на этот раз? «Мерседес» или «бентли»?

— «Ламборджини» местной сборки. Годится?

— Вполне.

Мужчины рассмеялись и двинулись к выходу.

По пути к машине Андрей все время косился на Александра Борисовича, словно прикидывал что-то в уме или оценивал потенциал своего нового товарища. Турецкий заметил это, но виду не подал. Ему самому было интересно следить за реакцией «помощника кандидата», за его манерой держаться, вести беседу. Наконец Андрей спросил:

— Могу я поинтересоваться, Александр Борисович?

— Смотря чем, — ответил Турецкий.

— У вас довольно редкая профессия. По правде говоря, я в первый раз встречаю частного детектива.

— И слава богу, — улыбнулся Александр Борисович. — С людьми моей профессии обычно встречаются, когда сильно прижмет.

— Да уж, — хмыкнул Андрей. — Вы что-то типа спин-доктора.

— Скорей уж, что-то вроде «Черного плаща», — иронично заметил Александр Борисович. — Спешу на помощь, и все такое.

— И вы, пардон, каким образом работаете? У вас что, есть своя химическая лаборатория? Вы снимаете отпечатки пальцев, исследуете содержимое желудка жертвы? Или все ваше вооружение — это лупа и чутье?

Александр Борисович насмешливо дернул бровью.

— Отнюдь, — сказал он. — С лупой мы по следам не ползаем, волоски под микроскопом тоже не разглядываем.

— А что же вы тогда делаете?

— Выводы, — просто ответил Турецкий.

— Вот оно как.

— Именно так, — кивнул Александр Борисович.

— И что, получается? — снова поинтересовался Андрей.

— Когда как, — ответил Турецкий.

— Звучит не очень оптимистично, — заметил Андрей. — Хоть раз удалось выудить крупную рыбу? Или вы в основном по разводам и изменам специализируетесь?

— А почему вы интересуетесь?

Андрей пожал плечами:

— Просто удовлетворяю любопытство. А вот, кстати, и наш лимузин.

Андрей остановился перед стареньким джипом «ниссан». Открыл заднюю дверцу и оглянулся на Турецкого.

— Что, ожидали кареты пороскошнее?

— Да, были такие мыслишки, — признался Александр Борисович.

— Скромность украшает, — заметил Андрей.

— Оригинальная мысль, — признал Турецкий и, забросив в салон свой небольшой саквояжик, забрался в машину сам.

— Виктор Олегович предпочитает простые тачки, — объяснил Андрей, когда машина тронулась. — Дело в том, что ему часто приходится ездить на встречи с избирателями. Некрасиво приезжать к обиженным властью людям на дорогой машине.

— Ездил бы на «жигуленке», — заметил Турецкий.

Андрей, однако, покачал головой:

— Это будет слишком. Все поймут, что он работает на публику. А вот скромненький, подержанный «японец» — в самый раз.

— Здравый подход, — одобрил Александр Борисович. Он кивнул на затылок водителя. — А он у вас немой?

— Почти, — с усмешкой ответил Андрей. — Он предпочитает рулить, а не болтать языком. Да, Виктор?

Водитель, не отвечая, кивнул.

«Хорошо вымуштрован, — подумал Турецкий. — Видать, у этого Мохова крутой нрав. Но с машинами верно придумал. Хотя наверняка автор идеи — помощник Андрей. По всему видать, у этого парня в голове масса идей».

— А это плохо? — спросил вдруг Андрей.

Турецкий вздрогнул.

— Что? — спросил он.

— То, о чем вы думаете, — пояснил Андрей, повернувшись и разглядывая Александра Борисовича своими узкими, бесстрастными глазами. — Вы ведь сейчас думали обо мне. И решили, что я на многое способен. Разве не так?

Турецкий почувствовал, как под волосами у него вспотела голова. Этот парень и впрямь был способен на многое. Мысли он, что ли, читает?

Андрей, по-прежнему разглядывая Александра Борисовича щелочками глаз, усмехнулся:

— Иногда. Просто вы меня совсем не знаете и поэтому ведете себя настороженно. А настороженного человека разгадать гораздо легче, чем прямого и доверчивого.

— Как это? — не понял Турецкий.

— Просто. Прямой, доверчивый, откровенный и болтливый человек гораздо чаще сначала говорит, а потом думает. Поэтому его слова и ужимки заслоняют собой мысль, которая за этими словами просто не поспевает. В итоге вы никогда не знаете наверняка, что у него в голове.

— А осторожный человек? — поинтересовался Александр Борисович, все больше удивляясь своему новому знакомому.

— С осторожным все гораздо проще, — улыбнулся Андрей. — Они так тщательно и усердно скрывают свои мысли, что в конце концов эти мысли проступают у них на лице. Как огненные буквы в воздухе на пиру царя Валтасара. Это из Библии, — пояснил Андрей.

— Спасибо, я догадался.

Турецкий замолчал. С минуту в машине никто не разговаривал.

— Вы не обиделись? — спросил Андрей.

— На что?

— На мои шутки.

— Так это были шутки?

Андрей обнажил в улыбке ряд мелких белоснежных зубов.

— Конечно! Трюк, которым я развлекаю приезжих. Виктор, подтверди!

Водитель, по-прежнему не произнося ни слова, важно качнул головой.

— Вот видите, — сказал Андрей. — Увы, я не похож на Гудини или Мессинга и не умею делать чудеса.

Некоторое время оба молчали.

— Что насчет соперников Мохова? — спросил Турецкий. — Они очень сильны?

— Вы имеете в виду соперников на грядущих выборах? — уточнил Долгов.

— Именно.

— Я бы не сказал, что у Виктора Олеговича есть реальные соперники, — довольно пренебрежительно произнес Андрей. — Соцопросы показывают, что за Мохова проголосуют как минимум тридцать процентов населения республики. Все остальные конкуренты — а их трое — и вместе столько не наберут.

— Кто они?

— Один, Володин, — коммунист, лидер заводского профсоюза. Второй, Андреев, довольно крупный бизнесмен. Но Мохову он не конкурент. И третий, Сваровский, — тоже бизнесмен, но в политике он недавно. И, в отличие от двух других конкурентов, к Виктору Олеговичу он относится хорошо. Они даже дружили в молодости.

— Ну это ни о чем не говорит, — заметил Александр Борисович.

— Напротив, — возразил узкоглазый помощник, — Виктор Олегович любит ностальгировать, поэтому к друзьям юности относится очень хорошо.

— А они к нему? — осведомился Турецкий.

— Тоже неплохо. Со Сваровским, например, они довольно часто встречаются на разных благотворительных мероприятиях. Они оба — известные в республике меценаты. И всегда встречаются по-хорошему.

— Тем не менее сейчас они соперники.

— Формально да. Но Сваровский пошел в политику не корысти ради. Для него это что-то вроде... очередного развлечения. Как, например, коллекционирование картин.

— Ничего себе — развлечение, — хмыкнул Турецкий, вставляя в рот сигарету.

— Он может себе это позволить, — пожал плечами Андрей Долгов. — Есть такая поговорка: «Каждый борется со скукой по-своему». Способ Сваровского ничем не хуже других.

— Так, значит, Сваровский — бонвиван? Любитель развлечений? — уточнил Александр Борисович.

— В какой-то степени да, — кивнул Андрей. — Этим он и отличается от Виктора Олеговича. Виктор Олегович — труженик. Он хочет принести людям реальную пользу. Служить им.

— А Сваровский?

— Сваровский хочет поиграть в благодетеля. Он поэтому и в благотворительных акциях участвует. Но он не зол и вреда никому причинить не хочет. Я бы определил его как скучающего мизантропа.

— А двое других? Вы могли бы дать им такую же короткую и исчерпывающую характеристику?

— Ну... — Андрей замялся. — Володин — идиот. На всех митингах кричит про «рабочую жилку» и «торжество идей коммунизма». Андреев — человек деловой. Но он не боец. Довольно трусоват, не любит рисковать. Предпочитает иметь «воробья в руке», чем гоняться за «журавлем».

— Но в политику все же пошел, — возразил Александр Борисович.

— Ну да, пошел, — признал узкоглазый помощник. — Но далеко в этом деле не двинется. Ему не хватает лидерских качеств.

— Которые есть у Мохова?

— Да. Которые есть у Мохова, — отчеканил Андрей не терпящим возражений голосом. — В сравнении с Моховым эти двое — просто пигмеи.

— А Сваровский?

— Сваровский фигура поинтереснее, но он не политик. Он из тех игроков, которые не могут играть на долгой дистанции. Ему нужно все и сразу либо не нужно совсем. Поэтому политика ему скоро надоест. Он просто выдохнется.

— Ясно.

* * *

— Александр Борисович, здравствуйте!

Мохов вскочил с места и бросился к Турецкому с вытянутой рукой.

— Вечер добрый, — улыбнулся не ожидавший такой бурной реакции на свой приезд Турецкий, пожимая протянутую руку.

Андрей тоже смотрел на Виктора Олеговича с легким удивлением, он никогда еще не видел Хозяина таким возбужденным.

— Проходите! Присаживайтесь в кресло! Да-да, сюда! — продолжал хлопотать хозяин кабинета.

— Спасибо, — слегка смутился Турецкий.

«Похоже, дело действительно дрянь», — подумал он, разглядывая Мохова.

— Так, значит, вы тот самый Турецкий, — продолжал нести околесицу Хозяин.

— Смотря что иметь в виду под «тем самым», — ответил Александр Борисович.

— Тот самый, который вывел на чистую воду главных коррупционеров Москвы, который разоблачил несколько террористических организаций, который...

— Пожалуй, хватит для начала, — заметил с усмешкой Александр Борисович.

— Ничего страшного. Как видите, слава идет впереди вас. Такое часто бывает, уж вы мне поверьте. — Виктор Олегович посмотрел на Андрея и сделал широкий жест рукой в сторону Турецкого.

— Вот, Андрюша, — возбужденно произнес он. — Перед тобой лучший следователь Москвы. По крайней мере, так мне его рекомендовали.

— Не все рекомендации правдивы, — тихо заметил Андрей, испытав небольшой укол ревности.

— Ну-ну, не будь таким недоверчивым, — проговорил, возбужденно блестя глазами, Виктор Олегович.

— Он прав, — спокойно сказал Турецкий. — Я действительно раскрыл несколько дел, но не стоит раздувать из мухи слона. Дела-то были плевые.

Внимательно разглядывая Мохова, Александр Борисович понял наконец причину его возбужденного состояния. Кандидат в Президенты Республики был попросту пьян. В дым, в шоколад. Удивительно, что он еще не рухнул на пол. Турецкий и сам умел пить как лошадь и при этом оставаться на ногах, но, судя по двум пустым бутылкам в урне, организм Виктора Олеговича был сделан из очень прочного материала.

— Константин Дмитриевич Меркулов никогда ничего не говорит зря! — возразил Мохов. — А он дал вам самые высокие рекомендации. Правда, я так и не понял, за что вас турнули из Генпрокуратуры?

— Так вы работали в Генпрокуратуре? — тихо спросил Андрей, с удвоенным любопытством глядя на Турецкого.

— Да не просто работал, а был лучшим «важняком», — снова сломанным органом прогудел Мохов. — Так за что вас оттуда, Александр Борисович?

По лицу Турецкого пробежала тень, Мохов ничего не заметил, но от цепких глаз Андрея это не укрылось.

— Может быть, Александру Борисовичу неприятно об этом вспоминать, — деликатно предположил он.

— Чушь! — рявкнул Мохов. — И вообще, с каких это пор ты стал перебивать меня?

Андрей улыбнулся с таким видом, словно услышал чрезвычайно забавную шутку, и с веселой язвительностью проговорил:

— Прошу прощения и умолкаю, *босс*.

— Вы очень вовремя приехали, — сказал Мохов, обращаясь к Турецкому. — У нас здесь черт-те что творится. Не хочу сказать, что я святой, но то, что написано в этой статье... Кстати, вы читали эту статью?

— Да, — кивнул Александр Борисович.

Виктор Олегович усмехнулся:

— И как вам?

— Сложный вопрос. Зависит от того, насколько она правдива.

— Там нет ни слова правды! — быстро и резко сказал Виктор Олегович. — Ни слова — ясно вам? И если вы хотите работать на меня, советую вам в этом не сомневаться.

— Сомнения — неизбежный атрибут моей работы, — сдержанно заметил Турецкий. — Что с вами? Вам плохо?

Виктор Олегович тяжело опустился в кресло и приложил ладонь к груди.

— Нет... — сказал он. — Да... Неважно...

Андрей вскочил со стула, быстро подошел к столу, взял графин, наполнил стакан водой и протянул Хозяину. Тот схватил стакан и залпом выпил воду.

— Вам бы выпить таблетку, — неуверенно проговорил Андрей.

Виктор Олегович дернул ртом.

— К черту! Просто мне нужно немного... отдохнуть. — Последнее слово он договорил хриплым, одышливым голосом.

Турецкий посмотрел на Андрея, тот в ответ пожал плечами.

— Это очень опасно, — сказал Александр Борисович. — Андрей, вызовите врача.

— Я не собираюсь... — начал было ворчать Мохов, но Турецкий не дал ему договорить.

— Если вы и дальше будете отказываться от услуг врачей, то республика останется без Президента, а я — без зарплаты, — отчеканил он холодным голосом.

Мохов несколько секунд смотрел Турецкому в глаза, затем криво усмехнулся (лицо у него было бледным, почти землистым) и слабо махнул рукой:

— Ладно, черт с вами. Зовите ваших врачей.

2

— Скверное дело, — проговорил Андрей.

— Да уж, неприятное.

Александр Борисович сидел на краю стола с дымящейся сигаретой в руке.

— Итак, — сказал он, — я знаю, что вы провели собственное расследование. Что вы выяснили?

— Ничего определенного. Автора статьи не нашли.

— А что насчет этого?

Турецкий достал из кармана измятый снимок и протянул его узкоглазому помощнику. Тот скользнул по снимку взглядом и изумленно уставился на Александра Борисовича:

— Откуда это у вас?

— Достал из мусорной корзины в кабинете Мохова. Пока вы хлопотали возле своего босса.

— Вы не имели права, — угрюмо произнес Андрей.

— Сыщики не очень разборчивы в средствах, вы об этом не знали?

— Я это учту.

— Так откуда эти фотографии? — снова спросил Александр Борисович. — Вернее — кто шантажировал Мохова? И как вы поступили?

— Про снимки можете забыть, — небрежно ответил Андрей. — Я достал негативы и уничтожил их.

— Хорошая работа, — похвалил Турецкий. — Вы не думаете, что снимки сделали те же самые люди, которые выбросили в Интернет компромат?

— Это исключено, — сухо ответил Андрей. — Можете мне поверить.

Турецкий помолчал, разглядывая Андрея колючими глазами.

— Я хочу, чтоб вы мне подробно рассказали об этом, — сказал он.

— Не думаю, что это представляет для вас интерес.

— Мне плевать, что вы думаете, — холодно осадил парня Александр Борисович. — Моя работа — найти злоумышленника, и только я могу решать, какие факты интересны, а какие, нет. Кто шантажировал Мохова?

— Один хлыщ, — нехотя ответил Андрей. — Мелкий шантажист, устраивающий ловушки в гостинице. Максим Воронов. Я с ним уже разобрался. Больше он нам не будет пакостить.

— Что насчет девушки на снимке? — прищурился Турецкий.

— А что насчет девушки?

— Вы ее знаете?

Андрей покачал головой:

— Нет. Вы же видите, она изображена со спины.

— Но были и другие снимки.

— Были. Они такие же, — сухо ответил Андрей. — Вероятно, шантажист не хотел, чтобы в кадр попало лицо его подельницы.

— Значит, это не случайная девушка, а подельница?

Андрей слегка побледнел:

— Почему вы так решили?

— Вы это сами сказали.

— Я?

— Да. Только что. Кто она? Вы ведь встречались с Вороновым. Что он вам про нее рассказал?

— Мы не говорили про девушку. И вообще, чего вы привязались к этой девушке? Какая разница, кто она?

Турецкий прищурился.

— Вы ее знаете, — произнес он вдруг.

Рот узкоглазого помощника дернулся.

— Что за чушь?

— Это не случайная девушка, — еще увереннее проговорил Александр Борисович. — Это постоянная любовница Мохова. Он к ней неровно дышит и поэтому покрывает ее. Как ее имя?

— Да какого черта вы ко мне пристали? — вспылил вдруг Андрей. — Вы следователь, вы и ищите. Говорю вам — это случайная девчонка. Обыкновенная гостиничная проститутка. Уверен, что она даже не знала, что ее снимают.

— Вот так так! — иронично проговорил Турецкий.

— Что «вот так так»?

Александр Борисович добродушно улыбнулся помощнику:

— Похоже, вы тоже неровно к ней дышите. — Он посмотрел на снимок, который все еще держал в руке. — Жаль, что на снимке видна только ее спина. Красивая, должно быть, девушка.

Андрей вскочил со стула, выхватил из пальцев Турецкого снимок и принялся яростно рвать его на мелкие кусочки. Александр Борисович ему не препятствовал, лишь поглядывал на помощника с нескрываемым интересом.

— Мельче уже не получится, — насмешливо сказал он. — Можете выбросить обрывки в окно.

— Не указывайте мне, что делать! — со злостью воскликнул Андрей.

— Да я и не указываю, — пожал плечами Александр Борисович. — Но вы должны сказать мне имя девушки. Я все равно его узнаю. Лучше раньше, чем позже. К тому же вы наверняка не хотите предавать эту историю огласке. А если я начну искать сам...

— Ищите, — оборвал его Андрей. — В конце концов, это ваша работа, и вы получаете за нее деньги. А ко мне больше не лезьте, иначе...

— Иначе что? — полюбопытствовал Турецкий.

— Иначе я элементарно набью вам морду.

— Не сомневаюсь, что так и будет, — кивнул Александр Борисович. — Судя по всему, вы парень жилистый, выносливый и сильный. Шутить с вами — себе дороже.

Андрей сжал кулаки и сделал шаг по направлению к Турецкому.

— Хотите попробовать? — спросил он.

— Что вы, — усмехнулся Александр Борисович. — Я ведь не самоубийца. И вообще, приятель, я не понимаю, как мы с вами дошли до такого разговора? Мы ведь с вами по одну сторону. Или... — Турецкий хищно прищурился. — ...Нет?

Мужчины долго смотрели друг другу в глаза, затем Андрей потупил взгляд.

— Что-то я перенервничал, — тихо сказал он. — Надо принять успокоительное. А вам пора в гостиницу. Номер уже забронирован, координаты возьмете у Татьяны.

— Секретарша Мохова?

— Да.

— Что ж, спасибо за беседу.

Турецкий протянул парню руку и доброжелательно улыбнулся. Тот некоторое время смотрел на протянутую ладонь, затем с явной неохотой вяло ее пожал.

— Вот и славно, — сказал Александр Борисович. — Это мой первый день в вашем городе. Не хотелось бы наживать себе врагов.

— С вашим характером это несложно сделать, — заметил Андрей. — Удивительно, как это у вас до сих пор не сломан нос.

— Сам удивляюсь, — усмехнулся Турецкий.

— Хотя, судя по трости, ноги вам все же кто-то переломал, — язвительно сказал узкоглазый помощник.

Улыбка Турецкого стала холодной, а через секунду исчезла совсем. Он поднялся на ноги и, ни слова не говоря, двинулся к двери.

Андрей смотрел ему вслед, прищурив холодные черные глаза.

* * *

Секретарь Татьяна, завидев Турецкого, улыбнулась и поправила пальчиком очки.

— Вернулись, — сказала она.

— Да. Только что из кабинета Долгова. У него там не так уютно, как у Мохова, но тоже недурно. Бронзовые часы с рюшечками, электрокамин.

— Андрюша знает толк в уюте.

— Да уж. Послушайте, Танечка... Надеюсь, мне можно вас так называть?

Татьяна улыбнулась, но ответила довольно жестко:

— Нежелательно.

— Гм... Хотите, я буду называть вас по отчеству?

— И это лишнее. Зовите меня просто Татьяна.

— Как это скучно, — разочарованно протянул Александр Борисович. — Ну хорошо. Татьяна, милая Татьяна, мне сказали, что вы забронировали для меня номер в вашем шикарном пятизвездочном отеле.

— Не такой уж он и шикарный, — сказала Татьяна. — Сейчас я дам вам все, что нужно, — адрес, имя администратора, телефоны.

— Уж будьте любезны.

Татьяна отвернулась и наклонилась к нижнему ящику стола. Волосы ее были собраны на затылке, и взору Турецкого открылась изящная шейка со впадинкой. Внезапно поворот гибкого тела девушки что-то напомнил Александру Борисовичу.

— Вот, — сказала Татьяна, выпрямляясь и протягивая Турецкому пластиковый пакетик с бумагами. — Это ваше.

Александр Борисович спрятал пакет в карман.

— Вы звонили в больницу? — спросил он.

Девушка вздохнула и ответила:

— Да.

— И как он?

— Врачи говорят: хорошо, что мы вовремя их вызвали. Еще бы полчаса и...

И она снова вздохнула — грустнее и продолжительнее, чем в первый раз.

— Да. Если ты плюешь на свое здоровье, то рано или поздно оно плюнет на тебя, — философски изрек

Александр Борисович и вставил в рот сигарету. — Здесь можно курить?

— После того, что вы только что сказали, сомневаюсь, — насмешливо ответила девушка.

Турецкий весело прищурился.

— Таня, расскажите мне о том, что здесь творилось последние дни.

— А вы разве не знаете?

— Кое-что, — ответил Александр Борисович. — Но, вероятно, не все.

— Ну... — Татьяна пожала плечами. — В Интернете появилась ругательная статья.

— Кто ее обнаружил?

— Не знаю точно. Какой-то парень из компьютерного отдела.

— А кто показал статью Мохову?

— М-м-м... По-моему, это был начальник компьютерного отдела... Как же его... Алексей Ермилов, кажется. Да, он.

Турецкий задумался и кивнул:

— Так. Дальше.

— Ну, дальше все тут же закрутилось. Хозяин... простите, Виктор Олегович приказал вызвать Андрея Долгова. Потом они долго кричали в кабинете... То есть Виктор Олегович кричал, а Андрей что-то ему отвечал. Потом у Хозя... то есть у Виктора Олеговича начался запой.

— Вы так просто об этом говорите? — прищурился Турецкий.

— А что? — не поняла девушка.

— Обычно такие вещи скрывают, — пояснил Александр Борисович. — Или, по крайней мере, не говорят о них открыто.

Татьяна небрежно пожала плечами:

— Все это знают. Да Хозяин и не скрывает, что любит выпить. Мы ему даже на дни рождения дарим огромные бутылки с хорошим виски. Знаете — такие, на рамочке.

— Часто у него бывают запои? — поинтересовался Турецкий.

— Да нет... Случается пару раз в год. Тогда он запирается в кабинете и пьет несколько дней. Потом, когда Хозяину становится совсем плохо, я вызываю врача, и ему ставят капельницу. Но такое бывает редко. Чаще он просто выпивает бутылку и едет домой отсыпаться. А утром приходит почти как огурчик и просит меня купить ему холодного квасу. Вот и все.

— Андрей Долгов работает у него долго?

— Несколько лет. Он еще до меня пришел.

— Хозяин ему доверяет?

Татьяна подумала и ответила:

— Мне кажется, больше, чем любому другому. Андрей — правая рука Хозяина.

— Так-так, — сказал Турецкий и прищурился. — У Андрея есть причины не любить Хозяина? Может, тот его когда-нибудь обидел?

— Да нет... — Девушка наморщила лоб. Подумала немного, вспоминая, затем покачала головой: — Нет, не знаю такого.

— Но ведь Андрей обидчивый, — настаивал на своем Турецкий.

— Ну да, обидчивый. Но на Хозяина он никогда не обижается. Виктор Олегович много для него сделал. Буквально подобрал его из грязи.

— Так уж и из грязи? — усомнился Александр Борисович.

— Ну да, — кивнула Татьяна. — Он тогда вроде нигде не работал. Виктор Олегович взял его помощником.

Александр Борисович покивал, размышляя, затем сказал:

— Ну хорошо. А теперь расскажите мне о конверте с фотографиями.

— С фотографиями? — удивилась девушка. — С какими фотографиями?

— На днях — вчера, позавчера — вы принесли Мохову конверт. В нем были фотографии. Я знаю это точно, Мохов мне сам сказал, — соврал Александр Борисович.

— А, конверт, — «вспомнила» Татьяна. — Да, конверт был. Но я в него не заглядывала. Я даже не знала, что там фотографии. Хотя... он и правда был плотный.

— Хорошо. Теперь мне нужно, чтоб вы вспомнили: что было написано на конверте?

— Ой, я даже не помню! Кажется просто: «В. О. Мохову».

— От кого?

Татьяна остановила на Турецком недоуменный взгляд.

— Понятия не имею.

— Кто принес конверт? — быстро спросил Александр Борисович, в свою очередь сверля девушку глазами.

— Конверт лежал на столе вместе с другой почтой. Но на нем не было ни штампа, ни обратного адреса — ничего.

— Кто приносит почту?

— Саша... Он из службы доставки.

— Вы часто выходите из приемной?

— Нет, не часто.

— А когда выходите, закрываете дверь?

— Дверь? — Девушка нахмурилась и качнула головой. — Нет, не закрываю.

— Значит, в приемную мог войти кто угодно?

— Если его пропустила вахта внизу, то конечно.

— Ясно, — снова кивнул Александр Борисович. — Послушайте, Таня, — заговорил он спокойным, доверительным голосом, — вы тут работаете давно и знаете все про всех. У кого-нибудь есть повод ненавидеть Мохова?

— В смысле? Из нашего коллектива, что ли?

— Ну да.

— Хм... Нет вроде. Виктор Олегович никогда не плюет на людей. Если к нему кто-то обращается за помощью, он всегда помогает. Советом, кредитами, и вообще.

— Ясно. — Турецкий приложил руку ко лбу. Поморщился. — Черт! Кажется, я где-то успел простудиться.

— Попейте глинтвейна на ночь, — тут же посоветовала Татьяна. — Я всегда так лечусь.

— Отличный способ, — одобрил Александр Борисович. Затем лукаво улыбнулся и предложил: — Может, полечимся вместе? У меня с собой спиртовка. Проконтролируете процесс приготовления.

— Спасибо, я не больна, — с такой же лукавой улыбкой ответила Татьяна. — А рецепт я вам и на бумажке напишу.

* * *

Выходя из приемной, Турецкий на мгновение замешкался в полумраке коридора, закрывая за собой дверь, а когда повернулся, на него, вскрикнув, налетела женщина в очках, обдав ароматом дорогих духов. Александр Борисович опешил. Женщина стукнулась лбом об его подбородок и с мучительным шипением стала тереть лоб.

— Извините, ради бога! — виновато воскликнул Александр Борисович.

— Ничего страшного.

— Сильно я вас ушиб?

— Да нет.

Турецкий взял женщину за плечи и внимательно оглядел ее лоб.

— Так «да» или «нет»? Посмотрите на меня. Голова не кружится?

— Да нет же. — Женщина пристально посмотрела на него своими синими глазами. — А у вас?

— Разве что от вашей неземной красоты, — улыбнулся Турецкий.

Незнакомка насмешливо прищурилась.

— Вы правда находите меня красивой или издеваетесь? — задорно спросила она.

— Я вас нахожу не только очень красивой, но и очень интересной, — ответил Турецкий. — Кстати, неплохой повод для знакомства, вы не находите?

— Да, неплохой.

— А вы, простите...

— Что? Почему вы не договариваете?

— Я специально оставил фразу незаконченной. Вам полагалось назвать свое имя.

— Вот оно что. — Женщина улыбнулась. Надо отметить, улыбка у нее была очень славная, хоть и холодноватая. — Меня зовут Лиза. Елизавета Петровна, если уж совсем по-солидному. А вас?

— Александр Борисович Турецкий. Я работаю на вашего мужа.

Услышав про мужа, женщина сразу поскучнела.

— А, — сказала она. — Ясно. Вы что-то вроде Долгова?

— Не совсем, — сказал Александр Борисович. — А что, Долгов вам не нравится?

— Почему, нравится. Ну, то есть... Глупый какой-то вопрос. Почему он вообще должен мне нравиться или не нравиться?

— Не знаю. Вы мне скажите.

Несколько секунд Елизавета Петровна смотрела на Турецкого поверх очков, затем усмехнулась и холодно произнесла:

— Глупый разговор.

— По крайней мере, странный, — сказал Александр Борисович.

Он по-прежнему заслонял проход к приемной, и Елизавета Петровна, слегка поджав губу, строго произнесла:

— Может, вы все-таки позволите мне пройти?

— Конечно. Но сначала мне бы хотелось с вами поговорить.

— Прямо здесь? — сверкнула стеклышками золотых очков Елизавета Петровна.

— Я бы мог пригласить вас в кафе на бокал коктейля, — сказал Александр Борисович. — Или на чашку кофе.

И снова быстрый, любопытный взгляд поверх очков, и снова белоснежная полоска зубов, сверкнувшая в полумраке коридора.

— Не думаю, что это возможно, — сказала Елизавета Петровна.

— Отчего же? — поинтересовался Турецкий.

— Я не хожу в кафе с подчиненными моего мужа.

— Я не...

— Вы сами только что сказали, что работаете на Мохова, — сухо сказала Елизавета Петровна. — Значит, вы его подчиненный.

— Есть и другой вариант. Я могу быть... его партнером по бизнесу, например.

Елизавета Петровна покачала головой:

— Вы не бизнесмен. Я знаю, как выглядят бизнесмены, и, увы, вы не из их братии. А теперь позвольте мне пройти, Александр Борисович.

Турецкий посторонился. Женщина прошла мимо него и взялась за ручку двери. Но, прежде чем открыть дверь приемной, она оглянулась и снова пристально посмотрела на Турецкого, словно хотела получше его запомнить.

— Передумали? — спросил Александр Борисович.

Она покачала головой:

— Нет.

Затем отвернулась и открыла дверь.

3

Только оказавшись в гостиничном номере, Турецкий понял, насколько устал за сегодняшний день. Голова немного побаливала. И лоб был горячий. Здоровье стало совсем ни к черту, достаточно легкого сквозняка, чтобы подхватить простуду. Пора всерьез собой заняться — бегать по утрам, ходить в бассейн, обливаться ледяной водой, есть побольше фруктов и овсянки и... А, к чертям собачьим, всё равно конец один.

С этими невеселыми мыслями Александр Борисович выбрался из душа и закутался в мохнатый банный халат. В номере было тепло. Турецкий сел на диван, закинул босые ноги на кресло и с удовольствием закурил.

Его еще немного знобило, но жизнь потихоньку налаживалась. Александр Борисович попытался собраться с мыслями и обдумать сегодняшние встречи-знакомства. В последнее время Турецкий все чаще ловил себя на мысли, что отсутствие регулярной практики расследований плохо сказывается на его сыскных способностях. Возможно, во всем была виновата проклятая мнительность?..

Александр Борисович достал из сумки ноутбук, взгромоздил его на колени, включил и нашел на локальном диске файлик с немудреным названием «Дневник». Пальцы его ловко забегали по клавишам.

Из дневника Турецкого

«Приехал. Расположился. Встретили хорошо, разве что водкой не напоили. Даже странно, учитывая любовь Хозяина (так его все здесь зовут) к горячительным напиткам.

Мохов мужик на первый взгляд неплохой. При моем появлении он расплылся, как пластилин, но по всему видать, что такое состояние для него, мягко говоря, нехарактерно. Сильно испереживался за эти дни. Я таких типов встречал и прежде — жесткие, как кремень, но при этом ужасно сентиментальные под хмельком.

Доверяться этим сантиментам, конечно, нельзя. Сегодня он тебя целует, а завтра, протрезвев, откусит тебе голову и не поморщится. Тем не менее типаж ясный. Чего не скажешь о помощнике Мохова — Андрее. Этот сложнее. Себе на уме, хитрый лис, ему бы при дворе какого-нибудь восточного правителя интриги плести.

По всему видать, парень самолюбивый, с амбициями и очень высокомерный. Волевой, сильный, в том числе и физически (видал я и раньше таких тощих, выносливых выродков, сломать их практически невозможно). Тип очень интересный. И безусловно, далеко пойдет, если ему по пути никто не переломает ноги, что не исключено.

Этот явно ведет свою игру. Но какую? И что это за история с фотографиями? От Андрея я правды не добился. Уверен, что и Мохов ничего не станет об этом рассказывать. На снимке явно не простая гостиничная шлюшка. Тут, думаю, речь идет о делах сердечных.

Третий тип — секретарь Мохова Татьяна. Тут еще сложнее. С виду простая, однако, как показывает жизнь, самое светлое женское сердце — потемки для мужчины.

Стоп! Затылок... Изящный женский затылок с русыми завитушками. Да неужто? Недаром он мне сразу показался знакомым. Да ведь секретарь Татьяна — та самая девушка с фотографии! Вот оно что. Стало быть,

Татьяна спит с Моховым! И Андрей Долгов, безусловно, в курсе. Но какого черта он молчал? Неровно дышит к этой барышне? А может быть, имеет свой интерес? Но какой?»

В дверь постучали.

Александр Борисович слегка нахмурился. Кто бы это мог быть? В такое-то время, в незнакомом городе. И без звонка. Он отложил ноутбук, нехотя поднялся с кресла и поплелся открывать. Ручка замка мягко щелкнула в его пальцах. Дверь распахнулась, и Турецкий с удивлением воззрился на девушку.

Она была очень даже ничего, хотя и одета несколько вульгарно. Да и макияж у незнакомки был вызывающий. Юные зубки ослепительно блеснули, и вслед затем очень даже недурственный голосок произнес:

— Добрый вечер! Могу я войти?

— Войти-то, конечно, можете, — отозвался Турецкий. — Но сначала хотелось бы узнать, кто вы такая?

— Я? — Девица широко улыбнулась. — Я твое развлечение на сегодняшний вечер, — томно проворковала она.

Александр Борисович поскреб в затылке.

— Что-то не помню, чтобы я такое заказывал, — неуверенно проговорил он.

— За тебя уже все заказали, — ответила девица.

— Правда? И оплатили?

— За исключением чаевых.

— Гм...

— Ну? Ты позволишь мне войти? — Она передернула плечами. — Здесь довольно прохладно.

— Не могу же я позволить такой красивой девушке замерзнуть. Входи.

Он посторонился, впуская нежданную гостью в номер. Девица прошлась по номеру уверенной походкой. Уселась в кресло и задорно посмотрела на Турецкого.

— У тебя есть выпивка?

— Выпивка? — Александр Борисович пожал плечами. — Даже не знаю. Еще не выяснил.

— Чудной ты! А я, как только вселяюсь в номер, сразу лезу в мини-бар. Загляни в свой. Уверена, что ты там что-нибудь найдешь.

Александр Борисович открыл дверцу мини-бара и присвистнул:

— Как в лучших отелях Лондона! Что будешь пить?

— Мартини, если можно.

— Сейчас посмотрим... Ага. — Турецкий достал бутылочку мартини. — Держи!

Он кинул бутылочку девушке, та ловко ее поймала. Быстро свинтила крышечку и хорошенько приложилась.

— Закусить не хочешь? — поинтересовался Турецкий. — У меня в кейсе есть нарезка.

— Спасибо, пупсик. Я уже ужинала. — Она отхлебнула еще и вытерла мокрые губы ладонью. — Подожди, не закрывай дверцу. Достань мне еще бутылочку мартини.

Турецкий достал девушке еще одну бутылочку мартини, а себе — «мерзавчик» виски. Передав девице напиток, он взял с дивана подушку и бросил ее на пол. Затем, хрустнув суставами, уселся на подушку, прямо у девушки в ногах. Она протянула руку и погладила его по голове.

— Ты красивый, — мягко сказала она. — Как тебя зовут?

— Пупсик, — ответил Турецкий.

Девушка засмеялась:

— Это я поняла. А как по-настоящему? Как тебя зовет жена?

— А с чего ты решила, что я женат?

— Потому что у тебя лицо женатого мужчины, — не раздумывая, ответила девица.

— Вот как? — Турецкий усмехнулся. — А какие лица у женатых мужчин?

— Усталые, измученные и несчастные — вот какие.

— А у холостых, значит, бодрые, энергичные и веселые?

Девушка грустно улыбнулась:

— Да нет, тоже несчастные. Только по-другому. Женатые мужчины тоскуют по свободе, а холостые — по смыслу жизни.

Александр Борисович с удивлением посмотрел на проститутку.

— Ты не только красивая, но и умная, — сказал он.

Девушка прищурила голубые глаза:

— Не ожидал?

— Нет. Кстати, умница, ты не назвала мне своего имени.

— Ева.

Александр Борисович подумал и кивнул:

— Мне нравится. Сколько тебе лет?

— А сколько ты хочешь?

— М-м-м... Восемнадцать?

— Угадал, — улыбнулась девушка. — У тебя виски кончился. Достань себе еще бутылочку. Хотя нет, сиди. Я сама за тобой поухаживаю.

Она легко соскочила с дивана, подошла к бару и меньше чем через минуту вернулась к дивану, держа в руках две бутылочки. Обе она протянула Турецкому и пояснила:

— Это чтобы два раза не бегать.

— Резонно, — согласился Александр Борисович.

Они чокнулись и выпили. Турецкий положил щеку на острую коленку девушки. Он чувствовал себя страшно уставшим. Ева снова погладила его по голове.

— Бедненький, — прошептала она, наклонилась и поцеловала Турецкого в макушку. — Какие у тебя мягкие волосы. Чем ты их моешь?

— Вообще не мою, натираю щеткой.

Она легонько стукнула его ладошкой по голове:

— Фу, какой ты насмешник. Но мне это нравится. Кстати, ты хромаешь, когда ходишь. У тебя что, нога болит?

Турецкий вытянул на полу покалеченную ногу и поднял полу банного халата.

— Ой, — тихо проговорила девушка, округляя глаза. — Что это?

Турецкий усмехнулся и ответил:

— Нога.

— А почему она такая...

— Страшная? После неудачной встречи с крокодилом.

Девица фыркнула:

— Да ну тебя... Я серьезно спрашиваю, а ты.

— А я тебе серьезно отвечаю. Тебе разве не сказали, кто я такой?

Девушка посмотрела на Александра Борисовича подозрительным взглядом и слегка качнула головой:

— Нет. А кто?

— Охотник на крокодилов, — серьезным голосом ответил Турецкий. — Ловлю крокодилов в Амазонке и Ниле и продаю их московским ресторанам. Иногда и акулу удается выловить. Но это редкость.

Девушка смотрела на Турецкого с сомнением.

— Ты врешь, — сказала она и неуверенно усмехнулась.

— Не веришь? Посмотри на мою ногу. Видишь?.. Вот, здесь и здесь. Это следы от акульих зубов. Я пытался добыть пару акульих плавников для ресторана «Морской волк», погнался за акулой и угодил в самое акулье логово. Отступать было уже поздно, пришлось вступить в схватку. Первых трех акул я задушил голыми руками, но четвертая успела схватить меня за ногу.

— Значит, акула? — хитро улыбнулась Ева.

Александр Борисович кивнул:

— Она.

— И что, большая была акула?

— А как же. На маленьких я не охочусь, это мой принцип. Всегда выбираю дичь покрупнее.

— И чтобы зубы были поострее?

— Угадала, — улыбнулся Турецкий.

— Здорово! Но ты же сказал, что эти шрамы у тебя после встречи с крокодилом.

— Правда? — Александр Борисович почесал затылок. — А, ну да. Они напали на меня сразу. Крокодил слева, акула — справа. Насилу отбился. Хорошо хоть нога пластиковая, а то бы совсем беда.

Девушка весело рассмеялась.

— С тобой весело, — сказала она. — Я ведь и правда подумала, что ты... Ну, что это у тебя от крокодила, — договорила она, кивнул на израненную ногу.

— Было бы неплохо. Но мне пришлось встретиться со зверем пострашнее, — сказал Турецкий. Он вдруг сдвинул брови, и улыбка покинула его лицо.

— Вспомнил что-то неприятное? — осторожно спросила Ева.

Турецкий кивнул:

— Угу. Вспомнил, что в мини-баре кончился вискарь. Остался один джин.

— Опять ты шутишь, — обиженно проговорила девушка.

— Прости, моя радость.

Александр Борисович залпом опустошил бутылочку и швырнул ее в урну.

— Ну? — томно проворила девушка. — Чем мы будем заниматься?

— А что ты умеешь? — поинтересовался Турецкий.

— Для тебя — все, что захочешь. Я твой подарок.

— От кого?

— Ты не знаешь?

— Нет.

— Ну а я тем более. У тебя хорошие друзья. Не хочу хвастаться, но стою я недешево.

— Не сомневаюсь.

Турецкий поднялся на ноги, быстро подошел к шкафу и отодвинул в сторону тяжелую бронзовую лампу, стоявшую на полке. Затем схватил мини-камеру, ловко пристроенную за лампой, оторвал ее и показал девушке.

— Решили снять кино? — холодно осведомился он.

— О чем ты? — недоуменно проговорила Ева.

— Об этой камере. Нас с тобой снимают. Только не говори, что ты ничего об этом не знала.

Ева вскочила с дивана. Глаза ее выкатились из орбит.

— Клянусь, я в первый раз об этом слышу! — выкрикнула она.

Турецкий холодно прищурился.

— Знаешь, что бывает за такие подставы? — глухо спросил он.

Девушка сделала движение по направлению к выходу, но Турецкий одним прыжком быстро встал между ней и дверью.

— Кто организовал съемку? — спросил он. — Ну? Отвечай!

— Господи, я правда ничего не знаю, — захныкала Ева.

— Кто тебе заплатил?

Девушка всхлипнула и растерла ладонью покатившиеся по щеке слезы, размазав при этом тушь.

— Какой-то человек, — продолжая хныкать, ответила она. — Я его не видела. Он мне позвонил и сказал, что в моем почтовом ящике конверт с деньгами. И что я должна прийти вечером сюда и развлечь его друга...

— И ты не удивилась?

Девушка мотнула головой:

— Нет. В моей профессии всякое бывает.

— Сколько было денег в конверте?

— Триста баксов.

— Недешево, — хмыкнул Александр Борисович.

— Поэтому я и пришла. Господи, да если б я знала, что тут такое, я бы сроду не согласилась. Что я, без понятия, что ли.

Девушка всхлипнула и вытерла ладонью покрасневший от слез нос.

Вдруг Турецкий резко выбросил вперед руку, схватил девушку за плечо и хорошенько ее встряхнул.

— Никакого конверта не было! — резко проговорил он. — Сюда тебя послал твой сутенер. Кто он? Как его найти?

Губы проститутки задрожали.

— Я не могу ска...

— Можешь! — рявкнул Александр Борисович. — И скажешь. Иначе я вызову милицию и скажу, что ты меня шантажировала.

— Вам никто не поверит.

— Еще как поверят. Знаешь кто я?

— Кто?

— Следователь Генеральной прокуратуры.

Даже сквозь макияж было видно, как побледнела девушка.

— Ой, — тихо проговорила она и села на диван, прижав руки к груди и с ужасом глядя на Турецкого.

— Вот тебе и «ой», — сухо сказал он. — Говори, кто твой сутенер, если не хочешь загреметь на кичу. Ну!

Турецкий грозной тенью навис над проституткой. Она поежилась и промямлила:

— Во... Володя.

— Фамилия!

— Потапов.

— Как мне его найти?

— Да он тут в баре пасется... До часу ночи сидит. Вы его узнаете... он в желтом кожаном пиджаке. Волосы длинные, черные. А вот здесь... — Ева ткнула себя пальцем в подбородок, прямо под нижнюю губу. — ...У него пирсинг.

Она всхлипнула и глянула на Александра Борисовича исподлобья.

— Дяденька следователь, вы меня отпустите?

— Сколько тебе лет? — спросил Турецкий.

— Девятнадцать.

В пылу разоблачительного пафоса Александр Борисович открыл было рот, чтобы прочесть девушке проповедь о моральном облике россиянина, о превратностях жизни и опасности продажной любви, но вовремя остановился.

— Ладно, — сказал он. — Вали отсюда.

Девушка вскочила так быстро, как могла.

— Подожди! — окликнул ее Александр Борисович. Она остановилась, опасливо глядя на Турецкого. — О том, что здесь было, — никому. Ясно?

Проститутка кивнула.

— И завязывай с этим делом, — не удержался Александр Борисович. — Если бы ты знала, сколько мертвых проституток я видел на своем веку, ты бы пошла в медсестры.

— Да я не собираюсь здесь долго задерживаться. Хочу работать в массажном салоне. У меня даже диплом массажистки есть.

— Молодец, — одобрил Турецкий. — Топай.

— Спасибо, дяденька!

Проститутка в мгновение ока добралась до двери и выскочила из номера.

4

Гостиничный ресторан был совсем неплох. Уютные столики под абажурами, накрытые скатертями цвета терракоты. Стены декорированы под каменную кладку, на них — уютные лампы. Тут же захотелось заказать себе чего-нибудь крепкого, сесть за ближайший столик и цедить горячительное сквозь зубы, бросая по сторонам рассеянные взгляды.

Сутенера Турецкий увидел сразу — тот сидел за маленьким столиком в глубокой, тускло освещенной нише. Описание девушки оказалось точным: желтый кожаный пиджак, темные длинные волосы и сверкающая кнопка под нижней губой. В руках у сутенера был высокий узкий стакан с каким-то красным пойлом.

«Как вампир в норе, со стаканом свежей кровушки», — подумал Александр Борисович, направившись к столику. Сутенер оторвал взгляд от бокала, равнодушно посмотрел на приближающегося и зевнул.

Подойдя к столику, Александр Борисович отодвинул стул и, не спрашивая разрешения, уселся. Весело посмотрел на сутенера.

— Не помешаю? — осведомился он.

Парень внимательно его оглядел, криво ухмыльнулся и ответил:

— Нет. Я люблю компанию.

— Любую?

Парень пожал плечами и ответил:

— Все лучше, чем квасить в одиночестве. Заказать вам чего-нибудь?

— Не стоит. Я пришел сюда не пить, а разговаривать.

— Я понял, — без всякого смущения ответил парень. — Уж очень деловитая была походка. Кстати, мы на «ты» или на «вы»?

— На «вы», — ответил Турецкий.

— О! Видать, разговор будет сурьезный?

— Я постараюсь, чтобы он таким был, — сверля парня холодными, колючими глазами, сказал Александр Борисович. — Итак, начнем, пожалуй. Вы — Владимир Потапов.

— Истину глаголете, отец мой, — продолжал ерничать сутенер. — Раб Божий Володимир к вашим услугам. А позвольте поинтересоваться, добрый человек, как вас звать-величать?

— Меня величать Александр Борисович. Я добрый человек, но, если будете вести себя неправильно, могу стать и злым.

Парень прищурил карие глаза, затем изящным движением откинул со лба длинную черную прядь и тряхнул волосами.

— Не люблю, когда начинают разговор с угроз, — сухо заметил он. — Вы, вообще, кто? Мент или бандит?

— А на кого больше похож?

— На бывшего мента, который заделался бандитом.

Турецкий хрипло засмеялся.

— Вы очень проницательный человек, Владимир, — заметил он. — Вижу, от вас ничего не скроешь, так что придется играть с открытыми картами. Давайте, я расскажу вам то, что я знаю. А потом вы расскажете мне то, чего я *не* знаю. Идет?

— Попробуйте.

— Вы здесь торчите каждый вечер, ну, или почти каждый вечер. Торчите не просто так. У вас на попечении несколько смазливых девчонок. Работа у вас не пыльная, но опасная. Клиент нынче пошел разнузданный, особенно под этим делом... — Турецкий легонько щелкнул себя пальцем по шее. — Если что не так, поднимает вой. А в сильном подпитии или под наркотой могут и порезать. Так что свой хлеб вы едите не зря. Правильно рассказываю?

— Продолжайте, — не отвечая на вопрос, сказал сутенер.

— Местная охрана не вышвыривает вас на улицу, потому что получает от вас щедрые отступные. Более того, стоит вам щелкнуть пальцами, и меня самого вышвырнут отсюда вон. Так?

— Близко к истине, — с сухой усмешкой заметил сутенер.

Александр Борисович кивнул и продолжил:

— Так что мне вас лучше не раздражать? Так сказать, во избежание эксцессов?

— Было бы очень разумно с вашей стороны, — спокойно сказал сутенер.

Турецкий широко ему улыбнулся:

— Я бы рад не раздражать, но, боюсь, не получится. Я страсть как не люблю сутенеров. Для меня они что-то вроде паразитов, ленточных червей, которые присасываются к утробе отеля. — Александр Борисович поморщился и передернул плечами. — Мерзость.

Сутенер сдвинул черные брови и угрожающе загудел:

— Слушай, дядя...

— Нет, — резко оборвал его Турецкий, — это ты слушай. Моя правая рука опущена под стол. В руке у меня нож, а его лезвие... — Что-то сухо щелкнуло под столом, и сутенер вытянулся в струнку. — ...Направлено тебе в пах, — договорил Турецкий, вперив в лицо сутенера жесткий, брезгливый взгляд. — Ты уже наверняка это почувствовал. Лезвие ножа острое как бритва. Если ты шевельнешься, я вспорю тебе штаны вместе с хозяйством, которое ты в них прячешь. И сделаю это с большим удовольствием.

Сутенер покосился вниз, затем сглотнул слюну и поднял взгляд на Турецкого.

— Ты об этом пожалеешь, — глухо проговорил он.

Зрачки Турецкого сузились и замерцали, как железные булавочные головки.

— Главное, чтобы ты ни о чем не пожалел, — отчеканил он. — Даже если я промахнусь, то наверняка попаду в артерию. Пока приедет «скорая», ты помрешь от потери крови.

Парень слегка побледнел.

— Хватит меня пугать, — зло и нервно пролаял он. — Говори, что тебе нужно, и вываливайся из гостиницы. У тебя будет ровно пять минут, чтобы смыться отсюда. Если не успеешь — ты не жилец.

Александр Борисович слегка наклонился вперед и тихо спросил:

— Это ты послал девчонку в сто пятнадцатый номер?

— Не понимаю, о чем ты гово... — Парень вздрогнул. Лоб его покрылся потом. Он покосился вниз и проговорил дрожащим голосом: — Убери лезвие.

— Будешь говорить правду — уберу. Повторяю вопрос: это ты послал девчонку в сто пятнадцатый номер?

— Да. Я.

— Кто тебя об этом попросил?

— Я не знаю. Какой-то мужик.

— Мужик? — Александр Борисович по-волчьи оскабился. — Послушай, Володя, ты, кажется, не понимаешь всю серьезность моих намерений...

Парень вздрогнул и снова покосился под стол.

— Не... надо, — сипло проговорил он. — Пожалуйста, не надо. Я правда не знаю, кто он.

— Это он попросил тебя установить в номере камеру?

Сутенер что-то тихо промямлил в ответ.

— Громче! — потребовал Турецкий.

— Да! — воскликнул парень и мучительно поморщился.

— Как он это объяснил?

— Сказал, что вы его конкурент по бизнесу.

— Много заплатил?

Парень качнул головой:

— Нет. Всего пятьсот баксов.

— Почему же ты за это взялся?

— Да потому что я на мели! — гаркнул парень. — Мне завтра утром возвращать долг. У меня сейчас каждый бакс на счету!

— И ты решил, что...

— Прошу прощения, — произнес над ухом у Турецкого чей-то незнакомый голос. — Что здесь происходит?

Александр Борисович поднял взгляд и увидел невысокого седоватого мужчину в твидовом пиджаке и водолазке. Незнакомец тревожно смотрел на сутенера. Турецкий добродушно улыбнулся и весело произнес:

— Ничего. Просто мой друг очень импульсивен. Простите, если он вам помешал.

Незнакомец перевел взгляд на Турецкого, строго сдвинул брови и сказал:

— Как вам не стыдно, гражданин. Я же вижу, что вашему собеседнику плохо. Он даже говорить не может.

— Вы ошибаетесь. Он...

— Да! — воскликнул сутенер. — Мне плохо! Мне нужно подышать свежим воздухом!

Турецкий пожал плечами и выпрямился на стуле. Сутенер вскочил на ноги.

— Ты не жилец! — рявкнул он, с ненавистью глядя на Александра Борисовича.

Турецкий достал из кармана рукоятку выкидного ножа и нажал на кнопочку. Однако вместо лезвия выщелкнулась узкая металлическая расческа. Александр Борисович поднял руку и причесал волосы, насмешливо глядя на сутенера. Затем защелкнул расческу и убрал ее в карман.

— Удобная штука, правда? — сказал он.

Сутенер разразился матом, повернулся и торопливо зашагал к двери.

Седовласый мужчина в твидовом пиджаке проводил его обескураженным взглядом, затем повернулся к Турецкому и задумчиво проговорил:

— Похоже, я вмешался не в свое дело?

— Похоже, что так, — ответил ему Турецкий.

Он поднялся из-за стола и, не обращая больше внимания на «нежданного помощника», направился к двери.

— Войдите! — громко сказал Андрей.

Дверь приотворилась, и в проеме показалась кудрявая голова системного администратора Сковородникова.

— Андрей Маратович, здравствуйте! Можно войти?

— Привет, Марк. Конечно, заходи.

Андрей приветливо махнул рукой. Сисадмин вошел в кабинет и как-то неловко, бочком, прошел к стулу. Видно было, что он сильно смущен.

— Садись, — сказал Андрей, оглядывая сисадмина внимательным и цепким взглядом.

Сковородников сел. Лицо у него было озабоченное, черные косматые брови сдвинуты на переносице, большой нос побагровел. Казалось, даже стекляшки очков запотели от волнения.

— Ну? — спокойно спросил Андрей. — Что случилось?

Сковородников поправил толстым пальцем очки и взволнованно произнес:

— Новая статья в Интернете.

Узкие глаза Андрея замерцали зловещим огоньком.

— Новая? — переспросил он.

Сковородников кивнул:

— Да. Только что увидел. Думаю, специально разместили так поздно, чтобы завтра с утра побольше народу увидело. Я...

— Постой, — оборвал его Андрей, поморщившись. Он терпеть не мог суеты, поскольку твердо знал, что спешка никогда не приводит ни к чему хорошему. —

Давай по порядку. Сначала скажи: тебе удалось что-нибудь выяснить насчет первой статьи?

Сковородников заметно скис и покачал кудрявой головой:

— К сожалению, нет.

— А как твой хакер? — снова спросил Долгов. — Есть известия про него?

Лицо Сковородникова еще больше потемнело.

— Я его отрезал от нашего компьютера, — неуверенно произнес сисадмин. — Но, скорей всего, он попробует снова. Вернее — он уже попробовал.

— Когда?

— Пару часов назад.

— Ему не удалось?

Сковородников качнул головой:

— Нет.

Андрей откинулся на спинку кресла и сухо произнес:

— Мне нужны результаты, Марк. Я заплатил тебе деньги и заплачу еще больше. Но мне нужны результаты.

Сковородников кашлянул в толстый волосатый кулак и тихо отозвался:

— Я понимаю.

— Завтра вечером я тебе позвоню, — тем же сухим тоном продолжил Андрей. — И если результатов не будет...

Долгов сознательно оставил фразу неоконченной, предоставив сисадмину самому догадаться, какая жестокая кара его ожидает. Тот, похоже, недостатком воображения не страдал и даже на стуле заерзал от волнения.

— Зря вы так, Андрей Маратович, — обиженно пробубнил Сковородников.

Андрей улыбнулся:

— Ладно, не обижайся, старик. — Он нагнулся и слегка похлопал сисадмина по круглому бабьему плечу. — Я верю, что у тебя все получится. А теперь рассказывай. Что за статья?

Сковородников снова кашлянул в кулак.

— Да та же самая, — глуховато ответил он. — Только на другом сайте.

— Снова блог?

— Ага.

— И снова исчез?

— Да, — снова кивнул сисадмин.

— Черт... — Андрей нахмурился и скрипнул зубами. — Долго она там висела?

— Статья-то? Нет. Часа полтора.

— Известно, сколько человек это прочли?

Марк качнул кудлатой цыганской головой:

— Угу. Там счетчик посещений стоял. Человек сорок прочли. Он... этот гад... на городских сайтах ссылки понавешал. В принципе, сорок человек — это немного, — поспешно добавил сисадмин.

— Немного, — передразнил Андрей. — Каждый из этих сорока покажет еще двум-трем, а то и больше. А там и бумажная печать подхватит.

— Я попробовал засечь, откуда он входит, — снова заговорил Сковородников.

— Ну и?

Марк облизнул губы и взволнованно продолжил:

— Точно утверждать не могу, но... мне кажется, входят из нашего здания.

Черные гибкие брови Андрея Долгова взлетели вверх.

— Повтори, — тихо потребовал он.

— Человек, который разместил статью, работает в нашем здании, — послушно повторил Сковородников. И тут же добавил: — Но это неточно.

На острых скулах Долгова заиграли желваки.

— Как ты это выяснил? — быстро спросил он. — Как это вообще делается?

— Ну... — Сковородников пожал плечами. — Есть разные способы. Для начала связываешься с администратором сайта, вернее — со службой поддержки, уточняешь, с какого айпишника послан текст...

— С чего?

— Ай-пи, — повторил Сковородников. — У каждого компьютера есть ай-пи.

— А, знаю. — Андрей кивнул. — Это что-то типа цифрового адреса. Продолжай.

— Ну вот. Когда вы узнаете ай-пи компьютера, вы выясняете, какой провайдер поддерживает ай-пишку. Если, конечно, он не использовал прокси — в этом случае адрес может быть вымышленным. Но нам вроде повезло. Вычислив провайдера, выходите на него и спрашиваете, кто выходил в сеть в такое-то время, такого-то числа...

— Ладно, ладно, — остановил сисадмина Андрей. — Какова вероятность, что статьи вывешивали с одного из наших компьютеров?

— Э-э-э... процентов восемьдесят пять. Ну или чуть меньше. — Сисадмин поднял толстый палец и почесал широкую переносицу. — Думаю, если он повесит эту статью еще где-нибудь, я смогу его вычислить с большей вероятностью.

— Дай бог, дай бог... — тихо и задумчиво проговорил Андрей Долгов.

— Видите ли, этот парень повесил несколько примочек, которые не позволяют...

Андрей предостерегающе поднял руку.

— Не грузи, — сухо сказал он. — Это все твои проблемы. Мне важно, чтобы ты вычислил предателя. — Внезапно Долгов сощурился. — Как думаешь, твой таинственный хакер не может быть тем самым злоумышленником?

— Хакер? — Сковородников секунду или две размышлял, затем пожал плечами. — Все возможно.

Долгов положил компьютерщику ладонь на плечо, заглянул ему в глаза и тихо и проникновенно проговорил:

— Найди мне его, Марк. Пожалуйста, найди. Виктор Олегович не заслуживает такого отношения. Ты согласен?

Голос Андрея звучал гипнотизирующе. Компьютерщик смотрел на него, как кролик на удава.

— Ну так как? Ты сделаешь это?

— Да... Да, конечно. — Сковородников тряхнул кудлатой головой, словно выходил из забытья.

— Вот и отлично. — Андрей сдержанно улыбнулся и откинулся на спинку кресла.

— Я... могу идти?

— Да, Марк. Конечно, иди. Передавай привет жене и ребенку.

— Обязательно.

Компьютерщик поднялся со стула и, неуклюже пожав Андрею руку, вышел из кабинета. Дождавшись, пока за Сковородниковым закроется дверь, Андрей крутанулся в вертящемся кресле к окну. Теребя пальцами нижнюю губу, он некоторое время смотрел на небо, на проплывающие в прямоугольнике окна грязно-серые облака и размышлял.

Значит, «крыса» здесь, в здании... Под самым носом у Долгова... Забавно...

На восточном лице Долгова появилась тонкая усмешка. Ему вдруг показалось, что одно из облаков похоже на Хозяина. Андрей выставил вперед палец, прищурил левый глаз и сделал губами «пш», озвучивая воображаемый выстрел. Затем снова повернулся к столу, открыл верхний ящик и заглянул в него. В ящике лежали грязные, мятые конверты. Разглядывая их, он вдруг начал тихо шептать себе под нос. Это были любимые стихи Мохова, которые тот часто бормотал в подпитии. И за долгие годы Андрей выучил их наизусть. Хотя понимал по-своему.

Пусть и правда, друг мой, курица — не птица,
   но с куриными мозгами хватишь горя.
Если выпало в империи родиться,
   лучше жить в глухой провинции у моря.
И от цезаря далёко, и от вьюги.
Лебезить не надо, трусить, торопиться...

Андрей вдруг перестал шептать и резко закрыл ящик стола, повернул ключ в замочной скважине, вынул его и вставил в маленькую коробочку-брелок, болтающуюся у него на связке ключей. Связку вместе с брелоком он запихал обратно в карман брюк.

6

Из дневника Турецкого

«Ох, не хотел переходить на водку. Бокал-другой вина меня последнее время бодрит. А вот водка... Либо злюсь на весь мир, либо в полную размазню превращаюсь. Но в проклятом баре не нашлось ничего подходящего, кроме подслащенного дерьма. Пришлось взять рюмку водки (исключительно чтобы расслабиться после тяжелого трудового дня), а там, как обычно и бывает, понеслось. Нет, не скажу, что я сильно пьян, но башка тяжелая — это факт.

Мог бы спать лечь, но вспомнил о данном себе слове — каждый вечер делать запись в дневнике. Клялся ведь. Можно сказать, божился. А значит, никуда не деться, придется писать. Итак, начинаю... А с чего, собственно, начать? С похода к секретарше Татьяне? Да, с этого и начну.

На работе девушку не застал, сказали — приболела. Ввалился к ней прямо домой. Стою, жму на кнопку звонка, а сам думаю: о чем с ней буду говорить? Фактов и улик у меня никаких. Одни лишь догадки. Была одна фотография с голой женской спинкой, да и ту Долгов в капусту пошинковал. Ладно, думаю, буду импровизировать.

Дверь открывается. А вместе с дверью открывается и рот моей барышни. Изумлена.

Я ей:

— Здравствуйте, моя милая!

Она мне:

— Это вы?

Хороший, думаю, вопрос. Перед тем как ответить, я на всякий случай глянул в зеркало. Действительно — я. Так и ответил. Однако барышня не переставала удивляться.

— Как это неожиданно, — говорит.

— Сам не ожидал, что меня к вам занесет, — отвечаю. — Как вы себя чувствуете?

— Нормально. А что?

— Ну вы же болеете. Больничный взяли.

Барышня опомнилась, напустила на себя измученный вид, даже в кулак кашлянула для правдоподобия.

— Спасибо, — говорит, — уже лучше. Хотите войти?

Хочу ли я войти! Глупый вопрос. Передо мной стоит девушка с формами Памелы Андерсон в одном легком халатике на голом теле. Хочу ли я войти?

Ладно, вошел. Объяснил, что хочу поговорить. Провела в гостиную. Квартира у барышни обставлена, как говорят писатели, «чрезвычайно мило». Диванчики, мягкие кресла, красные шторы, синие стеллажи, белый журнальный столик, какие-то железные, хромированные стойки. Короче, высокий стиль начала XXI века — помесь лазарета с «Макдоналдсом».

— Очень, — говорю, — у вас миленько.

— Спасибо, — отвечает, — сама обставляла.

Пара слов о том о сем, и тут же беру быка за рога — перехожу то есть к делу.

— Вы, — спрашиваю, — фотографией не увлекаетесь?

И бровью не двинула.

— Нет, — отвечает, — а что?

— Видел тут недавно одну фотографию. В стиле «ню». Девушка-модель — ну просто красавица. Кстати, очень похожа на вас. Вы, случайно, моделью раньше не работали?

И снова ноль эмоций. Ну, думаю, крепкий орешек. Но и мы не лыком шиты. Продолжаю «качать».

— Милая, — говорю, — не стоит мне врать. Я прирожденный факир, к тому же в отцы вам гожусь. Вижу вас насквозь, и все такое.

Пришлось, конечно, натянуть на себя маску законченного подонка, этакого энкавэдэшника сталинской эпохи. Посверлил ее с минуту глазами, голосом как надо поработал. Вижу — сдается моя барышня, превращается из Снежной королевы в маленькую Герду. Вот-вот расплачется. Однако не сдаюсь и играю «чекиста» дальше.

— Вам, — говорю, — сейчас фотографии предоставить или чуть-чуть попозже? Там есть прекрасные ракурсы, на которых ваше милое личико видно как на ладони. Кстати, — продолжаю, — у меня есть знакомые в русском «Плейбое». Что, если я покажу им пару ваших снимков? Они из вас сделают настоящую звезду.

Несу всю эту ахинею, а сам не спускаю глаз с ее лица. И вижу — личико-то живет. Да как откровенно живет! На каждое слово реагирует. Тут и факиром не надо быть, каждая мысль морщинкой проступает. Ну, думаю, не зря блефовал. Сволочная, конечно, работа, но что делать? Если уж Бог наградил скверным талантом вселять в людей ужас, так надо им пользоваться.

В общем, подбросил льда в голос и продолжаю валять дурака. На Танечке лица нет. Бледнеет, розовеет, пятнами идет. Когда дошел до того, что отправлю ее на нары, чуть в обморок не хлопнулась. Пришлось взбрызнуть ее милое личико водой. Ощущение было такое, словно чайную розу поливаю. Быстро пришла в себя. Сжала кулаки и давай трясти ими у меня перед лицом. Прямо Майкл Тайсон в обличье Мадонны. Личико злобное (хотя по-прежнему милое).

— Вы не имеете права меня пытать! — кричит. — Я буду жаловаться в прокуратуру!

А сам вижу — барышня слово «прокуратура» только по телевизору слышала. В сериалах про благородных бандитов. Пришлось снова корчить из себя «плохого и бешеного». Стал орать в ответ, а через каждые пять слов на змеиное шипение переходить. Техника, как говорится, отлаженная.

Барышня моя совсем в замешательство пришла. Не может понять — то ли я садист, то ли мерзавец. И то и другое плохо. Я еще минут пять поизгалялся — и все. Девчонка моя кинулась лицом в подушку, рыдает.

— Меня, — говорит, — подставили. Я, — говорит, — ничего не знала. Я любила Виктора Олеговича. У нас были глубокие чувства.

Много чего еще бормотала, я особо не вслушивался. Мне хватило и моего бредового монолога. Однако девочка «разморозилась». Сменил тактику, заговорил по душам, как человек, который хочет ей помочь. Говорю, а у самого кошки на сердце скребутся. Знаю ведь, что вру. Что никакого сочувствия к девушке не испытываю. Злости, впрочем, тоже. Ничего не чувствую — ни жалости, ни негодования. Она для меня словно персонаж кинофильма. Тень на экране. Э, думаю, плохи твои дела, Турецкий. Если так пойдет и дальше, превратишься в полного «отморозка».

Надоело мне ее сопли слушать, перебил:

— Давайте, — говорю, — по сути дела, барышня. Вы рассказали о Максиме Воронове вашему коллеге Андрею Долгову. И что Долгов?

Барышня много чего говорила. В основном жаловалась на свою горькую долю, а в перерывах посылала меня к черту. Выяснить удалось немного, а именно: Долгов нагрянул к Воронову с каким-то уголовничком, отметелил его и забрал негативы.

Ладно. Наше долгое прощание с Татьяной я, пожалуй, опущу. Пришлось ее немного поутешать. Просила заходить еще, а я, в свою очередь, также попросил обращаться, когда приспичит.

Расстались мы почти друзьями. Не уверен, правда, что после моего ухода она не слепила из воска мою куклу и не воткнула в нее пару дюжин иголок. (То-то у меня сегодня весь день суставы ныли!)

Отправился прямо к г-ну Воронову (предварительно узнав его координаты у Татьяны). Воронов оказался смазливым качком с железной мускулатурой и вялым подбородком. Я его сразу просек, хоть он и пытался строить из себя Чайльд Гарольда.

Прижал быстро. Да, собственно, и прижимать не пришлось: все сам выложил. Прямо как на исповеди.

Значит, дело было так. Андрей Долгов и некий бандит по кличке Гиря поймали Воронова возле подъезда и затащили в машину. Гиря отправился потрошить квартиру Воронова, а Долгов отвез его на какой-то пустырь, где избил дубинкой. (При слове «дубинка» Воронов как-то странно покраснел. Боюсь, что никакой дубинки не было в помине, а синяки на лице качка — отметины от кулаков Андрея Долгова. Впрочем, не важно.)

Избив Воронова, Долгов посадил его в машину и повез обратно домой. По дороге они увидели спешащего к метро уголовника Гирю. Долгов выскочил из машины и побежал за Гирей. Чем там у них дело закончилось — неизвестно, поскольку Воронов не стал дожидаться своего мучителя, а дал из машины деру. И вот тут у меня одна... догадка.

Не помню точных слов Воронова, но из каких-то смутных намеков и оговорок я вдруг понял: Гиря вынес из квартиры Воронова не только негативы с голым Хозяином, но и весь его «архив шантажиста». У меня в этом нет никаких сомнений. Я спросил Воронова прямо, но тот ушел от ответа. Однако я твердо уверен в своей догадке. «Архив шантажиста» у уголовника Гири.

Не знаю, как это поможет делу, но я вознамерился отыскать таинственного Гирю, пока он не наделал бед. Уже напряг по этому поводу ребят из «Глории».

На этом я, пожалуй, закончу. Навалял несколько страниц, пора и на боковую. Черт, чувствую себя старшеклассницей испуганных лет, влюбленной в артиста Безрукого и открывающей дневнику свои «страшные интимные тайны».

Доброй ночи, милый дневник! Чмоки-чмоки!»

7

— Здравствуйте, Павел Иванович!

Мужик вздрогнул, обернулся и окинул Турецкого неприветливым и недоверчивым взглядом.

— Я вас не знаю, — сухо сказал он.

— Как будто это имеет какое-нибудь значение, — усмехнулся в ответ Александр Борисович.

Он уселся за столик и вперил взгляд в лицо уголовника. Тот криво ухмыльнулся.

— Узнаю, — сказал он и отхлебнул пива.

Турецкий вскинул брови:

— Что узнаете?

— Узнаю этот взгляд, — пояснил Гиря. — Вы следователь, ведь так?

— Поражаюсь вашей проницательности. Хотя... после стольких-то отсидок. Кстати, Павел Иванович, почему вы до сих пор на свободе? Если мне не изменяет память, откинулись вы полтора года назад. Не надоело еще шляться по улицам? Домой, в тюремную камеру, не тянет?

— А ты меня камерой не пугай.

— Я тебя и не пугаю. — Александр Борисович вставил сигарету в рот и закурил. — Когда я начну пугать, ты сразу это почувствуешь, — добавил он и махнул перед лицом рукой, отгоняя дым.

Гиря смотрел на Турецкого исподлобья, сжимая пивную кружку в крепких, корявых пальцах.

— Дело будете говорить или языком трепать? — глухо спросил он.

Александр Борисович откинулся на спинку стула, еще немного посверлил физиономию уголовника колючими серыми глазами и холодно произнес:

— Я знаю про все твои приключения, Гиря. Про все твои «скачки». Даже про те, за которые ты не понес справедливого возмездия.

Слова «справедливое возмездие» Турецкий произнес таким замогильным голосом, что Гиря слегка поежился. На какое-то мгновение ему даже стало страшно. Слишком уж тяжелый взгляд был у мента, слишком уж безжалостный голос.

— Но знаю я не только про это.

— Да? — Гиря через силу ухмыльнулся. — А про что еще?

— Про то, что ты уже год работаешь осведомителем. С оперативником своим встречаешься на окраине города, в шашлычной «Охотничий домик».

Турецкий замолчал и пристально вгляделся в лицо бандита, наблюдая за произведенным эффектом. А эффект был, что называется, налицо. Плечи Гири обмякли, он ссутулился, обхватил кружку двумя руками и уставился в нее, словно ожидал найти на дне подсказку.

— Хреново, да? — спросил Александр Борисович.

— Хреново, — глухо ответил Гиря. Он поднял взгляд на Турецкого и проговорил с клокочущей злобой в голосе: — Никогда не доверял легавым. Знал, что рано или поздно подставят.

Александр Борисович дернул уголком губ.

— Никто тебя не подставлял. И не хрен играть в героя. Ты знал, на что идешь.

— Меня зажали в угол, — огрызнулся Гиря, слегка повысив голос.

— Ты сам себя в этот угол загнал, — безжалостно произнес Турецкий. — Сам. Ты знал, по каким правилам придется играть, когда во все это ввязался. Кстати, ты до сих пор пьешь?

— Только пиво.

— Давно?

— С тех пор, как погорел на этом деле. — Гиря отхлебнул пива и облизнул губы. — Значит, теперь вы будете меня пасти? А что с майором?

— Майор заболел.

— Сильно?

— Оклемается. Твоими молитвами.

— Если моими, то вряд ли, — хмыкнул Гиря.

— Не больно-то резвись. Для начала давай познакомимся. Меня зовут Александр Борисович.

— Очень приятно, — съязвил Гиря. Он оглянулся по сторонам, слегка нагнулся и тихо проговорил: — Зря вы пришли сюда. Если нас увидят вместе...

— Тебе конец, — закончил за него Турецкий. — Поэтому ты заинтересован в том, чтобы наша беседа прошла как можно быстрее. Давай сделаем так. Я буду задавать вопросы, ты — отвечать. Как только вопросы у меня закончатся, я уйду. И можешь валить на все четыре стороны, я тебя больше никогда не потревожу.

— Правда? — недоверчиво покосившись на Турецкого, пробурчал Гиря.

— Правда, правда. Слово мента.

Гиря ощерил в усмешке желтоватые зубы.

— И нечего скалиться, — осадил его Александр Борисович. — У меня тоже времени в обрез, так что приступим к беседе. Первый вопрос такой. После того как ты обчистил ящик стола Воронова, кому ты отдал все негативы?

Гиря оттопырил нижнюю губу и презрительно процедил сквозь зубы:

— Не понимаю, о чем ты, начальник.

— О Воронове и о его квартире, — сказал Александр Борисович.

— Воронов? В первый раз слы...

— Молчать! — рявкнул Турецкий так, что на него заоборачивались посетители за соседними столиками.

Гиря побледнел. Затем вдруг попытался встать, но Турецкий железной рукой усадил его на место.

— Будешь сидеть здесь, пока я тебя не отпущу, — веско и властно произнес он. — И если ты думаешь, что я шучу, ты жестоко ошибаешься. Вот где вы у меня уже все сидите! — Турецкий энергично провел ребром ладони по кадыку. — Будь моя воля, я бы с вами не валандался. Набил бы вас по сто человек в камеру и...

— Тише, начальник, тише, — сказал Гиря и пугливо зыркнул глазами по сторонам. — Вижу, ты мужик серьезный. С тобой не забалуешь. Но подумай сам: зачем мне подставляться? Я тебе сейчас про себя наговорю, а ты меня потом за мои откровения в камеру.

— Если ответишь на мои вопросы честно, никакой камеры тебе не будет, — отрезал Александр Борисович.

Гиря несколько секунд вглядывался в лицо Турецкого, пытаясь понять — стоит ли ему доверять или нет. Наконец вздохнул и кивнул:

— Ладно, начальник. Твоя взяла. Негативы я взял. Да только далеко с ними не ушел. В скверике возле метро меня догнал этот тип... Андрей Маратович. Я было собрался начистить ему хлебало, но этот фрае-рок ствол достал. И на меня наставил. А под дулом пистолета, известное дело, не то что негативы, нательный крест отдашь.

— Ты отдал ему все?

— А как же. Он меня и обыскал. Даже в мотню залез, не побрезговал, гаденыш.

— Ясно. — Александр Борисович сдвинул брови. — Он тебе не сказал, зачем ему эти негативы?

Гиря удивленно уставился на Турецкого.

— Ясное дело, нет. С какого рожна ему передо мной выплясывать? Это человек серьезный. Был бы в зоне, стал бы авторитетом, зуб даю.

— Ты успел просмотреть негативы?

— Я?

— Ну не я же.

— Э-э-э... Да как сказать... Ну, глянул сквозь них на лампочку, пока в комнате был. Там одни голые тела. А на конвертиках еще фамилии были.

— Запомнил хоть несколько?

— Что ты, начальник. Только Мохова. И то, потому что его искал. У меня еще в школе за стихи двойки были. Память никакая. А со школы я и последние ее остатки на дне стакана оставил. Так что — извини.

Турецкий молчал, разглядывая бандита. Тот поежился.

— Зря ты мне не веришь, начальник. Сам подумай: какой резон мне от тебя таиться?

Турецкий задумчиво почесал пальцем переносицу, не сводя глаз с уголовника

— Значит, нет, говоришь, резона?

— Нет, начальник. Я у тебя под колпаком. — Гиря отхлебнул пива и пожал плечами. — Я все тебе рассказал, начальник. Не сомневайся. Мне скрывать нечего. Выгоды все равно никакой. А покрывать я этого гаденыша не собираюсь. Он ведь не блатной, а так, фраерок.

— Ну что ж... — Турецкий поднялся из-за столика. — Рад был с вами пообщаться, Павел Иванович. Не балуйте.

— Уж постараюсь, — в тон ему ответил Гиря. — И запомните: я в этой... сваре участвовать не хочу. Так себе и запишите.

— Что записать? — не понял Турецкий.

— А вот то, что я вам сказал. Эта свара не для меня, ясно?

Александр Борисович пожал плечами, вмял окурок в пепельницу, повернулся и зашагал к выходу.

8

Из дневника Турецкого

««Эта свара не для меня! Так и запомните!»

Напутствуемый этими мудрыми словами, я потопал из ресторана, оставив господина Гирю наедине с бокалом пива. Что-то мне подсказывает, что в его компании Гиря чувствует себя намного уютнее, чем в моей.

А я между тем заделался заправским писателем. Если так пойдет и дальше, то в Москву отсюда улечу с десятью толстыми тетрадями, исписанными мелким, убористым почерком. Потом опубликую рукопись под названием... ну, хоть бы и «Записки неудачника». И получу за них Нобелевскую премию. Меркулов от зависти помрет. А я ему даже на водку с премии не отстегну. Не заслужил!

Ладно. Итак, Андрей Долгов. Этот тип интересует меня все больше. Личность весьма загадочная. Сотрудники отзываются о нем хорошо. Знает дело, всегда поможет советом, строг, но справедлив, даже Мохов без него как без рук. Но при этом очевидно, что в офисе его побаиваются, причем даже больше, чем самого Хозяина.

Парень, безусловно, пробивной и неглупый. Хитрый. Себе на уме. Уж не метит ли он на место Хозяина? Пусть не сейчас, а годика этак через три-четыре... У этого пострела наверняка вся жизнь расписана как по нотам. Интересно, кем он себя видит лет через тридцать? Президентом России? Вполне может быть. Амбиций у этого парня хватит и на то, чтобы стать Президентом земного шара. Если вовремя по носу не щелкнут.

Парень очень скрытный, но в эмоциях распущенный, я бы даже сказал — разнузданный. Слишком пренебрежительно думает об окружающих. Считает себя умнее всех — вот это мы и используем. Когда начинает нервничать, становится несдержан на язык. Хотя ничего существенного пока не сказал.

Интуиция мне подсказывает, что Долгов что-то задумал. Решил ввязаться в игру и сыграть сам. Но на чьей стороне? — вот вопрос. Но обо всем по порядку.

Встретились мы в его кабинете. На этот раз Долгов был приветлив, почти радушен. Усадил за стол, велел принести кофе. (Кофе у парня, кстати, знатный. Не то что у его шефа.) Напившись кофе, приступил к разговору. Начал, как водится, издалека. Погода-политика, шансы на избрание — пятое-десятое. Постепенно подвел его к теме и ошарашил вопросом.

— Изволите, — говорю, — отдать негативы или мне силой у вас их забрать?

Парень, однако, не растерялся. Усмехнулся мне в физиономию улыбкой хитрого степного лиса и говорит:

— О каких негативах изволите говорить? Не понимаю-с.

— А о тех самых, которые вы из товарища Гири вытряхнули, — отвечаю. — В сквере возле метро. Припоминаете?

Озабоченным его лицо не стало, но в глазах что-то этакое промелькнуло. Секунд десять этот тип раздумывал, затем кивнул и говорит:

— Черт с вами. Считайте, что раскусили. Я действительно ездил к Воронову и забрал у него негативы. Вернее, негативы забрал Гиря, а я из него их, как вы верно заметили, вытряхнул.

— Это я знаю и без вас, — говорю. — Но хотелось бы узнать, где они теперь?

— Негативы-то? — Парень оскалился. — А их, — говорит, — не существует больше в природе.

— Как так? — спрашиваю.

Он развел руками:

— А вот так. Думаете, я их у Гири забрал, чтобы шантажом заниматься? Вовсе нет. Я забрал их, чтобы уничтожить.

— Весьма похвально. И где они теперь?

— Похоже, вы меня плохо слушаете. Я ведь говорю — я их забрал, чтобы уничтожить. И я их уничтожил.

— Ай-яй-яй, — говорю.

— Что делать, — отвечает. — Да там все равно ничего интересного не было, кроме голых задниц.

— Задницы-то небось всё сплошь высокопоставленные?

Долгов усмехнулся, этак коварно, как Яго из «Отелло».

— Не без этого, — отвечает. — Потому и уничтожил. Не хочу осложнять людям жизнь. Да и себе не собираюсь. И потом: много на этих фотках все равно не заработаешь. А вот жизни лишиться можешь. Здесь вам не Москва; здесь человеческая жизнь гроша ломаного не стоит.

И смотрит на меня «со значением». «Уж не про мою ли жизнь ты говоришь, приятель?» — думаю.

Вгляделся я в его лицо и понял: этот, если понадобится, ни перед чем не остановится. Ладно. Нет негативов и не надо.

— Какие еще новости? — спрашиваю.

Он подбородочек свой острый пальцем потер и отвечает задумчиво:

— Хлеб подорожал. А на завтра обещают солнечную погоду.

И глазками черными на меня зырк. Ну, думаю, бестия! С тобой просто так не сладишь. Это тебе не шакал Гиря и не жиголо Воронов.

— Есть у вас тут хорошие места для пикников? — спрашиваю. — Шашлычков хочется, мочи нет.

Долгов мне мило так улыбнулся и отвечает:

— Для вас найдем!

На том и распрощались.

А я вот теперь сижу у себя в номере и думаю: неужели я потерял хватку? Неужели меня пора отправлять в утиль? Приехал, чтобы найти интернет-хулигана, а сам занимаюсь черт знает чем. И никаких зацепок. Толку воду в ступе и потихоньку закладываю за воротник. Больше и забот нет.

Да вот еще этот дневник... Я заметил, — когда начинаешь писать, появляется нездоровая склонность приукрашать события, придавать им какой-то противоестественный лоск. Впрочем, и с этим бороться не стану. Если где и приукрашу, так от избытка фантазии, а не из желания что-то переврать. А там, глядишь, переворошу через годик эти страницы и что-то новое для себя открою. Роман или нет... а тоже годится. Истина любит фантазеров, а не отвязных врунов. Так-то».

9

День катился к полудню. Александр Борисович уютно расположился в кресле за круглым столиком гостиничного ресторана. На столе перед ним парила чашка с крепчайшим кофе. В руках он сжимал газету с местными новостями.

Внезапно он словно оцепенел. Поднес раскрытую газету ближе к глазам, несколько секунд пристально разглядывал снимок, затем усмехнулся и, качнув головой, произнес:

— Вот тебе и «случайный прохожий»...

Положив газету на стол, Александр Борисович закурил и, пока сигарета не превратилась в окурок, размышлял, хмуря брови. От иронического выражения на его лице не осталось и следа. Напротив, Турецкий выглядел сосредоточенным и угрюмым.

— Желаете еще кофе? — «вывинтился» из-за плеча расторопный официант.

Александр Борисович поднял на него взгляд и несколько секунд озадаченно разглядывал, словно не понимая, с кем имеет дело. Затем покачал головой:

— Нет, не нужно. Сколько с меня?

Расплатившись с официантом, Турецкий достал из кармана мобильный телефон и набрал номер Мохова.

— Алло, Виктор Олегович... Да, я. Здравствуйте. Вы вроде в хороших отношениях со Сваровским... Ну да, я слышал про вашу дружбу. Но сейчас-то как?.. Ясно. Тогда вот что: не могли бы вы устроить мне с ним встречу?.. Просто хочу поговорить... Понимаю, что обращаться к вам с такой просьбой странно, но если подумать, то в этом есть определенный резон... Нет, дело не в этом. Просто мы сможем прощупать его отношение к вам. Если будет любезен и согласится, то... Ну да, и я о том же. Так как, сможете мне это устроить?.. Да чем скорей, тем лучше. Получится сейчас — подъеду сейчас... Хорошо, буду ждать вашего звонка.

Александр Борисович отключил связь и убрал телефон в карман. Вид у него был задумчивый. Видя, что клиент не спешит покинуть ресторан, официант вновь материализовался перед Турецким.

— Еще кофе? — с улыбкой спросил он.

— А мороженое есть? — неожиданно спросил Турецкий.

— А как же. Фисташковое, клубничное, шоколадное.

Александр Борисович кивнул:

— Годится. Давайте шоколадное. Надеюсь, у меня будет время его съесть.

Из дневника Турецкого

«Времени, чтобы съесть мороженое, хватило с избытком. И чтобы выпить еще одну чашку кофе — тоже. Полчаса проторчал в ресторане, ожидая звонка от Мохова. Даже пожалел немного, что с ним связался. Вариантов выйти на Сваровского множество, по крайней мере для такого старого опытного волка, как я. Может, не следовало действовать в лоб? Есть ведь обходные пути — витиеватые, по-восточному хитрые и надежные. Да и статус у меня теперь уже не тот, чтобы приходить к людям и тыкать им корочкой в лицо. Могут в ответ так «тыкнуть», что по лестнице покатишься...

Мохов не перезвонил. Вместо него на связь вышел сам Сваровский.

— Александр Борисович? Приятно познакомиться. Я — Сваровский.

— А уж как мне приятно, — отвечаю. — Нам бы встретиться, о делах наших грешных потолковать.

— Легко, — отвечает. — Вы сейчас в гостинице?

— В ней.

— Минут через пять буду проезжать поблизости, могу заскочить. Знаете летнее кафе через дорогу?

— Как не знать.

— Давайте встретимся там. Идет?

Соглашаюсь, прощаюсь, отключаюсь, рассчитываюсь с официантом и топаю в кафе напротив. Живу тут, как француз начала двадцатого века — с утра до вечера шляюсь по кафе. И как в меня столько кофе влезает?

Кофейня оказалась очень даже неплохая. Я даже решил, что буду по утрам завтракать здесь, а не в гостиничном ресторане. Забавный болтливый бармен, смазливая официантка, вежливый менеджер, недорогие напитки — что еще нужно для хорошего времяпрепровождения, тем более когда ты находишься в чужом городе, а вокруг тебя люди, для которых ты настоящая заноза в заднице?

Итак, жду. Минут через десять подруливает черный «бумер». Ну, думаю, приехал. Ан нет, ошибся. Из «бумера» выполз хозяин заведения. Кивнул мне, как доброму знакомому (больше-то кивать было некому, я сидел в кофейне один), протопал за кулисы, провожаемый лучезарными улыбками и японскими поклонами персонала.

Жду дальше, цежу кофе, поглядывая на проезжающие иномарки.

И тут меня окликают:

— Александр Борисович?

Оборачиваюсь — стоит. Статный, седовласый, нестарый, в дорогом, но неброском пиджаке из тонкой шерсти.

— А вы...

— Сваровский. Лев Константинович. Простите, что так долго, не рассчитал со временем.

— Ничего страшного, — отвечаю. — Присаживайтесь, угощу вас чаем или кофе.

— Присяду, но от угощения откажусь. Кофе не пью, чай не люблю.

— Тогда, может, по соточке?

— И от этого воздерживаюсь.

Сваровский уселся за столик, а я завертел головой, пытаясь установить, из какой же иномарки он вылез.

Оказалось — не из какой. Приехал наш воротила на десятой модели «Лады», как простой российский гражданин. Заметил мое недоумение и с улыбкой пояснил:

— Выборы. В наших краях народ простой и понтов не любит. Приходится соответствовать.

— Понимаю.

Сваровский посмотрел на часы, затем на меня. Улыбнулся.

— Итак, Александр Борисович, чем могу быть полезен?

Глядит на меня и улыбается, как будто мы лучшие друзья. Вежливый в этом городе народ, такой вежливый, что с души воротит от их вежливости. «Сейчас, — думаю, — я улыбку с твоей радостной кандидатской физиономии смою».

Достал я из кармана пиджака газету, развернул и положил перед ним. Сваровский покосился на газетку, потом посмотрел на меня любопытствующим взглядом и спросил:

— Что это?

— Газета, — отвечаю.

Улыбка все еще на месте.

— И зачем вы мне это показываете?

— Вы хорошо видите? Дальнозоркостью или близорукостью не страдаете?

— Нет. А к чему эти вопросы?

Улыбка слегка покоробилась, но осталась на прежнем месте. Сильный мужик. Настоящий кандидат в Президенты. Я протянул руку и ткнул пальцем в снимок на первой полосе.

— Кто этот человек?

— Человек?.. — Сваровский снова посмотрел на газету. Прищурился. — Какой человек?

Ох, как меня достали эти риторические вопросы. «Какой человек?» Неужели не видно, на кого я показываю.

— Вот этот, — отвечаю ледяным голосом. — Тот, что стоит у вас за плечом. Только не говорите, что не знаете его. Дураку понятно, что он из вашей свиты.

— Гм...

Наконец-то она отвалилась, эта омерзительная дежурная улыбка, которую подобные типы постоянно имеют при себе — «улыбка на все случаи жизни».

— Что ж, — отвечает Сваровский, — я и не собирался скрывать. Этот человек — мой телохранитель. А почему вы интересуетесь? Вы что, знакомы с ним?

— Имел удовольствие познакомиться в первый же день приезда. При весьма забавных обстоятельствах.

— При каких?

— Кто-то послал ко мне в номер проститутку и поставил видеокамеру за фикус.

— Правда? Любопытно. Это так похоже на наш славный городок. И что же вы сделали?

Сваровский начинал мне нравиться.

— Я не слишком подхожу на роль порнозвезды, вы не находите? — ответил я вопросом на вопрос, внимательно разглядывая при этом вальяжную физиономию бизнесмена.

Сваровский засмеялся мягким, переливчатым смехом.

— Это как сказать, — весело проговорил он. — Вы очень импозантный мужчина. Хотя не мне судить. Так что вы сделали?

— Выпроводил проститутку из номера, а потом встретился с ее сутенером. Сутенер признался, что камеру в моем номере установил он. Но имя заказчика назвать отказался.

— Весьма предусмотрительно с его стороны, — весело заметил Сваровский и посмотрел на часы. — У меня не так много времени, — сказал он. — Будьте любезны перейти к сути.

— А суть в том, что заказчик несостоявшегося порношедевра сидел за соседним столиком. И, когда я попытался вытряхнуть из сутенера душу, он не утерпел и встрял в наш разговор. Должно быть, в нем взыграл партнерский дух. Такое иногда случается с бывшими военными, которые служили в «горячих точках». Или с бывшими ментами.

— Постойте... — Сваровский нахмурился. — Я, кажется, понимаю. Вы что, намекаете на моего телохранителя?

— Не то что намекаю, а прямым текстом говорю. Это был он. — Тут я снова ткнул пальцем в газету. — А теперь отвечайте: зачем вам понадобился весь этот карнавал с проституткой и камерой?

Сваровский прищурил светло-карие глаза.

— Вы уверены, что это было сделано по моему указанию? — спокойно поинтересовался он.

Я кивнул:

— На все сто.

— Что ж... Видимо, отпираться бессмысленно. Хорошо, признаюсь: проститутку и камеру вам организовал я.

— Но зачем?

— Во-первых, люблю держать все под контролем. Во-вторых, обожаю подобные трюки. А в-третьих... — Тут Сваровский снова улыбнулся. — Скажите, Александр Борисович, вас не насторожило, что камера была установлена так бездарно?

— В этой игре вообще все было бездарно, — сказал я.

Сваровский кивнул:

— Вы правы. Я специально дал вам зацепку. И телохранителю велел разыграть небольшой спектакль.

— Но зачем?

— Видите ли... Только не подумайте, что я сумасшедший. Дело в том, что... — Он вновь замялся, подбирая подходящие слова. — Ну, в общем, у меня появилась идейка: а что, если мне держать вас под колпаком?

— Зачем?

— Я давно хотел заиметь своего человечка в «доме Хозяина». Так ведь подчиненные называют Мохова? В свое время я пытался перекупить Андрея Долгова, но он парень твердый и сотрудничать со мной отказался.

— И зачем вам понадобился «свой человечек»?

— Ну мы ведь с Виктором конкуренты. Соперники. Всегда полезно иметь агента в стане врага, вы не находите?

— Вот как. — Я усмехнулся. — А я думал, что вы с Моховым друзья.

— Были когда-то. И сейчас приятели. Но, как говорится, дружба дружбой, а денежки врозь. Во мне слишком силен состязательный дух, такой уж я человек.

Я обдумал всю эту бредятину. Как ни странно, но слова Сваровского показались мне убедительными. Встречал я и раньше подобных чудаков на букву «м».

— Так почему камера была так неумело спрятана? — вновь поинтересовался я.

— Ну... — Карие глаза Сваровского мягко залучились. — Считайте это «приглашением». Я хотел выяснить, как быстро вы выйдете на меня, чтобы оценить ваши профессиональные способности.

— Выяснили?

Сваровский кивнул благородной головой:

— Вполне.

— И?

Сваровский одарил меня лучшей из своих дежурных улыбок и дружелюбно ответил:

— По крайней мере, вы не так глупы, как большинство наших следователей, раз я сижу здесь и беседую с вами.

Довод Сваровского показался мне резонным. Он тем временем продолжал:

— Александр Борисович, я приехал на эту встречу, потому что заинтересован в вас. Вы не совсем правильно сделали, что обратились ко мне через Мохова. Хотя... возможно, так оно будет даже лучше. Вы позвоните ему, скажете, что встретились со мной и что никакой опасности с моей стороны не исходит. Что, кстати говоря, абсолютная правда.

Сваровский замолчал, выжидательно глядя на меня, и тогда я сказал:

— Что-то я не совсем понимаю, к чему вы клоните, Петр Андреич. Вы что, предлагаете мне на вас работать?

Сваровский кивнул, даже не кивнул, а этак элегантно склонил голову:

— Именно так, дорогой Александр Борисович. Многого я от вас не потребую. Вы будете мне регулярно сообщать, что делается в стане вра... то есть в офисе Виктора Олеговича Мохова. Куда пошел, с кем встречался. Ну и, разумеется, как продвигается ваше расследование. За все это я предлагаю вам... — Он на мгновение задумался, затем прищурил один глаз и договорил: — ...Ну, скажем, пятьсот долларов.

— В месяц? — уточнил я.

Он даже обиделся:

— Почему в месяц? В день, разумеется. Пробудете в нашем городе неделю, получите три с половиной штуки. Пробудете десять дней, получите пять кусков. При условии, конечно, что я сочту вашу информацию заслуживающей внимания.

— А если не сочтете?

— Тогда мы просто прервем наш контакт. Но до этого момента вы получите все, что отработали.

Сваровский откинулся на спинку стула и испытующе на меня посмотрел. Взгляд у него будь здоров. У меня чуть переносица не оплавилась.

— Гм... — сказал я. Пошевелил бровями, побарабанил по столу пальцами, в общем, изобразил глубокую задумчивость. — Даже не знаю, что вам ответить. Все это так неожиданно.

— А такие предложения всегда приходят неожиданно, — с улыбкой сказал Сваровский. — Поэтому нужно всегда быть к ним готовым. Не понимаю, о чем тут думать? Наверняка я не первый бизнесмен в вашей жизни, который предлагает вам немного подзаработать. Соглашайтесь, Александр Борисович. Ведь раньше вы наверняка не отказывались от таких... м-м-м... предложений. — Тут лицо его на мгновение оцепенело. — Или... отказывались? — договорил он, сверля меня глазами.

Я еще немного пораздумывал, пошевелил бровями, похмыкал, покряхтел — чтобы задумчивость отобразилась на лице. Потом сказал:

— Ваше предложение кажется мне любопытным. Каким образом я смогу получать деньги?

— Как хотите. Хотите — я передам вам их лично в руки. По крайней мере, первый «взнос». Ну а потом могу присылать деньги с курьером. Место встречи будете назначать сами. Полтыщи каждый день — это неплохие деньги, — добавил он с нажимом.

— Черт возьми, заманчиво... — Я улыбнулся. — А как насчет поторговаться?

Сваровский покачал головой:

— Увы, но торговаться не в моих правилах. Либо вы соглашаетесь и становитесь победителем, либо отказываетесь и остаетесь в дураках. Я веду переговоры только так.

— И давно вы в бизнесе?

— С середины девяностых, — ответил Сваровский, и в голосе его послышались металлические нотки.

«Тогда твоя манера вести переговоры вполне понятна», — подумал я. А вслух сказал:

— Хорошо. Пожалуй, я соглашусь. Но о нашем договоре не должен знать никто, кроме нас. Я дорожу своей репутацией.

Сваровский блеснул полоской белоснежных зубов.

— Какие вопросы! Сделаю так, как вы хотите. Позвоните мне, когда надумаете.

Сваровский поднялся со стула. Я тоже встал. А как не встать, он ведь теперь мой работодатель! Однако, несмотря на мой новый статус, Сваровский снизошел и первым протянул мне руку. Пожатие у него было довольно вялое, ладонь — влажная и теплая.

— Рад был с вами познакомиться, — сказал Сваровский, но голос у него звучал уже слегка презрительно.

Похоже, он не ждал, что я так просто и быстро соглашусь. Надо было, пожалуй, подольше его потомить.

На этом мы и распрощались.

Когда Сваровский ушел, я еще минут двадцать поторчал в кафе, переваривая все, что произошло. Игра пошла интересная».

10

— Красавица, развлечься хочешь?

Девушка обернулась и бросила на Гирю разгневанный взгляд.

— Да ладно, чего ты? — ощерился он.

Девушка зацокала каблучками дальше, Гиря нагнулся и шлепнул ее по голой щиколотке. Девушка взвизгнула и побежала. Гиря выпрямился и загоготал ей вслед.

— Давай-давай, беги! Найди себе мужика, дуреха!

Проводив взглядом девушку, Гиря зевнул и отхлебнул пива из бутылки, которую держал в руке. Затем посмотрел по сторонам и поскреб в затылке, размышляя, куда бы «бросить кости». Скоро вечер, а пойти некуда. Кореша поехали на шашлыки, но Гиря опоздал на место встречи и теперь совершенно не знал, куда себя приткнуть.

К своим тридцати четырем годам Гиря успел основательно позабыть, когда он в последний раз читал книгу или ходил в кино. Он позабыл даже о том, как это — читать книги. Пожалуй, алкоголь и компания старых корешей — это все, что ему было нужно для того, чтобы хорошо провести время. Иногда он захаживал с корешами в боулинг, но на это уходило слишком много денег. А вот поехать на шашлычки — занятие недорогое и «сердитое». Полкило мяса да четыре бутылки пива на рыло, вот и всё.

Но друзья теперь были далеко, а заняться было нечем.

Гиря поерзал на скамейке, закинул ногу на ногу и снова жадно приник к горлышку бутылки. Разглядывая прохожих, он вдруг подумал о том, как много потерял, когда отдал негативы «узкоглазому черту». Да, сглупил. А как было не отдать под дулом пистолета? Конечно, способы были. Допустим, ударить этого урода пером в живот. Честно говоря, еще тогда, в сквере, Гире пришла в голову эта идея. Прямо рука чесалась прикончить этого гада. И все же что-то останавливало.

Да, негативов было жаль. Но, слава богу, кое-что осталось.

Гиря отхлебнул пива и снова принялся таращиться на прохожих. Единственное развлечение, доступное нищему. В кармане — шаром покати. Но это пока. А вот потом... Гиря представил, что будет потом, и блаженно прикрыл глаза. Когда Гиря пытался представить себе «красивую жизнь», перед глазами почему-то всегда вставали какие-то дурацкие пальмы. Вот оно — тлетворное влияние рекламы.

Нет бы представить себе русскую деревню, такую, в какой прошло детство Гири, большой светлый дом, полные кадки с огурцами и капусткой, баньку и большую бутыль самогона. Ну, еще машину во дворе да дом с балконом. И чтобы во дворе абрикосы и вишни цвели. И чтобы на балконе столик, а за столиком деваха — вот навроде той, которая только что убежала. Что еще нужно человеку для счастья? Нет, в голову лезут пальмы! Почему пальмы? Какие, к чертям собачьим, пальмы? Ни хрена непонятно.

На скамейку сел мужчина. Гиря покосился на него и недовольно крякнул. Что ему, скамеек мало?

— Слышь, мужик, — окликнул Гиря незнакомца, — тебе скамеек мало?

Мужчина повернул голову и с любопытством посмотрел на Гирю. Он был одет в приличный костюм, да и физиономию имел соответствующую.

— Простите, — заговорил незнакомец, — вы что-то сказали?

Гиря начал сердиться:

— Я сказал: какого хрена ты сюда уселся, фраер? Вокруг куча скамеек.

Незнакомец посмотрел по сторонам и снова повернулся к Гире, улыбнулся и сказал:

— Кроме этой, других скамеек нет.

— Может, тебе в соседнем парке поискать? — «дружелюбно» улыбнулся Гиря. — Ну, чего уставился? Вали отсюда, пока я твои батоны в тесто не раскатал!

На лице незнакомца появилось удивление.

— Простите, я не знал, что тут занято, — смиренно проговорил он. — Но мне кажется, вы не правы. Я занимаю совсем мало места. А если придут ваши друзья, я тут же встану. Мне нужно немного посидеть, прийти в себя.

Гиря хотел послать незнакомца куда подальше и даже уже раззявил для этого рот, но тут взгляд уголовника упал на опустевшую бутылку пива, и он решил сменить линию поведения.

— А что, — вкрадчиво обратился он к незнакомцу, — у тебя проблемы?

— Да, знаете ли... Проблемы.

— С работы, что ли, уволили?

Брови незнакомца взлетели вверх.

— Откуда вы знаете?

— Да знаю, — усмехнулся Гиря. — Сам такой.

— Так значит вас... тоже?

— Тоже, тоже. — Гиря вздохнул. — Турнули с работы. — Он снова вздохнул и с трагическим видом швырнул пивную бутылку в урну.

— Вот оно что, — пробормотал незнакомец. — Да-а... Жизнь штука сложная.

— Да уж непростая, — поддакнул Гиря. — Слышь, бедолага, тебя как зовут-то?

— Николай Ива... То есть просто Николай. Можно Коля, — поспешно добавил он. — А вас?

— А меня Паша. Держи пять!

Гиря протянул новому знакомому руку, и тот с жаром ее пожал.

— Тебя сегодня, что ли, турнули-то? — поинтересовался Гиря.

Николай сокрушенно кивнул.

— Ага. Я там на птичьих правах работал. Даже настоящего трудового договора на руках не было. Аутстаффинг — слышали про такое?

— А как же! — ухмыльнулся Гиря. — Сам таким был.

Николай посмотрел на бандита с сомнением, но ничего не сказал. Вместо этого он достал из кармана пиджака черную рустированную трубку и вставил ее в рот.

— Трубку куришь? — усмехнулся Гиря.

Николай вынул изо рта трубку, рассеянно на нее посмотрел, затем снова спрятал в карман.

— Все равно табак кончился, — уныло сказал он.

— Слышь, Колян, — снова заговорил Гиря, — в нашем положении может помочь только одно.

— Веревка и мыло? — горько пошутил мужчина.

Гиря хохотнул:

— Нет, не угадал.

— Тогда что? — вяло поинтересовался мужчина.

— Пойти в кабак и хорошенько напиться. Говорят, это здорово помогает.

— Напиться? Но я не пью. Ну то есть только по праздникам или если есть повод...

— Повод? А это тебе не повод?

Николай вздохнул и сокрушенно кивнул головой:

— Да, вы правы. Лучшего... а вернее, худшего повода не найти. Но только... — Он снова завертел по сторонам головой. — Куда же мы с вами пойдем?

— А ты, значит, приглашаешь? — усмехнулся Гиря.

— Ну да. Конечно.

— И деньги у тебя есть?

— Немного. — Николай хлопнул себя рукой по внутреннему карману пиджака. — Выпить хватит.

— А напиться?

— Э-э-э... Думаю, что и напиться. Правда, я сегодня собирался купить жене подарок... — Он вдруг махнул рукой. — А, ладно. В конце концов, это все равно ничего не изменит.

— Вот это правильный подход, — тут же одобрил Гиря, мысленно потирая руки от удовольствия. Он не ожидал, что мужика удастся так легко раскрутить. Внезапно Гиря почувствовал к незнакомцу расположение. Черт его знает почему. Может, подействовало выпитое пиво. А может, Гиря просто соскучился по общению. — Ты, главное, не переживай, — сказал он. — Держи хвостяру закорючкой. Сегодня ты меня угостишь, завтра я тебя.

Николай кисло улыбнулся:

— Вы же сами сказали, что на мели. А я уж тем более.

— Да все будет хорошо, фраерок. — Гиря вдруг возбужденно блеснул глазами, облизнул губы и быстро проговорил: — Скажу тебе по секрету, кореш, у меня в кармане лежит одна штуковина, которая сделает меня богачом.

Гиря слегка отклонился, чтобы полюбоваться произведенным эффектом. Ему весь день не терпелось открыть кому-нибудь душу, и, когда представился шанс, он просто не утерпел. Мужчина между тем отреагировал вяло. Вернее — никак не отреагировал. Гирю это слегка оскорбило.

— Не веришь? — грубо спросил он.

— Верю, — тихо ответил Николай. Затем посмотрел на свою руку и слегка ее поднял. — У меня тоже есть кольцо... видите? Оно платиновое. Мне его жена подарила на десятилетие свадьбы. Как вы думаете, сколько я за него получу?

— Кольцо? — опешил Гиря и нахмурился. — При чем тут кольцо?

— Ну, вы ведь тоже собираетесь что-то продать.

— Ты что?! — вспылил Гиря. Николай поджал губы, казалось, он вот-вот расплачется. «Видать, ему и правда хреново», — подумал Гиря и решил сменить гнев на милость. — Ладно, фраер, не обижайся. Я говорил не о побрякушке. У меня есть что-то, за что мне отвалят хорошие балабасы. Вот тогда я тебя и угощу. Но только об этом — никому. Понял?

— Понял.

Гиря хлопнул себя по карману и подмигнул Николаю:

— Я стану богачом, попомни мое слово. Ну а сегодня угощаешь ты. Идет?

— Идет, — так же вяло, как и прежде, кивнул мужчина.

Гиря поднялся со скамейки и насмешливо посмотрел на Николая.

— Ну что, потопали?

— А... куда? — растерянно спросил тот.

— Я знаю куда. Тут недалеко. Отличный кабак.

— Отличный?

— Угу. Там пиво не разбавляют. Вставай, чего сидишь.

Николай встал и лениво поплелся за Гирей, который топал по асфальту бодрой, пружинистой походкой, не скрывая своей радости. Проблема «культурного отдыха» решилась сама собой. Отлично!

Они шли минуты две, а Николай уже устал. Видать, сильно вымотан был мужик.

— Далеко еще? — жалобно спросил он.

— Рядом, — ответил Гиря.

У него у самого снова «трубы горели», но идти нужно было еще целый квартал. Хотя какого черта? Почему квартал? Тут же можно сократить.

— Может, зря я это? — прогнусавил Николай. — Может, мне лучше купить жене подарок и домой?

— Не хнычь, фраерок, — бодро сказал Гиря и хлопнул мужика по плечу. — Мы через дворы срежем. Через минуту будет на месте. Видишь арку? Нам туда.

Гиря и Николай свернули с тротуара в темнеющий полукруглый зев арки. На асфальте, как и полагается, был навален всякий мусор — обломки кирпичей, щебенка, какие-то гнилые доски.

— Живем, как в хлеву, бл...! — выругался Гиря, щуря близорукие глаза.

— Чего? — промямлил Николай.

— Я говорю: по-свински живем. Срать срем, а убирать не убираем. Россия, бл...!

Как ни старательно щурился Гиря, но кирпича все же не разглядел, споткнулся от него и непременно грохнулся бы на асфальт, если б заботливая рука Николая не поддержала его.

— Ах ты, черт! — в сердцах проговорил Гиря, хватаясь за нового знакомого.

Николай одной рукой обнял его за талию, а другой держал за локоть.

— Все в порядке... — вновь хрипло выдохнул Гиря. — Убери от меня руки, чертов педрила!

Но Николай убирать руки не спешил. Внезапно острая боль скрутила Гире всю утробу.

— А-а-а... — тихо простонал он, сгибаясь пополам.

Из глаз бандита брызнули слезы. «Опять язва проснулась...» — промелькнуло у него в голове.

Он стал хвататься рукой за Николая, но тот почему-то отошел в сторону.

— Помоги... — промямлил Гиря. — Дай руку...

Николай молчал, стоя в двух шагах от бандита и внимательно наблюдая за ним.

Голова у Гири закружилась, и он рухнул на асфальт.

— Я... ты... — еще пытался выговорить бандит, но язык уже не слушался его.

Тело Гири напряглось и выгнулось дугой, но через секунду снова расслабилось. Больше он не шевелился. Николай подошел к распростертому на асфальте телу, нагнулся и пощупал пальцами шею. Затем расстелил на асфальте носовой платок и принялся методично обшаривать карманы бандита. Содержимое карманов он выкладывал на платок. Початая пачка сигарет, ключи от квартиры, пластиковая зажигалка, несколько мятых пятидесятирублевых купюр, ключ с номерком (такими обычно закрывают шкафчики в магазинах). Больше в карманах у Гири ничего не было.

— Сволочь, — злобно произнес Николай, набрал слюну и смачно плюнул лежащему бандиту в лицо.

Затем стянул платок с вещами Гири в узелок и запихал его в карман брюк. Выпрямился, повернулся и бодро зашагал к освещенному солнцем пустынному тротуару.

Гиря остался лежать на асфальте. Из его живота торчала белая акриловая рукоять ножа.

11

— Ну что? Работа какого-нибудь алкаша?

Старик эксперт, сидевший на корточках перед трупом Гири, глянул через плечо и загадочно произнес:

— Может быть. А может быть, и нет.

Турецкий и дежурный следователь (совсем еще молодой парень) переглянулись. Эксперт снова склонился над телом.

— Вот, Александр Борисович, видите, с кем приходится работать, — насмешливо сказал дежурный следователь. — Нет бы ответить нормально, а то — может быть, то, а может быть, се. И так всегда. У вас в Москве небось эксперты покруче наших будут?

— Всяких хватает, — ответил Турецкий. Он неотрывно наблюдал за манипуляциями, которые производил над телом старик эксперт.

— Ну? — спросил он вновь нетерпеливо. — Что скажете, уважаемый?

Эксперт вытер тыльной стороной ладони пот со лба, вздохнул и уважительно произнес:

— Чистая работа.

— В каком смысле? — быстро спросил Турецкий.

— В прямом. Ни одного отпечатка. Все проделано быстро и ловко.

— То есть пьяные разборки исключаются? — вновь заговорил следователь.

— Ну... — Эксперт замялся. — Наверняка не скажешь. Может, его и по пьяной лавочке на перо посадили. Иногда и слепой в «десятку» попадает. Но мне кажется, что убийца — знаток своего дела.

— Профессионал? — уточнил Турецкий, вставляя в рот сигарету.

Эксперт посмотрел, как он прикуривает, подумал и ответил:

— А хрен его знает. Нынче специалистов много, в девяностых на бандитских разборках набили руку, а теперь гуляют на свободе. Каждый второй из бывшей шпаны может профессионально человека на перо посадить. Такое время.

— Александр Борисович, ну что за мысли? — улыбнулся молодой следователь. — Кому мог понадобиться этот забулдыга? Он полтора года как откинулся, а до сих пор ни кола ни двора. Подрабатывал грузчиком в продмаге, а жил в комнатке, которую снял по дешевке. Кому нужна такая птица? — Он пожал плечами и добавил: — По мне, так это простая пьяная разборка. Не поделил с приятелем бутылку водки, вот тот его и порезал.

— Умный ты какой, Василий, — иронично произнес эксперт. — И часу нет, как здесь околачиваешься, а уже все про всех знаешь.

— Да потому что не надо все усложнять, — неожиданно горячо возразил молодой следователь. — Спиноза знаешь что писал? Не надо плодить сущностей! А Уильям Оккам говорил: из всех гипотез выбирай самую простую, потому что, как правило, самая простая оказывается самой верной. Не надо усложнять, — вновь повторил следователь и посмотрел на Турецкого, ища поддержки.

Поддержки, однако, не последовало. Александр Борисович стоял над трупом, нахмурившись, и задумчиво потирал пальцами подбородок.

«Смотрит, — с усмешкой подумал молодой следователь. — Самого-то выперли из Генпрокуратуры, вот он и приехал сюда выпендриваться. Думает, наверное, что мы тут, в провинции, полные дурни. Звезда, блин. Настоящая ослепительная звезда».

— Василий, у меня к вам просьба, — обратился Турецкий к следователю.

— Для вас все что угодно, — улыбнулся тот и решил: «Ну, вот и осложнения. И какого черта я разрешил ему здесь околачиваться? Мог просто послать куда подальше, и дело с концом. Погубит тебя, Вася, твоя доброта. Как пить дать погубит». — Так какая просьба, Александр Борисович?

Турецкий словно бы вышел из задумчивости.

— Просьба простая: держите меня в курсе этого расследования, хорошо?

— Ну, если будет что сообщить, сообщу, — пообещал следователь. — А можно узнать, почему вы этим интересуетесь?

— Убитый похитил из квартиры некоего Максима Воронова компрометирующие материалы. Но потом он их... потерял. Ну вроде как потерял. На самом деле там темная история.

— Вот как? — неопределенно проговорил следователь. — И кого же они компрометировали?

— Этого я не знаю, — ответил Турецкий.

Следователь немного подумал, затем махнул рукой:

— А, ерунда это все. По собственному опыту знаю — влезешь в дело о шантаже и увязнешь, как в том болоте. Пьяная разборка — вот что это такое. Такой версии и буду придерживаться.

Турецкий и старик эксперт уставились на следователя.

— И нечего на меня так смотреть, — раздраженно проговорил он. — Это мой геморрой, мне с ним и маяться.

— Да, Василий, — задумчиво проговорил эксперт. — Я давно тебе говорил: найди себе хорошего проктолога.

— Да ну тебя к лешему, умник! — выругался следователь, вынул изо рта сигарету и яростно вмял ее в кирпичную стену арки.

Турецкий же принялся осматривать место происшествия. В одном месте он присел на корточки, достал из кармана полиэтиленовый пакетик, затем взял что-то с асфальта в щепоть и положил в пакет.

— Что там? — спросил эксперт, заметив манипуляции Турецкого.

— Прах земной.

Эксперт усмехнулся:

— На память о пребывании в нашем городке?

Александр Борисович хмыкнул:

— Точно.

12

Турецкий взял с бегущей дорожки поднос с тарелками и прошел в зал корпоративной столовой. Обслуживание здесь было советским, однако еда буржуйской — дорогой, аппетитной и, судя по всему, чрезвычайно вкусной.

Александр Борисович поискал глазами свободный столик и, увидев, что Долгов склонился над своими тарелками в гордом одиночестве, двинулся к нему.

— День добрый, Андрей Маратович!

Долгов поднял голову и посмотрел на Турецкого узкими, черными, ничего не выражающими глазами.

— А, здравствуйте, господин сыщик, — вяло сказал он.

— Я вам не помешаю?

— Да нет. Садитесь... раз уж вы здесь.

— Расценю это как приглашение разделить трапезу, — с добродушной улыбкой произнес Александр Борисович.

Он поставил поднос с едой на стол, а сам уселся на белый стульчик, который казался чрезвычайно хлипким.

— Мебель здесь какая-то... ненадежная, — пожаловался Турецкий, придвигая к себе поднос.

— Только на вид, — сказал Долгов.

«Так же, как и ты», — подумал Турецкий, бросив взгляд на сухопарую, почти тощую фигуру узкоглазого помощника.

— Напоминает меня, не правда ли? — быстро проговорил Долгов и улыбнулся, обнажив ряд маленьких острых зубов. Улыбка была неживая, без всяких признаков веселости, и продержалась на лице всего мгновение.

— Да, что-то есть, — кивнул Александр Борисович, в который раз поражаясь проницательности Долгова. «Неужели он и впрямь мысли читает? Чепуха, конечно, но вдруг? В любом случае, нужно держать ухо востро».

— Как ваше расследование? — поинтересовался Долгов, кроша длинными пальцами кусок хлеба и пристально глядя на Турецкого.

— Продвигается потихоньку, — ответил Александр Борисович.

— Не слишком ли «потихоньку»? — вежливо и вместе с тем насмешливо осведомился Долгов. — После недавней статьи в Интернете Мохов чуть было снова не слег. Вы уже встречались с его конкурентами?

— Встречался, — ответил Александр Борисович.

Он и впрямь успел встретиться со всеми тремя кандидатами. Но, кроме Сваровского, толком ни с одним из них поговорить не сумел. Однако интуиция подсказывала Александру Борисовичу, что с их стороны ждать особой опасности не приходится. Не тот масштаб. Кроме Сваровского, конечно. Этот был человек весьма и весьма опасный, хоть и хотел казаться другим. Кстати говоря, Турецкий уже получил от него первую выплату в пятьсот баксов. Сваровский настаивал на передаче денег из рук в руки, но Турецкий поставил условие: только перечислением на банковский счет. (Казалось бы, трюк с передачей денег из рук в руки слишком примитивен для такого ушлого мужика, как Сваровский, но Александр Борисович мог бы рассказать кучу историй о том, как самые опытные и умные из сыщиков легко попадались на такие примитивные ловушки.) Номер счета он тут же сообщил в Москву — Меркулову.

Кроме того, выслал Меркулову запись своего разговора со Сваровским и подробный рапорт об обстоятельствах дела — так, на всякий случай.

Долгов внимательно разглядывал Турецкого, очевидно пытаясь проникнуть в его мысли. Александр Борисович заметил это и усмехнулся.

— И как они вам? — тут же спросил Долгов.

— Нормально, — ответил Турецкий.

— Послушайте, Александр Борисович... Возможно, я не должен вам об этом говорить, но... Похоже, Виктор Олегович разочаровался в своем решении пригласить вас сюда. Проще говоря, он считает, что запаниковал и свалял дурака.

— Вот как?

— Да, — кивнул Долгов. — Я с самого начала был против, но Хозяин меня не слушал. Когда он паникует, с ним нет никакого сладу.

— Да, вы уже об этом говорили, — спокойно заметил Александр Борисович.

— Надеюсь, вы на меня не обижаетесь? — словно бы спохватился Долгов.

Александр Борисович покачал головой:

— Нисколько.

— Я рад. — Долгов снова растянул губы в резиновую, безжизненную улыбку, которая, по всей вероятности, должна была выражать высшую степень доброжелательности. — Хорошо, что вы так к этому относитесь. Это выдает в вас умного человека.

Турецкий криво усмехнулся, затем «стер» усмешку с губ, слегка подался вперед и хрипло и холодно произнес:

— Долгов, какого черта вы мне это говорите?

— А, так вы все-таки обиделись, — без всякого выражения проговорил узкоглазый помощник. — Значит, я в вас немного ошибся. Забудьте о том, что я говорил.

— Повторяю свой вопрос, — тем же холодным голосом сказал Турецкий. — Какого черта вы мне все это говорите? Что еще за игры?

— А я повторяю, что не хотел вас обидеть. Просто ваше присутствие здесь бессмысленно. В городе ничего не происходит, все идет своим чередом. Какой-то идиот печатает гадости в Интернете, но мало ли в мире дураков? Что ж теперь, из-за каждого идиота вызывать следователя из Москвы? Согласитесь, это нелепо.

— Вашего приятеля Гирю убили, — сухо произнес Александр Борисович. — Зарезали. Из-за негативов, которые он вынес из квартиры Воронова.

— С чего вы так решили? — неприязненно спросил Долгов.

— С чего решил? Скажем так, у меня есть основания так полагать.

— Но у Гири не было негативов. Вы же знаете — я забрал их и уничтожил.

— Вероятно, тот, кто убил Гирю, об этом не знал, — сказал Александр Борисович.

Долгов взял салфетку, вытер руки, затем скомкал салфетку и швырнул ее в тарелку с недоеденным эскалопом.

— Почему меня должен интересовать какой-то бандит? — сердито спросил он. — У меня что, своих проблем мало?

— Видите ли, Андрей Маратович... Дело в том, что проблемы «какого-то бандита» вполне могут стать вашими проблемами. Гиря передал негативы вам. И тот, кто его убил, обязательно к вам явится.

— Да с чего вы решили, что его убили из-за негативов? Мало ли в чем он мог быть замешан? Ваш Гиря — уголовник, и этим все сказано. А теперь... — Долгов поднялся. — Мне пора идти, Александр Борисович. Приятного аппетита.

Долгов повернулся и, не слушая ответа Турецкого, зашагал к выходу. Поднос с недоеденным ланчем он оставил на столе.

13

Максим Воронов сидел за стойкой бара и цедил из широкого стакана свой любимый «деварс». На дне стакана со стуком покачивались кусочки льда. Воронов смотрел на них и размышлял. Выглядел он неважно, под глазами залегли тени, щеки запали. Воронов то и дело отрывал взгляд от стакана и смотрел на дверь бара. Затем переводил взгляд на часы и хмурился.

На плече у него болталась сумка с маленьким лэптопом.

— Ждете кого-то? — дружелюбно поинтересовался бармен.

— Не твое дело, — грубо сказал Воронов.

Бармен хмыкнул и поднял бровь.

— Простите, — промямлил Воронов. — Нервы.

— Бывает, — сказал бармен и отошел в сторону.

«Слава богу», — подумал Воронов. Он не настроен был разговаривать. Он снова посмотрел на часы и нахмурился еще больше. «Клиент» опаздывал на двадцать минут. Это было большой наглостью. Воронов несколько раз набирал его номер, но телефон «клиента» молчал.

— Послушайте... — окликнул Максим бармена.

Тот повернулся и вопросительно на него посмотрел.

— Не подскажете, сколько времени? Кажется, у меня остановились часы.

— Двадцать минут восьмого, — неохотно ответил бармен.

Максим снова посмотрел на свои часы. Они показывали двадцать минут восьмого. Ошибки быть не могло.

— Черт... — проворчал Воронов. — Это уже наглость.

«Жду еще пять минут и ухожу», — подумал он.

Прошло еще пять минут, но «клиент» так и не появился.

«Ну все. Я дал ему шанс». Максим рассчитался с барменом, слез с табурета и решительно направился к выходу. В этот момент в кармане у него зазвонил телефон. Воронов остановился и достал из кармана трубку. Приложил ее к уху и яростно проговорил:

— Слушаю!

— Не выходите из бара, — услышал он тихий, вкрадчивый голос.

— Что? Какого черта? Кто вы?

— Я сижу за столиком на другом конце бара, у окна. Видите?

Максим завертел головой. Человек за дальним столиком поднял руку.

— Видите меня? — сказал он в трубку. — Я машу вам рукой.

— Кто вы? — нервно спросил Воронов. — Что вам от меня нужно?

— Вы сами назначили мне здесь встречу. Я пришел двадцать минут назад.

— Я вызвал не вас. Я хотел поговорить с...

— Он не смог приехать и послал меня, — перебил Воронова незнакомец. — Я уполномочен вести переговоры. Соблаговолите подойти к моему столику. Я не хочу привлекать ненужного внимания.

Максим отключил связь и двинулся к столику, на ходу запихивая телефон в карман. Человек, ожидающий его за столиком, выглядел респектабельно и солидно, но вместе с тем слегка комично. Над верхней губой красовалась тонкая полоска усов. На глазах поблескивали затемненные очки в модной оправе. Седеющие волосы были тщательно зализаны назад. Он был похож на итальянского мафиози или на пожилого Марчелло Мастрояни в фильме «Брак по-итальянски». Незнакомец поднялся навстречу Максиму и протянул ему руку. Обменявшись рукопожатиями, они сели за столик. Воронов снял с плеча сумку с лэптопом и положил ее на соседний стул.

— Имейте в виду, я в баре не один, — сухо сказал Максим. — Я подстраховался.

— Я понимаю, — кивнул незнакомец. — Это очень разумно с вашей стороны. Закажем что-нибудь выпить?

— Я уже пил, — нервно сказал Воронов.

Незнакомец усмехнулся:

— Я видел. Я наблюдал за вами последние двадцать минут.

— Зачем? — насторожился Воронов.

— Ну должен же я был выяснить, с кем имею дело. Кстати, может, выпьете со мной водки?

Тут только Максим увидел, что на столе стоит графинчик с водкой и две рюмки. Одну из них незнакомец ногтем указательного пальца пододвинул к Воронову, затем взял графин и разлил водку по рюмкам.

— Я не...

— Захотите — выпьете, — сказал незнакомец.

Он взял свою рюмку и залпом опрокинул ее в рот. После этого достал из кармана черную рустированную трубку и посмотрел на Максима. — Не возражаете, если я закурю?

— Нет, — ответил Воронов.

Пока незнакомец раскуривал трубку, Воронов тоже закурил. Незнакомец все время смотрел Максиму в глаза, и взгляд у него был хоть и ироничный, но тяжелый. Неприятный взгляд. Взгляд, от которого мороз по коже. Про себя Максим уже окрестил мужчину Трубочником.

— Ну-с, — заговорил незнакомец, — позвольте представиться: меня зовут Николай. Я помощник того, кого вы просили о встрече.

— Я не просил, — раздраженно проговорил Воронов. Вкрадчивые манеры незнакомца начали его нервировать. — Я просто сказал, чтоб вы... то есть чтобы ваш хозяин пришел сюда ровно в семь часов. Он не выполнил мое указание. И я склоняюсь к тому, чтобы встать и уйти.

— Ну-ну-ну, — весело сказал незнакомец. — Зачем же так горячиться? Ведь я-то здесь, и я готов вас выслушать. Можете не сомневаться, я передам «хозяину» каждое ваше слово. Для начала позвольте узнать, как мне вас называть?

— Называйте меня Макс.

— Макс, — повторил мужчина. — Красивое имя. Был такой старый австралийский фильм — «Безумный Макс». Про одного парня, который...

— Я смотрел, — перебил словоохотливого незнакомца Воронов.

Трубочник слегка прикрыл глаза.

— Хороший фильм, — сказал он. — Но я все же надеюсь, что вы не такой безумец, как герой этого фильма. Итак, что вы мне принесли?

Незнакомец явно пытался взять инициативу в свои руки, но Максим не мог этого позволить.

— Я еще не решил, остаться мне или уйти, — холодно и веско произнес он.

Трубочник выпустил изо рта клубок дыма и поморщился:

— Бросьте. Все вы решили. Вам нужны деньги, поэтому вы останетесь. Вы же деловой человек. Итак, я повторю свой вопрос: что вы мне принесли?

— Конверт, — сказал Воронов. — А в нем лазерный диск с записью.

— С какой записью? — уточнил Трубочник.

Максим достал из кармана несколько фотографий и швырнул их на стол.

— Это кадры из фильма, — небрежно пояснил он. — Взгляните, и все поймете.

Незнакомец взял фотографии и бегло их просмотрел. Потом еще раз, на этот раз гораздо внимательнее.

— Да, — сказал он наконец, — это и в самом деле кадры из ролика. Диск у вас при себе?

— Я уже сказал, что при себе, — выпалил Воронов. И тут же подумал: «Какого черта я сказал это? Нужно было сказать, что диск в надежном месте. Черт! Ладно, что сделано, то сделано. Тут полно народу, угрозы никакой».

Трубочник улыбнулся:

— Вы позволите мне на него взглянуть?

Воронов покачал головой:

— Нет, не позволю. Сначала покажите деньги.

— А что, если я скажу, что денег у меня с собой нет? — сладким голосом поинтересовался Трубочник. — Я ведь не знал, придете вы или нет.

— Прощайте, — сухо сказал Воронов и поднялся со стула.

— Постойте, — остановил его Трубочник. — Под столом. Посмотрите.

Воронов снова сел, слегка отодвинулся вместе со стулом и недоверчиво заглянул под стол. Нога в черном лакированном ботинке пододвинула к нему небольшой кожаный портфель, который стоял на полу. Максим взял портфель, выпрямился и положил его к себе на колени. Прежде чем открыть портфель, он вороватo оглянулся.

Трубочник заметил это движение и тихо засмеялся.

— Забавно, — сказал он. — Чувствую себя резидентом ЦРУ на встрече с секретным агентом.

Воронов не удостоил его ответом. Вместо этого он расстегнул пряжку и слегка приоткрыл портфель. Глаза жиголо загорелись алчным огнем. Он облизнул пересохшие губы, поднял взгляд на Трубочника и хрипло спросил:

— Сколько тут?

— Все, что вы просили, — ответил незнакомец, попыхивая черной бриаровой трубкой. — Теперь вы мне доверяете?

— Теперь да, — сказал Воронов.

Заметно оживившийся жиголо хотел застегнуть портфель, но передумал. Вместо этого он вытянул из верхней пачки денег одну банкноту.

— Зачем это? — поинтересовался Трубочник. — Задолжали бармену?

— Я должен удостовериться, что это не фальшивка, — объяснил Воронов.

Он обернулся и махнул рукой официанту. Тот кивнул. Когда официант подошел, Воронов протянул ему сотенную бумажку и сказал:

— Слушай, дружище, разменяй, пожалуйста.

— Мы не меняем деньги, — холодно ответил официант.

— Десять баксов твои, — предложил Воронов.

Официант на мгновение задумался, затем кивнул, взял протянутую банкноту и ушел к барной стойке.

— Оригинальный способ, — заметил Трубочник.

Воронов ничего не ответил. Минуты две мужчины сидели молча. Незнакомец тянул свою трубку, поблескивая затемненными очками, Максим тоже курил, нервно стряхивая пепел в стеклянную пепельницу.

Наконец официант вернулся. Молча всучил Воронову несколько мятых банкнот, усмехнулся, подмигнул, повернулся и так же величественно удалился.

— Прямо как князь, — весело заметил Трубочник. — Ну что? Все в порядке?

Максим пересчитал деньги и спрятал их в карман.

— Вроде да, — сказал он.

— Дело за вами. Отдайте диск и разойдемся.

Воронов снова воровато огляделся (чем вновь вызвал насмешливую улыбку на губах Трубочника), затем достал из кармана белый конвертик и положил его на стол.

Трубочник посмотрел на конвертик и сказал:

— Я должен узнать, что на нем.

— Да. Извините.

Максим взял со стула свою сумку, вынул из нее лэптоп, поставил его на стол и вставил диск в сидиром. Пробежал пальцами по клавишам, затем нажал на «пуск» и повернул лэптоп к Трубочнику.

Несколько секунд тот таращился в экран монитора, затем крякнул и покачал головой.

— Можно сделать звук, — иронично предложил Воронов.

— Спасибо, это ни к чему, — сказал Трубочник.

Он досмотрел запись до конца, после чего, ткнув пальцем в клавишу, остановил запись.

— Понравилось? — поинтересовался Максим.

Трубочник вынул из сидирома компакт-диск и запихал его в карман. Потом захлопнул крышку лэптопа и пододвинул его к Воронову.

— Вижу, вы не поклонник эротического кино, — насмешливо заметил Максим.

Пока он убирал компьютер в сумку, Трубочник снова наполнил свою рюмку водкой и залпом ее опорожнил.

— Ну, мне пора, — сказал Воронов. — Передавайте привет вашему «хозяину».

Трубочник лучезарно улыбнулся.

— А как же обмыть сделку? — сказал он.

Воронов качнул головой:

— Спасибо, не хочется.

— У мужчин не принято отказываться от угощения, — с упреком произнес Трубочник. — Вы меня сильно обидите.

«Вот привязался, — с неудовольствием подумал Максим. Тут взгляд жиголо упал на портфельчик с деньгами, и настроение его резко поползло вверх. — Хотя чего я кочевряжусь? — подумал он. — Провернуть такую сделку и не обмыть!»

— Черт с вами, — сказал он Трубочнику. — Выпью. Но только не за ваше здоровье, поскольку мне на него плевать.

— Тогда давайте выпьем за ваше, — с мягкой бархатной улыбкой произнес Трубочник. — Оно вам теперь очень понадобится.

В душе у Воронова шевельнулось нехорошее предчувствие.

— В каком смысле? — подозрительно спросил он.

— В прямом. Вы теперь при деньгах, а значит, захотите хорошенько поразвлечься. В этом вопросе главное — не подорвать здоровье всякими излишествами.

— Не волнуйтесь, не подорву.

Они взяли рюмки.

— Ну, будем! — сказал Трубочник и выпил.

Максим выдохнул через плечо и последовал его примеру. Водка была уже не такой холодной, однако ее качество и цена не оставляли никаких сомнений. Водка была хороша.

— Ну как? — поинтересовался Трубочник.

— Лучше не бывает, — ответил Максим. — Вот теперь мне точно пора.

— А может, еще по рюмочке?

— Нет.

Воронов встал из-за стола, накинул на плечо сумку с компьютером, взял в руку портфель с деньгами, кивнул Трубочнику, повернулся и зашагал к выходу.

— Даже не попрощался, — тихо проговорил ему вслед человек в темных очках. — А ведь самое время. В другой раз, пожалуй, и не увидимся.

Воронов этих слов уже не слышал. Он бодро шагал по полутемному залу ресторана, и душа его пела от восторга. В голову лезли всякие приятные вещи: обнаженные красотки, велосипед «Пинарелло», о котором

Максим мечтал последние четыре года, отдых на берегу южного моря... Лафа!

У выхода Максим вдруг почувствовал, что мочевой пузырь у него полон, и свернул к туалету. Задерживаться в ресторане ему не хотелось, но, как говорится, «нужда заставит». Слава богу, туалет был свободен.

Воронов вошел в кабинку, закрыл дверь на шпингалет. Поставил на пол сумку с деньгами. Расстегнув ширинку, откинул голову и блаженно прикрыл глаза...

14

Молодой следователь был вял и апатичен. Выражение его лица явно говорило о том, что вся эта бессмысленная суета жутко его достала. Он стоял, привалившись плечом к дверному косяку, и ковырял спичкой в зубах.

На появление Турецкого следователь отреагировал нервно. («Как-то уж слишком нервно», — подумал Турецкий.)

— Александр Борисович, посторонним тут не положено.

— Перестань, Василий. Какой же я посторонний? — Турецкий пожал следователю руку, тот ответил на рукопожатие без всякого энтузиазма. — Кстати, рад снова тебя увидеть. Ты что, выезжаешь теперь на каждый труп? Больше некому?

Молодой следователь усмехнулся:

— Ага. Пашу, как вол. И куда ни приеду, всюду вы. Странная закономерность, вы не находите? Как вы здесь оказались, Александр Борисович?

— Мимо проходил, зашел на огонек твоей фотокамеры.

— Забавно. У меня и фотокамеры-то нет.

— Заработаешь — купишь. — Турецкий двинулся вперед.

— Александр Борисович, вам туда не...

Однако Турецкий не слушал молодого следователя. Он открыл дверцу туалета и вошел внутрь. В «предбаннике» на кафельном полу стоял чемоданчик с хитроумными инструментами. Хозяин инструментов, пожилой эксперт, склонился над трупом.

— Ну что? — торопливо спросил Турецкий.

Эксперт повернул голову и весело посмотрел на Александра Борисовича.

— Да ничего особенного. Кстати, здрасте!

— Добрый вечер. Какова причина смерти?

— Пока неясно. Но навскидку...

— Александр Борисович, — заканючил за спиной у Турецкого молодой следователь. — Меня из-за вас уволят. Вы же мешаете нам работать.

— А нечего тут работать, — сухо сказал старик эксперт. — Никаких следов повреждений на теле нет. Следов интоксикации тоже. Все выглядит так, будто у парня случился сердечный приступ.

— Сердечный приступ? — удивился следователь. — Он же молодой.

— А какая разница? — Эксперт пожал плечами. — Он и у юношей случается. Тем более в наше время. Стрессы, плохая экология, чрезмерное увлечение сексом.

— Можно подумать, вы в молодости не увлекались, — фыркнул следователь.

— Увлекался. Но не каждый же день. В ночных клубах не клубился, шалав домой еженощно не таскал. Знаешь, Вася, как японцы говорит?

— Как?

Эксперт поднял указательный палец и изрек:

— Много хорошо — тоже плохо.

— Чушь какая-то, — поморщился следователь.

— Вась, у него что-нибудь было с собой? — спросил Александр Борисович.

Следователь покачал головой:

— Нет.

— Ни сумки, ни барсетки?

— Ничего, — отчеканил следователь, без особой приязни глядя на Александра Борисовича. — А в карманах всякая дребедень: ключи, зажигалка, сигареты.

— Ага, и гондоны, — добавил эксперт.

Александр Борисович повернулся к следователю:

— Со свидетелями уже поговорили?

Следователь зевнул и, вытирая выступившие слезы с глаз, лениво ответил:

— Да нет никаких свидетелей. Никто ничего не видел. Да и зал уже был пустой, когда мы приехали. Кому охота жрать шашлыки по соседству с трупом.

— А как насчет обслуживающего персонала? Официанты, менеджер зала, бармен?

Следователь качнул головой:

— Нет. Никто ничего не видел. Я сам с этими лакеями разговаривал.

— С лакеями?

— Ну да. Они же лакеи. «Половые» — так их до революции называли. Обслуга, блин.

Следователь презрительно усмехнулся. Турецкий внимательно на него посмотрел и тихо проговорил:

— Понятно.

— Н-да, парень, — проговорил эксперт, обращаясь к трупу. — Не повезло тебе. Хорошо хоть отлить успел перед смертью.

Турецкий улыбнулся, а следователь посмотрел на часы и раздраженно сказал:

— Ты, чем языком болтать, заканчивай поскорее. У меня сегодня еще дела. Интересно, у них здесь есть еще один туалет?

— А чем тебе этот не нравится? — ухмыльнулся эксперт.

— Да неудобно как-то... Труп всё-таки. Пойду спрошу бармена.

Василий повернулся и вышел из туалета. Александр Борисович присел возле трупа.

— Допрыгался, вертопрах, — тихо проговорил он.

— Знаете его? — поинтересовался эксперт, орудуя своими инструментами.

— Встречался один раз.

— И кто он?

— Жиголо, — коротко ответил Александр Борисович.

— Это который за женский счет кормится?

— Угу.

— Ясно.

Эксперт продолжил свое дело, а Турецкий еще раз тщательно все осмотрел, затем вышел в зал и прошел к барной стойке.

— Добрый вечер! — поприветствовал он бармена.

— Добрый вечер, — ответил тот.

— Душно сегодня, — сказал Турецкий, расстегивая пуговку на рубашке.

— Да. С кондиционером проблемы. — Бармен посмотрел на Турецкого вприщур и спросил: — Закажете что-нибудь?

— Даже не знаю... Какой-нибудь слабоалкогольный коктейль... Со льдом. Что-нибудь типа лимонада.

Бармен кивнул и принялся смешивать коктейль. Движения у него были ловкие, умелые. Турецкий закурил и кивнул на шейкер.

— Здорово это у вас получается, — сказал он.

— Это моя работа, — сухо ответил бармен.

Турецкий выпустил струю дыма и заметил:

— Что-то вы сегодня не в духе.

— Я на работе, — снова сказал бармен. Глянул на Александра Борисовича из-под чуба и добавил: — И вы, вероятно, тоже.

— А, вот вы о чем. — Турецкий улыбнулся. — Я не из милиции. И не из прокуратуры. Честно говоря, я никто и звать меня никак.

Бармен поставил на стойку высокий бокал и сказал:

— Я видел вас с этими. Для человека, который называет себя «никто», вы вели себя вполне по-хозяйски.

— Я когда-то работал следователем, — сказал Александр Борисович. Он взял бокал и немного отпил. Почмокал губами и констатировал: — Вкусно. Как это называется?

— Коктейль, — ответил бармен.

— И все?

Тот кивнул:

— И все.

— Жаль. Знал бы, как называется, заказывал бы такой постоянно. Во всех барах.

Лицо бармена слегка оттаяло.

— Во всех не получится, — сказал он. — Это мое собственное изобретение.

— Вот как? В таком случае мне придется стать завсегдатаем этого бара. Или купить у вас рецепт.

Бармен сдержанно улыбнулся. Турецкий сделал еще глоток.

— Я сказал, что работал когда-то следователем, — спокойно продолжил он. — Теперь я — частный детектив. Работка паршивая, но иначе зарабатывать я не умею.

— А сменить профессию не пытались? — поинтересовался бармен.

— Не в моем возрасте, — отчеканил Александр Борисович. — К тому же мне нравится то, чем я занимаюсь. Я лицо неофициальное. За раскрываемость мне бороться не надо. «Висяков» и «глухарей» я тоже не боюсь. Поэтому мне не нужно мучить и подставлять людей ради галочки. Мне нужно раскрыть преступление, вот и все.

Александр Борисович затушил сигарету в пепельнице и взялся за коктейль. Некоторое время бармен молчал его разглядывал, затем негромко спросил:

— Вам нужна информация о том парне?

Турецкий кивнул:

— Да.

— Сначала он полчаса торчал у барной стойки. Ждал кого-то. Сильно нервничал.

— Так, — сказал Турецкий.

— Потом он собрался уходить. Но тут у него зазвонил телефон. Он взял трубку, недолго с кем-то разговаривал, потом повернулся и направился в глубь зала.

— Так, — снова сказал Александр Борисович. — Вы видели, к какому столику он пошел?

— Да. К самому дальнему. Его отсюда видно. Да нет, не там. Слева, видите?

Александр Борисович повернул голову и вгляделся в полумрак зала.

— Тот, что у занавешенного окна? В нише?

Бармен кивнул:

— Ага.

— Да там совсем темно.

— В том-то и дело, — сказал бармен. — Поэтому лица того, второго, я не разглядел. Помню только, что он был в темных очках. И вроде с усами.

Турецкий вновь вгляделся в темную нишу.

— Место более чем укромное, — задумчиво проговорил он и снова повернулся к бармену. — Ну а когда он уходил? Тот, второй. Он же должен был пройти мимо барной стойки.

Бармен покачал головой:

— Нет, не должен. У нас есть второй выход. Там, где лестница, видите? Скорей всего, он вышел через ту дверь, потому что здесь он не проходил.

— Ясно, — кивнул Александр Борисович. — Долго они разговаривали?

Бармен на секунду задумался.

— Ну... Думаю, минут двадцать. Ну, может, полчаса, но не больше. Потом этот парень поднялся и пошел к выходу. Быстро, видно было, что торопится. Но потом вдруг остановился возле туалета и... ну, дальше вы знаете.

— Так, ясно. — Турецкий поскреб ногтем горбинку на носу. — А теперь вспомните, пожалуйста, парень шел к туалету с пустыми руками? Или у него что-то было?

— В смысле сумка?

— Ну, сумка, портфель, барсетка. Что-нибудь в этом роде.

Бармен откинул с глаз чуб и наморщил лоб, припоминая.

— М-м-м... Вообще-то, да. Сумка была. Он еще у барной стойки с ней сидел. А когда уходил, у него вроде бы и в руке была сумка. Да, точно! Небольшой такой портфельчик. Сумка на плече, а портфельчик в руке.

— Он с ними зашел в туалет? — быстро уточнил Турецкий.

Бармен усмехнулся:

— Ну да, с ними. Не перед входом же оставлять.

Александр Борисович нахмурился.

— Странно получается, — сказал он. — Парень мертв. Но ни сумки, ни портфеля рядом нет. Значит, кто-то все это забрал. Так?

— Ну, так, — отозвался бармен.

— Портфель парню передал мужчина в темных очках, — продолжил рассуждать Турецкий. — Будет резонно предположить, что и забрал портфель тот же мужчина.

— Может быть, — сказал бармен. В его глазах засветился явный интерес. — Он вполне мог выйти через другой вход, а потом войти через этот. Ничего странного, что я его не заметил. Мне кажется, имеет смысл поговорить с менеджером зала. Она встречает всех посетителей.

— Спасибо за совет. Вы очень наблюдательный человек.

— Таращиться на клиентов — часть моей профессии, — иронично ответил бармен. — За коктейль можете не платить. За счет заведения.

Поблагодарив бармена, Александр Борисович прошел к столику, за которым сидели Воронов и незнакомец, и принялся тщательно его осматривать. Затем достал полиэтиленовый пакетик, взял что-то со стола и бросил в пакетик. Затем убрал его в карман и отправился на поиски менеджера зала.

Менеджер зала, молодая, полная, игривая девушка в белой кофточке, едва начав разговор, тут же стала строить Турецкому глазки.

— А вы правда частный детектив? — проговорила она и лукаво улыбнулась.

— Правда, — кивнул Александр Борисович.

Девушка обнажила в улыбке крупные белоснежные зубы. Потом облизнула губы кончиком языка и сказала:

— Вы просто незаменимый для меня человек!

Турецкий приподнял бровь:

— В каком смысле?

— В прямом. Я постоянно что-нибудь теряю. — Девушка засмеялась. Турецкий тоже хмыкнул и покачал головой. — Так как, поможете мне в моих поисках? — кокетливо поинтересовалась менеджер зала.

— Обязательно. Но сначала помогите мне в моих. Припомните, пожалуйста...

И Турецкий подробно рассказал ей о Максиме Воронове и загадочном мужчине в темных очках.

— Как же, как же, конечно, помню! — обрадовалась девушка. — Только не парня, а того мужчину. Вернее, как он пришел в ресторан в первый раз, я не помню. Видимо, я отвлеклась, а он сам прошел к столику. Сегодня у нас народу немного. Когда много, я постоянно торчу у входа, но сегодня нет. Ну так вот: когда он пришел, я его видела. Хотела к нему подойти, но он сделал знак рукой — типа «не нужно, я сам», и тут же пошел к туалету. Я еще подумала: что за... — Девушка выкатила глаза и прикрыла рот ладошкой. — Ой, простите! Чуть не сказала грубое слово.

— Ничего страшного, — успокоил ее Александр Борисович. — Вы хорошо его разглядели?

— Этого, в темных очках?

— Да.

Девушка покачала головой, вздохнула и ответила:

— Нет, не очень. Помню только темные очки и усы. Ростом примерно с вас или чуть пониже. Фигура обыкновенная. Одет в темный пиджак. Больше ничего не помню.

— Ясно. А...

— Вы женаты? — перебила вдруг Турецкого девушка.

Александр Борисович улыбнулся и показал ей безымянный палец с кольцом. Девушка вздохнула:

— Жаль. Хотя это в порядке вещей.

— Что в порядке вещей? — не понял Турецкий.

— Да я давно это заметила: все классные мужики женаты. На нашу долю остаются всякие придурки.

— Возможно, классные мужики до женитьбы тоже были придурками, — предположил Александр Борисович.

— Вы полагаете? — Девушка хмыкнула. — Я об этом как-то не думала. Значит, стоит придурку жениться, как он сразу становится классным мужиком?

— За всех не скажу, но в моем случае было именно так, — с улыбкой сказал Турецкий. — Скажите, Вера, а вы не видели, как этот человек в очках уходил из туалета?

Девушка фыркнула:

— Да вы что! Нет, конечно. Я не смотрю на тех, кто выходит из туалета. Только на тех, кто входит в ресторан.

— Что ж... спасибо за информацию.

Александр Борисович поднялся из-за стола.

— Постойте! — окликнула его девушка.

Турецкий остановился и вопросительно посмотрел на нее. Девушка кокетливо откинула со лба волнистый белесый локон.

— Через час я освобождаюсь, — проворковала она. — Может, сходим куда-нибудь?

— Но ведь я женат, — напомнил Турецкий.

— Я помню. Но для меня это ничего не значит.

— Боюсь, что для меня это значит слишком много. Всего доброго!

Александр Борисович повернулся и пошел к выходу. Девушка проводила его взглядом и тяжело вздохнула:

— И что со мной не так, не понимаю? — Она повернулась к темному окну и посмотрела на свое отражение. — Грудь есть, талия тоже на месте, да и на мордочку не страшилище. Что им еще надо? Не понимаю...

15

Из дневника Турецкого

«Пожалуй, стоит это описать подробно. Дам потом почитать Меркулову, то-то будет хвататься за бока от смеха. Впрочем, мне почему-то было совсем не смешно. Противно — это да. Но я уже начинаю привыкать к фокусам, которые со мной вытворяет этот город. Осталось только запихать меня в ящик и перепилить пополам. Но обо всем по порядку.

Взяли меня прямо на улице. Взяли технично и, я бы даже сказал, элегантно. Подошли двое, показали удостоверение, улыбнулись и указали на машину. Дескать, пройдемте, господин Турецкий. И господин Турецкий покорно поплелся в машину. А что ему оставалось делать?

Ладно. Приезжаем. Узкий коридор, крашенные желтой краской стены, обшарпанная дверь. Заводят, усаживают, предлагают кофе. Вежливо отказываюсь. Их двое. Первый — в светлом дешевом костюме, прилизанный, румяный. Добрый полицейский. Второй — лысоватый, насупленный, в свитере, хмурит брови и беспрестанно бубнит себе под нос «н-да» или «ну-ну». Плохой полицейский. Итак, поехали.

— Ваше имя? — спросил Светлый пиджак и выдавил из щек сладенькую улыбочку.

— Франц Фердинанд Второй, — ответил я.

Улыбка замерла. Пиджак переглянулся с партнером и говорит:

— Я вас серьезно спрашиваю.

— Александр Борисович. Турецкий. Позвольте узнать, это официальный допрос?

Пиджак вновь переглянулся со Свитером.

— Э-э-э... Не совсем. Просто хочется с вами побеседовать.

— Валяйте, беседуйте, — кивнул я. — Я закурю, если позволите.

— Вообще-то, здесь не курят. Но для вас я сделаю исключение. Все-таки мы почти коллеги.

Пиджак подождал, пока я закурю, и продолжил свою пытливую знойную песню:

— Вы прилетели к нам из Москвы. Что вы делаете в нашем городе?

— Осматриваю достопримечательности, — ответил я. Он немного расстроился.

— Опять вы шутите. (Бровки домиком, улыбочка загогулинкой.) Поймите, чем правдивее и точнее вы будете отвечать, тем скорее мы закончим.

— Да ну? — говорю.

— Я не шучу, Александр Борисович. Погибли два человека, и с обоими вы встречались незадолго до их смерти. Вам самому это не кажется странным?

Я покачал головой:

— Нисколько. Мне давно сказали, что я приношу людям беду. Кстати, я и сейчас этим занимаюсь. Вам не страшно?

На этот раз он улыбнулся мягко-мягко, почти трогательно:

— Нет. Вы ведь не собираетесь меня убить?

— До сих пор этого желания у меня не возникало. Все будет зависеть от вашего поведения.

Пиджак усмехнулся:

— Хорошо. В таком случае я постараюсь вас не раздражать.

— Сделайте милость.

Пиджак посмотрел на партнера, тот слегка кивнул. Пиджак придвинул к себе листок. Авторучка зависла над бумагой.

— Итак, начнем, — ласково сказал он. — Зачем вы встречались с Петром Гириным?

— Беседовали о жизни, — ответил я.

Он кивнул и продолжил:

— Вы ведете здесь какое-нибудь расследование?

— Веду. И вы об этом знаете.

— Подробней, пожалуйста, — вежливо попросил следователь.

Я прикинул — стоит ли ему рассказывать? В принципе, тайны тут нет никакой. Подписку о неразглашении я не давал. Да и выбалтывать мне нечего, никаких страшных секретов я не открыл. Ладно, думаю, черт с тобой, расскажу. И рассказал:

— Кандидат в Президенты Республики Мохов поручил мне выяснить, кто пишет про него лживые статьи. И вывешивает их затем в Интернете.

Я замолчал, посчитав, что больше мне к сказанному добавить нечего. Однако Пиджак придерживался другого мнения.

— А как с этим был связан Гирин? — вежливо поинтересовался он.

— У меня было предположение, что Гирин — лучший в вашей области хакер, — доверительно сообщил я. — Я обязан был проверить.

Пиджаку мой ответ не понравился. Он посмотрел на партнера, снова на меня, вздохнул и сказал:

— Опять вы шутите.

Я пожал плечами и не удостоил его ответом. Этот парень нравился мне все меньше и меньше. Да и ситуация была... как бы это помягче сказать... нелепая, что ли. В моей жизни были сотни допросов, но обычно я сидел по другую сторону стола. «Господи, — подумал я, — неужели во время допросов я выглядел таким же идиотом? Неужели я так же бездарно «раскручивал» клиента? Неужели я...» Да нет. Не может быть.

«Допрос» тем временем продолжился.

— Ну хорошо, — сказал Пиджак уже более подсушенным голосом. — Допустим. Допустим, что гражданин Гирин был хакером. Откуда у вас была такая информация?

— В Интернете прочел, — ответил я.

— На каком сайте?

— Увы, не помню.

Тут Пиджак снова позволил себе улыбнуться. Посмотрел на партнера, тот, однако, во все глаза таращился на меня. И взгляд у него был такой, словно он собирается меня сожрать. Целиком и в сыром виде. Пиджак кашлянул в бледненький кулачок и поинтересовался:

— И как? Гирин действительно оказался хакером?

— Нет. Это была дезинформация. Как только это выяснилось, мы тут же расстались.

— Забавно. У вас богатое воображение, Александр Борисович.

— Спасибо. Вы не первый, кто это заметил.

И тут в ход пошла тяжелая артиллерия. Свитер вскочил с места, навалился на стол, опершись на пудовые кулаки, и заорал, как рожающая медведица:

— Бросьте валять дурака, Турецкий! Вы не в цирке! Извольте говорить серьезно!

«Злой полицейский» в чистом виде. (Хоть бы разбавил для порядка.) Пиджак нежно тронул коллегу за рукав:

— Тише, Андрей Палыч, тише. Александр Борисович просто шутит. Такое у него сегодня настроение. Правда, Александр Борисович?

— Мне плевать, какое у него настроение! — снова рявкнул Свитер. — Сидит тут и издевается! В лицо нам плюет!

Все это продолжалось еще с минуту. Я пережидал бурю, покуривая сигарету и равнодушно глядя в окно. Когда мне стало совсем скучно, я сладко зевнул. Свитер при виде моего раскрытого рта едва не задохнулся от ярости. Поток слов прервался, он замолчал и хрипло задышал, вращая глазами.

Костюм снова тронул его за рукав.

— Ладно, — примирительно сказал он. — Успокойся, Андрей Палыч.

— Мудрое замечание, — поддакнул я. — Мне мама рассказывала в детстве, что нервные клетки не восстанавливаются. А у вас они...

— Молчать! — рявкнул Свитер и громыхнул кулаком об стол.

Стеклянный графин, стоявший на столе, подпрыгнул и опрокинулся. Вода плеснула Пиджаку на колени.

— А-а-а... — тихо вскрикнул он. — Что ж ты делаешь, придурок?

Последнее выражение явно относилось к Свитеру, а не к графину. Свитер заметно стушевался.

— Извини, — виновато промямлил он и, вынув платок, бросился вытирать мокрые колени Пиджака.

Поначалу этот маленький спектакль меня занимал. Но вскоре мне надоело смотреть на эту пошлую возню двух взрослых и глупых мужчин, некрасивых и неуклюжих.

Я затушил сигарету в пепельнице и хотел встать, но тут Пиджак пришел в себя и затараторил:

— Продолжим, пожалуй. Как и при каких обстоятельствах вы познакомились с Максимом Вороновым?

— При загадочных, — ответил я, насмешливо глядя на то, как Свитер полирует платком мокрые колени Пиджака.

Пиджак перехватил мой взгляд и грубо оттолкнул помощника. Сверкнул на меня взглядом и резко спросил:

— Почему вы молчите, Турецкий?

Вот так так. Выходит, они поменялись ролями. Теперь Пиджак стал «злым полицейским», а Свитер... Свитер выпустил пар и окончательно сдулся, превратившись в полное ничтожество. Сидел на стуле, понурый, и разглядывал колени (на этот раз — свои).

— А ты чего сидишь? — заорал Пиджак на опозорившегося коллегу.

— А что мне, руки ему выкручивать? — угрюмо отозвался Свитер.

Пиджак взглянул на него испепеляющим взглядом. Ей-богу, будь я на его месте, от меня осталась бы лишь кучка пепла. А он ничего, даже не задымился. Мужик!

— Турецкий! — снова окликнул меня озверевший Пиджак. — Какого черта вы молчите? Кажется, я ясно спросил: когда и при каких обстоятельствах познакомились с Турецким?

— С Турецким я познакомился чуть меньше пятидесяти лет назад, — серьезно сказал я. — Впервые увидел его в зеркале. С тех пор мы неразлучны. Честно говоря, за полвека этот фрукт сильно мне надоел. Но избавиться от него не получится. Ни при каком раскладе.

Пиджак побагровел.

— Вы... я... — начал пыхтеть он.

— Да, да, я слушаю.

— Я... вы...

И тут я снова зевнул. Теперь это походило не на спектакль, а на цирк. Два клоуна — Бим и Бом, Пиджак и Свитер. Два нервных, несмешных клоуна.

— Ладно, ребята, — сказал я, вставая. — Захотите со мной поговорить еще раз — пришлите повестку. Или приходите сами. Только наручники не забудьте, потому что добровольно я с вами не пойду.

— Почему? — растерянно произнес Пиджак.

Я сдвинул брови, глянул на него самым замороженным из своих взглядов и процедил сквозь зубы, подражая герою старого вестерна:

— Потому что вы мне не нравитесь. И не попадайтесь на моем пути, ребята, если не хотите, чтобы я надрал вам уши.

На этом наше общение кончилось. Точнее сказать, они готовы были его продолжать, но я — нет. В коридоре пара дюжих милиционеров попыталась было применить ко мне силу. Но, как говорится, это уже совсем другая история.

Вот и весь рассказ. Надеюсь, Константин Дмитриевич, он тебя позабавил? Я старался быть искренним. Кое-что, конечно, пришлось слегка приукрасить, но ведь на то мы и писатели, чтобы «художественно преломлять» действительность. Вот я и преломил.

Все, устал. Иду спать.

Спокойной ночи, милый, милый дневник! Чмоки-чмоки!»

16

Мохов, развалившись в кресле, пил чай из стеклянного граненого стакана, вставленного в медный монументально-«советский» подстаканник. Пил шумно, как делал это всегда, и Андрей Долгов, примостившийся на кожаном диванчике, незаметно поморщился. Вернее, он думал, что незаметно, а от наметанного взгляда Хозяина эта гримаса не ускользнула.

— Морщишься, — насмешливо проговорил Виктор Олегович. — Ну-ну. Пора бы уже привыкнуть.

— Вам показалось, — сказал Андрей ровным, спокойным голосом.

— Тебя послушать, так мне все время что-то кажется да мерещится, — парировал Мохов недовольным голосом.

Он снова отхлебнул из стакана, причем сделал это еще громче, чем прежде. Долгов выдержал это испытание с честью. Даже бровью не повел.

— Как вы сегодня? — вежливо поинтересовался он.

Хозяин прищурил маленькие, бесцветные глаза.

— А что сегодня?

— Ну вчера вам немного нездоровилось.

На губах Виктора Олеговича появилась кривая усмешка.

— Ох, Андрюша, когда ты уже научишься называть вещи своими именами? Вчера я был пьян. В дым, в шоколад. В задницу! А здоровье у меня железное.

Долгов покачал головой:

— Я бы так не сказал. Я звонил вашему доктору. Он очень за вас беспокоится.

— Доктора ни хрена не смыслят в жизни, — отрезал Мохов. — Поверь старику, парень.

— Они уже однажды спасли вам жизнь, — напомнил Андрей.

— Кто? Врачи-то? — Мохов презрительно выпятил губу. — Да они меня чуть в гроб не укатали своими капельницами и уколами. Насилу вырвался. Полежал бы в больнице на пару дней больше, не разговаривал бы сейчас с тобой. Хотя... скажу тебе честно, парень, разговаривать с тобой — не такое уж сказочное удовольствие. Ты по-прежнему не нашел мерзавца, который пишет и вывешивает в Сети статьи.

Андрей и этот выпад выдержал с честью.

— Если мне не изменяет память, — тихо сказал он, — злоумышленника ищет господин Турецкий. Вы для этого и выписали его из Москвы. А у меня и помимо поисков преступника много дел, связанных с предстоящими выборами.

— Да-да, извини, — неохотно отозвался Мохов. — Ты прав. На все сто процентов. Я говорил сегодня с Турецким по телефону. Он утверждает, что дело крайне запутанное и что у него есть несколько версий, которые он пока... э-э-э... не хочет озвучивать. Так он сказал.

Андрей едва заметно улыбнулся.

— Неудивительно, — тихо произнес он.

— Что? — поднял брови Мохов. — Что тебе «неудивительно»?

— Неудивительно, что Турецкий не хочет рассказать вам о своих версиях.

— Это еще почему? — насторожился Хозяин. — Ты что-то знаешь?

Андрей закинул ногу на ногу и слегка прищурил раскосые глаза.

— Не хочу показаться умником, Виктор Олегович, но, мне кажется, вы совершили большую ошибку, когда вызвали его сюда, — сказал Андрей.

— У него незапятнанная репутация, — сказал Мохов. — Он раскрывал преступления, когда ты еще пешком под стол ходил.

Долгов слегка повел плечом.

— Не спорю, — спокойно сказал он. — Возможно, когда-то он действительно был хорошим следователем. Но теперь... Турецкий слишком молод, чтобы уходить на пенсию. Почему он больше не работает в прокуратуре?

— Он ушел в отставку по ранению, — сухо сказал Виктор Олегович.

Андрей кивнул с видом человека, который услышал именно то, что хотел услышать.

— Турецкий пострадал во время взрыва, — сказал он. — Он получил контузию и теперь страдает головными болями с частичной потерей памяти.

Хозяин нахмурился.

— Ты это откуда знаешь? — глухо спросил он.

— Навел кое-какие справки, — сдержанно ответил Андрей. — Но это еще не все. У него не в порядке нервы. Вспышки немотивированной агрессии и паники, так это, кажется, называется на медицинском языке. Одним словом, Турецкий... болен.

— Одним словом, он псих, — мрачно изрек Виктор Олегович, буравя помощника взглядом. — Так?

Долгов спокойно выдержал взгляд Хозяина и сказал:

— Можно и так сказать. Да, так даже будет вернее.

Мохов откинулся на спинку кресла и задумчиво постучал по столешнице толстыми, короткими пальцами. Потом покосился на Долгова.

— Намекаешь на то, что он рехнулся и ни на что не способен? И просто дурит нам голову?

— А разве это требует доказательств? — с легким оттенком иронии в голосе спросил Андрей. — Он здесь уже несколько дней. Рыщет с утра до вечера по городу, но так ничего и не нашел.

— Но ведь рыщет, — возразил Виктор Олегович. — Не сидит в гостинице.

— Рыщет, — согласился Долгов. — Только в основном по кабакам. Мне доложили, что он беседовал с барменом, с официантами. Какое это может иметь отношение к статьям, размещенным в Интернете? Да никакого! Его уже пару раз видели сильно пьяным. Пьяным «в дым», «в шоколад». И даже, извините, «в задницу». Мне, конечно, все равно, пусть хоть до белой горячки допьется, но ведь дело страдает. Я уже не говорю о том, что он пьет на ваши деньги. На те деньги, которые вы заплатили ему за работу.

— Да... — задумчиво протянул Хозяин, разглядывая край стола. — Некрасиво себя ведет.

— И это еще не все, — продолжил Андрей. — Он уже впутался в нехорошую историю.

— Что за история? — вскинул голову Виктор Олегович.

— Неприятная, — ответил Андрей. — Турецкого вызвали мы с вами, Виктор Олегович, и значит, все, что компрометирует его, компрометирует и нас.

— Да что компрометирует-то? Что он такого сделал? Говори ты толком!

— Его имя связывают с двумя убийствами, — негромко и четко произнес Андрей.

Мохов замер с открытым ртом. Лицо его вытянулось.

— С у... с убийством? — изумленно выговорил он.

Андрей кивнул:

— Именно. А это уже не шутки. Если следователи докажут, что он замешан в этом, это отбросит на вас тень, Виктор Олегович.

Мохов поморщился:

— Знаю, что отбросит. Но ты уверен, что он... Ну, что он как-то с этим связан? Может, он просто попал нашим сыскарям под горячую руку и ему нужно помочь? Сам ведь знаешь, как работают эти парни.

Андрей вздохнул и покачал головой:

— Увы, но в этом деле Турецкого «невинной жертвой произвола властей» не назовешь. Он встречался с обеими жертвами незадолго до их гибели.

— Кто они?

— Первый — Максим Воронов. Это он прислал вам фотографии.

Лицо Мохова вновь окаменело. Широкий лоб покрылся испариной.

— Час от часу не легче, — глухо проговорил Виктор Олегович, достал из кармана платок и вытер мокрый лоб.

— Второй, — продолжил Андрей, — мелкий преступник. Бывший уголовник. Подельник Воронова, некто Гиря. Как я уже сказал, оба они погибли вскоре после встречи с Турецким.

— Подожди... — Мохов наморщил лоб. — Не хочешь же ты сказать, что Турецкий...

Хозяин осекся, и Андрей продолжил за него:

— Турецкий профессионал, — сказал он. — Он всю жизнь общается с убийцами. У него сейчас нервный срыв, он переживает из-за того, что его уволили из органов. Его уволили, а преступники продолжают ходить по улицам. Возможно, он решил восстановить справедливость собственными силами и собственными средствами. Это иногда случается с бывшими следователями и операми.

— С чего это? — не понял Мохов.

Андрей пояснил:

— Им кажется, что с тех пор, как они не «при исполнении», преступники смеются им в лицо. Они потеряли власть и пытаются восстановить ее — любыми средствами.

Мохов поразмышлял несколько секунд, потом тряхнул тяжелой головой.

— Что-то ты перегибаешь, Андрюша, — с сомнением произнес Виктор Олегович.

— Ничуть, — спокойно возразил Долгов. — Я просто смотрю на вещи трезво. Этот феномен давно известен в психиатрии.

— Но мне его порекомендовал заместитель генпрокурора!

— После того, как сам выгнал Турецкого с работы? — иронично поинтересовался Андрей. — Хороша рекомендация. Он просто решил пристроить Турецкого по старой дружбе. Чтобы тот не скис и не рехнулся окончательно. Но, похоже, оказал Турецкому медвежью услугу.

Андрей замолчал. Молчал и Мохов. Наконец он заговорил тяжелым неприязненным голосом:

— Что же ты предлагаешь сделать, парень?

— Ничего, — спокойно ответил Андрей. — Если ситуация вас не тревожит, то ничего. А если тревожит...

— То что? — быстро спросил Мохов.

Андрей пожал плечами:

— Тут вам самому решать. Но если вы хотите узнать мое мнение...

— Хочу, черт бы тебя побрал!

— Я бы вышвырнул его из города ко всем чертям, — холодно сказал Андрей. — И чем быстрей, тем лучше. Пока он окончательно не наломал дров.

Мохов пошевелил бровями и вздохнул.

— Н-да... Похоже, ты прав. — Он нахмурился и машинально забубнил, как делал всегда, когда нужно было принять важное решение:

> Я сижу в своем саду. Горит светильник.
> Ни подруги, ни прислуги, ни знакомых.
> Вместо слабых мира этого и сильных
> Лишь согласное гуденье насекомых...

Андрей усмехнулся, но тут же стер усмешку с губ. Слава богу, Хозяин этого не заметил. Он по-прежнему размышлял. Хозяин размышлял, но Андрей уже не волновался, он знал, что Мохов принял решение. Принял в тот момент, когда Андрей сказал ему об отвратительном влиянии поведения Турецкого на имидж «кандидата в Президенты Республики».

Виктор Олегович, при всей его харизматичности и жесткости, чрезвычайно трепетно относился к своему имиджу. Если Мохов был быком, то разговор об имидже был той самой «красной тряпкой», которая пьянила Мохова, возбуждала его, сводила его с ума.

> Вместо слабых мира этого и сильных
> Лишь согласное гуденье насекомых...

Пробубнив последнюю строчку, Виктор Олегович поднял взгляд на Андрея.

— А как быть с деньгами? — сухо спросил он. — Я заплатил ему за работу.

— Деньги пусть оставит себе, — ответил Андрей. — В конце концов, это не такая большая сумма, чтобы раздувать из-за нее скандал.

— Ты прав, — кивнул Виктор Олегович. — Но есть еще одна проблема.

— Какая?

Мохов опустил тяжелые веки.

— Что, если он не захочет уезжать? — устало спросил он.

— Нужно проявить настойчивость, — ответил Андрей. Улыбнулся своей резиновой улыбкой и добавил: — Только и всего.

17

Александр Борисович Турецкий допивал кофе в баре офиса, когда к нему подсел Андрей Долгов.

— Здравствуйте, Александр Борисович, — поприветствовал он Турецкого.

— И вам не болеть, — ответил тот, едва глянув на Долгова через плечо, и сбил с сигареты столбик пепла.

Долгов отодвинул от себя пепельницу, поморщился и вежливо осведомился:

— Как ваши дела, Александр Борисович?

— Вы пришли, чтобы спросить, как у меня дела? — сухо сказал Турецкий.

Андрей дернул уголком губ.

— Не только.

— В таком случае, дела у меня идут отлично. Можете смело переходить ко второй части.

Турецкий выдохнул струю дыма. Долгов слегка отстранился и махнул рукой, отгоняя дым от своего узкоглазого смуглого лица.

— Александр Борисович, я не буду тянуть и сразу перейду к делу.

— Сделайте одолжение, — хмыкнул Турецкий.

— Ваше дальнейшее присутствие в нашем городе нежелательно. И это не только мое мнение, но и мнение Виктора Олеговича.

— Вы сами меня вызвали, — возразил Александр Борисович. — Вернее, не вы, а ваш Хозяин. Значит, я был вам нужен.

— Вы правы. Но до вашего приезда люди не гибли в таком количестве. Это ненормально, Александр Борисович. Вы приносите слишком много хлопот.

Турецкий повернул голову и в упор посмотрел на Долгова.

— Кому? — сухо и резко спросил он.

— Всем. И в первую очередь Виктору Олеговичу. Вы здесь несколько дней, а уже умудрились вляпаться в несколько скандальных историй. Журналисты начнут связывать ваше имя с именем Виктора Олеговича. А это может его дискредитировать. Поймите меня правильно, Александр Борисович, будь сейчас другая ситуация, мы бы продолжили сотрудничество. Но ввиду предстоящих выборов...

— А, перестаньте, — поморщился Турецкий. — Если я не раскрою это дело, выборов вообще может не быть. По крайней мере, для вашего Хозяина.

— У меня на этот счет есть большие сомнения, — едко проговорил Долгов.

— Не лезьте в то, чего не понимаете, — сказал Турецкий. — Занимайтесь своими делами, а я займусь своими.

— Только не в нашем городе, — возразил Долгов. — Решение уже принято. Гонорар за расследование можете оставить себе. С этим проблем не будет. — Долгов слегка наклонился и тихо добавил: — Послушайтесь моего совета, Александр Борисович, уезжайте поскорей. Иначе...

— Иначе что?

— Иначе у вас будут большие проблемы.

Турецкий ухмыльнулся:

— И кто мне их создаст? Уж не вы ли?

— Возможно, что и я, — ответил Долгов мягким, почти добродушным голосом. — Уезжайте, Александр Борисович. Я говорю это вам как друг. Катитесь в свою Москву.

Турецкий, однако, быть другом Долгова не пожелал.

— Слушай сюда, ухарь, — спокойно сказал он. — Если ты еще раз позволишь себе разговаривать со мной в таком тоне, я тебе все кости переломаю. Поверь мне, мальчик, у меня давно чешутся кулаки сделать это.

— Не сомневаюсь, — пробубнил Долгов себе под нос.

— Хорошо, что не сомневаешься. А по поводу всей этой истории я буду говорить не с тобой, а с Моховым. Ты — всего лишь шестерка, мальчик на побегушках. Знай свое место и не суйся во взрослые дела.

Турецкий затушил сигарету, швырнул на деревянную стойку деньги, повернулся и вышел из бара.

— Что ж... — тихо проговорил Долгов, глядя ему вслед. — По-хорошему ты, видать, не понимаешь. Может, по-плохому поймешь?

18

— Какого черта здесь происходит? — с ходу начал бузить Турецкий, ворвавшись в кабинет Мохова.

— Что случилось? — удивленно спросил тот, поднимаясь из-за стола и протягивая Турецкому руку.

— Я только что говорил с вашим курьером — или кто он там у вас, — гневно продолжил Александр Борисович, пожав протянутую руку.

— Вы про кого?

— Про Долгова. Он подсел ко мне в баре и стал угрожать.

Мохов сдержанно улыбнулся:

— Вы его неправильно поняли, Александр Борисович. Дело в том, что...

— Вы хотите стать Президентом?

— Э-э-э... Да, разумеется.

— И вы не хотите отправиться в тюрьму?

По лицу Мохова пробежала тень.

— Я вас не понимаю, — холодно сказал он.

— И в гроб ложиться тоже, полагаю, не собираетесь? По крайней мере, в ближайшее время?

— Да о чем вы говорите!

— О том, что вокруг вас вьются опасные люди, которые ждут не дождутся, когда вы отправитесь на тот свет. До сих пор они действовали мягко, пытаясь довести вас до сердечного приступа. Но теперь они переступили черту, убив Воронова и Гирина, и на этом они не остановятся. Они возьмутся за вас, Мохов.

Виктор Олегович болезненно поморщился. У него болела голова с похмелья и скакало давление. Он был подавлен и чувствовал себя паршиво.

— Да кто «они»? — спросил Долгов. — О ком вы говорите?

— Люди, которым вы мешаете.

— Мои конкуренты?

— Может быть. А может быть, и нет. Дайте мне пару дней, и я узнаю это. Но при условии, что ваш курьер...

— Помощник.

— Плевать. Что он не будет путаться у меня под ногами.

Мохов смотрел на Турецкого неприязненно и угрюмо.

— Что я должен сделать? — спросил он.

— Ничего. Просто не мешать.

— Вы здесь уже несколько дней, а результатов никаких.

— Результаты есть. Но я не собираюсь вам о них рассказывать. Следствие еще не закончено, ясно?

— Вы разговариваете со мной так, словно это вы меня наняли.

— Я разговариваю так, как должен разговаривать. К тому же этот ваш курьер...

— Помощник, — простонал Виктор Олегович.

— Он здорово меня разозлил. И если он еще раз появится у меня на пути, я просто оторву ему голову. Как цыпленку.

— Хорошо. Я поговорю с Андреем. — Мохов забросил в рот две таблетки цитрамона, взял графин и запил прямо из горла. Поставил графин на стол и снова посмотрел на Турецкого. — А вам я даю еще два дня, — сказал он. — Если через два дня результатов не будет, я откажусь от ваших услуг. И потребую назад свои деньги. Если вы уедете сейчас — деньги останутся у вас. Как вам такой расклад?

— Расклад нелепый, — ответил Александр Борисович. — Но я с ним согласен.

— Вот и хорошо. Идите и работайте. И попытайтесь больше не впутываться в истории с убийствами.

* * *

Каблучки Татьяны звонко цокали по асфальту. На девушке был бежевый приталенный плащик, подчеркивающий изящество ее фигурки. На руках у нее красовались тонкие черные перчатки. Лицо было красивым, гордым и неприступным.

— Таня! — окликнул ее Турецкий.

Секретарша остановилась и повернула голову. Александр Борисович сидел на скамейке с сигаретой в руке.

— А, это вы, — девушка улыбнулась. — Что вы здесь делаете?

— Нам с вами нужно поговорить.

— Вот как? О чем?

— О вас и Максиме Воронове.

Лицо Татьяны дрогнуло.

— Садитесь, — пригласил ее Александр Борисович. — Не бойтесь, скамейка чистая. Я даже протер ее специально для вас, — пошутил он.

Девушка колебалась, и Турецкий слегка поднажал.

— Разговор очень важный, — сказал он. — И не столько для меня, сколько для вас. Ну же, не раздумывайте. — Александр Борисович слегка прихлопнул ладонью по скамейке рядом с собой.

Татьяна решилась. Она подошла к скамейке и, поколебавшись, села рядом с Турецким.

— Ну? — сказала девушка. — О чем вы хотели со мной поговорить?

— О Максиме Воронове. Вы ведь его знали?

И вновь по лицу девушки пробежала тень. Она поджала губы и холодно произнесла:

— Не понимаю, о ком вы.

— Таня, милая, давайте не будем тратить времени зря. — Голос Турецкого звучал устало и спокойно. — Я знаю, что вы были знакомы с Максимом Вороновым. Знаю, что вы с ним были любовниками. Видите — я говорю с вами откровенно.

— Ваша откровенность граничит с наглостью, — заметила Татьяна.

— В моей профессии откровенность всегда граничит с наглостью.

Турецкий швырнул окурок в железную урну. Девушка ждала, нетерпеливо поправляя рукой волосы.

— Ну? — сказала она наконец. — Теперь скажите, что вам от меня нужно?

Александр Борисович посмотрел на нее мягко, почти ласково.

— Таня, ваша жизнь в большой опасности. Вы должны быть со мной откровенны, потому что я — единственный человек, который может вам помочь. Уж так получилось.

Татьяна сжала в руках сумочку.

— Что? — нервно проговорила она. — Что вы знаете?

— Я уже сказал вам. Я знаю, что вы с Вороновым были любовниками. Знаю, что вы решили шантажировать Мохова. Идея наверняка исходила от него. Более того, вы долго не соглашались, потому что считали это... нечистоплотным. Но Воронов сказал вам, что выбить деньги из Мохова — единственный шанс уехать из этого города. Скорей всего, он обещал вас увезти к морю. Вот вы и сдались. Правильно?

Татьяна изумленно смотрела на Турецкого. Он кивнул:

— Правильно. Знали бы вы, сколько подобных историй я слышал. И знаете, что самое неприятное? Что редко кто из парней выполнял свое обещание. Да почти никто. Совсем никто, — с горькой улыбкой поправился Александр Борисович.

— Это не так, — неуверенно проговорила Татьяна.

— Так. Воронов просто хотел вас использовать. Это совсем не значит, что вы ему не нравились, — поспешно добавил Александр Борисович. — Может быть, он даже был в вас влюблен. Но для таких парней, как он, влюбленность ничего не значит.

— Вы его не знали! — резко сказала Татьяна.

— Пусть так, — согласился Александр Борисович. — Но он не должен был впутывать вас в преступление. Это не по-мужски, вы так не считаете?

— Нам нужны были деньги, — сухо проговорила Татьяна, теребя пальцами ручку сумки.

— Да-да, конечно, — снова согласился Турецкий. — Однако у себя дома Воронов хранил целый архив снимков и негативов. Компромат почти на всех вип-персон этого города. Думаю, денег у него хватало. По крайней мере, для того, чтобы отвезти вас к морю.

Татьяна несколько секунд испытующе смотрела на Александра Борисовича, затем отвернулась и опустила взгляд на сумочку.

— Вы меня не обманываете? — тихо спросила она.

— Увы, нет, — ответил Турецкий. — Воронов использовал вас так же, как и других своих подружек. Думаю, он и роман с вами закрутил по этой причине. Чтобы поближе подобраться к Мохову.

— Какая мерзость, — с отвращением проговорила Татьяна. И повторила презрительно: — Какая же это мерзость!

— Жизнь, — тихо отозвался Александр Борисович. — Впереди у вас будет еще много мерзостей. Вы должны научиться...

— К черту, — устало сказала Татьяна. — Идите к черту с вашими нравоучениями. Думаете, мне от них легче?

Она достала из сумочки платок и зеркальце и осторожно промокнула краешки глаз.

— Вы не понимаете... — снова заговорила Татьяна. — Не понимаете, как тяжело мне было пережить известие о его смерти. Как будто у меня из сердца вырвали кусок.

— Всегда тяжело терять любимого человека, — сказал Александр Борисович. — Еще тяжелее узнавать о нем правду. Максим Воронов был шантажист. Из-за этого его и убили.

— Как? — Лицо Татьяны оцепенело. Она смотрела на Турецкого так, словно впервые его увидела. — Как убили? Он же умер от сердечного приступа.

Александр Борисович покачал головой:

— Нет. Его убили. И сделали это очень профессионально.

Татьяна откинула со лба прядь.

— Черт... Я совсем ничего не понимаю. Почему тогда милиция об этом ничего не знает?

— Потому что нет никаких улик, указывающих на убийство. Так они считают.

— А вы? Вы так не считаете?

— Нет, — сухо сказал Александр Борисович. — Я всю жизнь был сыщиком, Таня. И говорят, что неплохим. А когда человек много лет занимается одним делом, у него развивается чутье. Чутье особого рода.

Татьяна кивнула.

— Я знаю. Интуиция.

— Не совсем. Интуиция заставляет что-то предполагать. Я же знаю наверняка. Не могу этого объяснить. — Турецкий поморщился и потер пальцами лоб. Невесело усмехнулся. — Не так давно я перенес контузию. А вы просто верьте мне, и все. Я бы не был так настойчив, если бы от этого не зависела ваша жизнь.

— Моя жизнь? — Татьяна прищурилась. — При чем тут моя жизнь? Что может угрожать моей жизни?

— Воронова убили за то, что он слишком много знал. И он мог поделиться своими знаниями с вами.

Татьяна дернула уголком губ.

— Он ничем со мной не делился.

— Но убийца, кем бы он ни был, этого не знает, — сказал Александр Борисович. — Он может решить, что легче от вас избавиться, чем...

— Я поняла, — перебила Татьяна. — Нет человека, нет проблемы. — Она неприязненно посмотрела на Турецкого. — Что вы от меня хотите?

— Попытайтесь вспомнить, Таня: Максим общался при вас с кем-нибудь из своих приятелей? Может, у него были с кем-то «особые дела»?

— Дела?

— Ну да, дела, — кивнул Александр Борисович. — Может быть, кто-то из приятелей Максима вел себя подозрительно. Нервничал при вашем появлении. Или, наоборот, проявлял нетерпение в вашем присутствии? Ждал, когда же вы наконец уйдете.

Татьяна задумалась.

— Он не знакомил меня со своими друзьями. Я даже не знаю, были ли у него друзья. Хотя... — На чистом лбу девушки появились морщинки. — У него был один приятель. Мы случайно встретили его в ресторане. Он сказал, что ему нужно поговорить с Максимом без свидетелей. Они хотели выйти на улицу, но я сказала, что мне нужно «попудрить носик». И ушла, чтобы оставить их одних.

Татьяна снова наморщила лоб, припоминая.

— Когда я вернулась, — продолжила она, — они о чем-то спорили. По крайней мере, разговаривали на повышенных тонах. Тот парень что-то доказывал Максиму, но Максим качал головой. Вот так... — Татьяна нахмурила брови и качнула головой. — Потом я подошла к столику, и они тут же замолчали.

— Максим познакомил вас со своим приятелем? Вы помните его имя?

Татьяна кивнула.

— Помню. У него было такое смешное имя — Устин. Я сначала подумала, что это кличка. Ну, знаете, бывает же такая фамилия — Устинов. Но оказалось, что это настоящее имя — Устин. — Татьяна усмехнулась. — Его мать обожала фильм «Тени исчезают в полдень», а там был такой герой — Устин.

Девушка нервно хохотнула, но тут же прикрыла рот рукой. На глазах у нее выступили слезы.

— Вы думаете, они... — Татьяна сделала усилие и взяла себя в руки. — Вы думаете, Устин его подельник?

— Вполне вероятно. Подобными делами редко занимаются в одиночку. Во-первых, это слишком хлопотно. Во-вторых, слишком опасно. Устин не говорил вам, где живет и чем занимается?

— Нет... Вроде бы не говорил. Хотя... Да, конечно! — Татьяна оживилась. — Я помню. Он говорил что-то о машинах. Жаловался, что сейчас дела у него идут неважно. Что рынок собираются прикрыть.

— Рынок, — повторил Александр Борисович. — Какой именно рынок, не помните?

— Подождите... — Татьяна задумалась. — Что-то такое мелькает в голове... По-моему, это где-то в пригороде... — Она подняла взгляд на Турецкого. — Где-то рядом с городом, не то в Тиховолжске, не то в Предгорном. Точно не могу вспомнить.

— Тиховолжск или Предгорное, — снова повторил Александр Борисович, обдумывая услышанное. — Таня, это все, что вы запомнили?

— Мне кажется, да, — не совсем уверенно произнесла Татьяна. — Ну, еще он сказал, что у него жена беременная. И что он хочет отвезти ее куда-то на Украину. Что там хорошая клиника и стоит недорого. И вроде у нее там родители... Вот теперь вроде все.

— Итак, давайте подытожим, — сказал Александр Борисович. — Приятеля зовут Устин. Он работает на автомобильном рынке где-то в пригороде, предположительно в Тиховолжске или в Предгорном. У него беременная жена, и родом она из Украины. Я ничего не упустил?

— Нет. — Татьяна судорожно сжимала в пальцах сумочку, бросая на Турецкого быстрые взгляды. — Я рассказала вам все, что знала. Теперь я могу идти?

Александр Борисович внимательно на нее посмотрел.

— Мне кажется или вы по-прежнему нервничаете? — тихо спросил он.

— Я нервничаю. Сильно нервничаю. Это вас удивляет? — с вызовом проговорила Татьяна.

Турецкий слегка стушевался. «В самом деле, чего я пристал к девчонке?» — подумал он. И все-таки бывшего «важняка» не покидало ощущение, что секретарша чего-то недоговаривает. Что она знает гораздо больше, чем говорит.

— Ну все, — сказала Татьяна, глянув на часики. — Теперь мне точно пора.

Она встала со скамейки. Турецкий тоже поднялся.

— Вас проводить? — спросил он.

Девушка тряхнула волосами.

— Не надо. Сама доберусь. Всего хорошего!

Она повернулась и торопливо зацокала каблучками по асфальту, направляясь к метро. Александр Борисович задумчиво смотрел ей вслед, пока она не скрылась из виду за поворотом. Затем закурил и медленно побрел к остановке автобуса.

19

Однако дойти до остановки Турецкий не успел. Рядом с бордюром притормозила машина. Стекло поползло вниз, и незнакомый голос окликнул Александра Борисовича:

— Господин Турецкий, вы не могли бы подойти сюда.

Вообще-то просьба была нагловатая. Однако Александр Борисович давно уже не был таким чувствительным, как в молодости. Дело было важнее амбиций, а посему Турецкий, слегка прихрамывая (уже два дня болел покалеченный сустав), направился к машине.

Остановившись перед машиной, он посмотрел на парня и спросил:

— Вы кто?

Парень усмехнулся, и усмешка сделала его бандитскую физиономию еще более бандитской. Несмотря на уголовную внешность, одет молодой человек был дорого и даже изысканно. Великолепный английский костюм из тонкой шерсти, шелковый галстук, заколотый булавкой с маленьким бриллиантом.

— Я работаю на человека, который хочет с вами поговорить, — сказал парень.

— Хочу ли я с ним поговорить — вот в чем вопрос, — заметил Александр Борисович.

— Захотите, — убежденно сказал парень. — Речь пойдет о Мохове. Хватит кочевряжиться. Забирайтесь в машину и поехали.

Словечко «кочевряжиться» не оскорбило, а позабавило Турецкого.

— Я поеду с вами, — сказал он, — при условии, что после разговора вы отвезете меня в гостиницу.

— Да хоть к черту на свадьбу, — флегматично отозвался парень и смачно сплюнул на асфальт. — Забирайтесь, дверца открыта.

Заинтригованный Турецкий не заставил себя уговаривать. Он влез в салон «мерседеса» и захлопнул дверцу.

— Устроились? — поинтересовался парень. — Можем ехать?

— Можем, — сказал Александр Борисович.

Водитель, тоже молодой человек с еще более криминальной физиономией, но в костюме поплоше и подешевле, мягко тронул машину с места.

— Куда мы едем? — поинтересовался Турецкий, доставая сигарету.

— Домой, — ответил парень в дорогом костюме. Он слегка повернулся и щелчком сбил с плеча невидимую соринку.

— Хороший костюм, — заметил Турецкий, закуривая.

— Мне и самому нравится, — ответил парень. — Сигареткой не угостите?

Турецкий протянул парню сигареты.

— Благодарствую, — сказал тот и прикурил от зажигалки, также протянутой Турецким.

— Может, скажете — к кому мы едем?

— Конечно. — Парень усмехнулся. — К одному человеку. Он хочет с вами поговорить.

— А если бы я отказался ехать с вами?

Парень в дорогом костюме ничего не ответил, а водитель лениво сообщил:

— Такой вариант не рассматривался.

Александр Борисович улыбнулся. Ему все больше нравились эти ребята.

Они ехали около получаса. Наконец машина притормозила и свернула во двор панельной девятиэтажки.

— Второй подъезд, — сказал парень в дорогом костюме.

— Сам знаю, — ответил ему водитель.

Машина остановилась.

— Выходите и поднимайтесь на девятый этаж, — сказал парень в дорогом костюме, повернувшись к Турецкому вполоборота. — Квартира сто шестая. Он вас ждет.

— Один? — уточнил Александр Борисович.

— Кто один? — не понял парень.

— Один поднимусь? Вы со мной разве не пойдете?

Водитель и парень в дорогом костюме переглянулись.

— А тебя что, поддерживать надо, чтобы не упал? — насмешливо поинтересовался парень.

Турецкий понял, что попал впросак, и ничего не сказал, лишь досадливо крякнул в ответ и взялся за ручку дверцы.

— Эй! — окликнул Турецкого парень, когда тот выбрался из машины.

— Что еще?

— Если спросит... Ну, если вдруг разговор зайдет, не говорите, что я курил.

— А что, накажет? — поинтересовался Турецкий.

Парень покачал головой:

— Не. Убьет.

* * *

Едва Александр Борисович протянул руку к звонку, как дверь открылась. В прихожей стоял невысокий, худощавый мужчина лет пятидесяти пяти. Одет он был в длинный красный халат и черную тюбетейку. Лицо у мужчины было острое и сухое. Смуглая кожа, острые скулы и такой же острый, небольшой нос выдавали в нем человека восточных кровей. На руках мужчина держал толстого длинношерстного кота с сердитой плоской мордочкой.

— Вот это сервис, — похвалил Турецкий. — Я и позвонить не успел.

— Я вас ждал, — ответил мужчина высоким, хриповатым голосом. — Входите, Александр Борисович.

Мужчина посторонился, давая Турецкому пройти.

— Можете не разуваться, — сказал он. — Проходите в комнату. Я только что сварил кофе. Налить вам чашку?

— Если не сложно, — сказал Александр Борисович.

Турецкий прошел в комнату, а хозяин квартиры отправился на кухню за кофе. Когда он вернулся, Турецкий сидел в кресле перед низким кофейным столиком и листал автомобильный журнал.

Мужчина поставил на стол поднос с чашками и сказал, кивнув на разворот, который разглядывал Александр Борисович:

— Новая модель «лаборгини». Как вам?

— Было бы странно, если б я сказал, что не нравится. — Турецкий насмешливо дернул уголками губ. — Хотя я лично предпочитаю «ламборджини», — добавил он.

Мужчина в тюбетейке уставился на сыщика холодным змеиным взглядом, затем чуть качнул головой и засмеялся мелким, рассыпчатым смехом, давая понять, что не обидчив и оценил шутку по достоинству. Когда он ставил поднос, Турецкий заметил, что пальцы его покрыты синими наколками. Судя по всему, мужчина был «авторитетом».

— Я сяду напротив, чтобы мы могли друг друга видеть, — сказал тот и сел в кресло. — Люблю смотреть собеседнику в глаза, — пояснил он. — Не возражаете?

— Нисколько, — ответил Турецкий и отложил журнал.

— Вот и хорошо. — Мужчина взял чашку и кивнул Александру Борисовичу на вторую: — Рекомендую. Готов поспорить, вкуснее, чем это кофе, вы нигде в нашем городе не попробуете. Я варю его по рецепту одного старого итальянца. Он уже умер. Так что я единственный хранитель секрета.

Мужчина снова засмеялся, а Турецкий взял чашку и слегка отпил. Кофе и впрямь был изумительный.

— Ну как? — осведомился мужчина.

— Великолепно, — честно ответил Александр Борисович.

Мужчина кивнул и улыбнулся. Он хотел что-то сказать, но не успел. В кармане у Турецкого зазвонил телефон. Александр Борисович извинился и приложил трубку к уху.

— Саня, привет! — услышал он в трубке бодрый голос Меркулова. — Как твои дела?

— Продвигаются, — ответил Турецкий.

— Отлично. Саня, слушай, я только что узнал — Айрат Кашапов вышел на свободу. Он уже вернулся в родной город.

Турецкий посмотрел на сидящего перед ним мужчину и усмехнулся:

— Спасибо, что сообщил. Главное — вовремя.

— Что ты имеешь в виду? Постой... Он что, уже объявился? Ну чего ты молчишь?

Александр Борисович снова посмотрел на человека, сидящего перед ним.

— Татарин здесь, — сказал он. — Сидит прямо передо мной. Хочешь, передам ему привет от тебя?

— Черт... Он у тебя в номере?

— Скорей наоборот.

— Ты у него в гостях?

— Да.

— Будь осторожнее. Татарин очень хитер.

— Да, я об этом слышал.

— Не сообщай ему больше, чем нужно.

— Постараюсь.

Турецкий отключил связь и убрал телефон в карман. Татарин погладил сидящую на коленях кошку.

— Выходит, вы уже догадались, кто я, — спокойно сказал он.

— Выходит, да.

— И что вы об этом думаете?

— Ничего, — сказал Александр Борисович. — Вы пригласили меня поговорить. Я согласился. Слово за вами.

Татарин кивнул:

— Вы правы. Я приехал вчера вечером. Но еще до своего приезда я знал, что творится в городе.

Турецкий отхлебнул кофе.

— И что же тут творится? — поинтересовался он.

— Идет грязная игра. Кто-то пытается свалить Мохова.

— Предвыборная кампания и не бывает иной, — сказал Александр Борисович.

Татарин улыбнулся:

— Вы так спокойно к этому относитесь? Насколько я знаю, Мохов едва не умер.

— А вам бы хотелось, чтобы он умер?

— Мне? — Татарин изогнул дугой черную бровь и такой же дугой — как в зеркальном отражении — рот. — Зачем мне его смерть? Она не вернет мне пропавшие годы.

— А как же месть? — поинтересовался Турецкий. — Ведь это сладкое чувство.

— Но не для меня, — возразил Татарин. — Я никогда не был злопамятным. К тому же мстить Мохову опасно. Вот представьте, что он помер и у следствия появилась версия об убийстве. В этой ситуации я буду главным подозреваемым, разве не так?

— У вас слишком большое самомнение, — заметил Александр Борисович.

— Самомнение? — не понял Татарин. — А, вот вы о чем. Намекаете на то, что у Мохова есть враги познaчительнее и поопаснее, чем я?

— Намекаю, — кивнул Турецкий.

— Ну, это ничего не значит. Все равно в случае гибели Мохова я попадаю под подозрение. А мне это не нужно. Я мирный человек, Александр Борисович. Моя война осталась в девяностых, и, похоже, я ее проиграл.

— Но вы все еще авторитет.

— Я? — Татарин усмехнулся и покачал головой. — Я далек от уголовного мира. Не знаю, как вам доказать. Уж поверьте мне на слово. У меня остались кое-какие деньги, и я решил открыть легальный бизнес. Мне надоело бегать, Александр Борисович. Я хочу жить, как простой обыватель. Работать, отдыхать, растить детей.

— Разве у вас есть дети?

— Пока нет. Но мне всего пятьдесят три. И у меня уже есть невеста. У меня еще все впереди.

— Безусловно, — усмехнулся Турецкий.

— Зря усмехаетесь. Я прошел обследование у врачей, со мной все в порядке. У меня сперма тридцатилетнего парня. Уж не знаю, за какие такие заслуги Господь Бог наградил меня таким здоровьем. Возможно, чтобы я взялся наконец за ум.

Татарин усмехнулся, затем наклонился, поцеловал кошку в нос и ласково ее погладил. Кошка громко заурчала.

— Видите? — сказал Татарин. — Я умею быть заботливым и ласковым. Из меня получится хороший отец.

— Не сомневаюсь. — Турецкий поставил опустевшую чашку на стол. — Вы сказали все, что хотели?

Несколько секунд Татарин пристально смотрел на Александра Борисовича. Взгляд у него был тяжелый, острый, тревожащий. Наконец он едва заметно качнул головой и сказал:

— Нет, не все. Честно говоря, я пригласил вас сюда, чтобы кое о чем попросить. Я хочу, чтобы вы уехали из города, Александр Борисович.

Турецкий удивленно на него уставился.

— С какой стати? — спросил он наконец.

— Я не знаю всех подробностей, но одно точно: вы приносите слишком много проблем.

— Кому? — спросил Александр Борисович.

Татарин погладил кошку и мягко ответил:

— Всем. Вы путаетесь у всех под ногами, и из-за этого происходят неприятности. С вашим приездом город начало лихорадить, Александр Борисович. А я не могу этого допустить.

— Почему?

Татарин мягко улыбнулся:

— Потому что это мой город. Мой и моих будущих детей. Я приехал, чтобы навести здесь порядок, и намерен начать прямо сейчас.

— Значит, по-вашему, я...

— Основная причина беспорядка, — договорил за Турецкого Татарин. — Поймите меня правильно, Александр Борисович, лично вы мне нравитесь. И если бы вы искали приключений у себя в Москве, я бы не возражал. Возможно, даже помог бы вам их найти. Но здесь — другое дело. Здесь я, некоторым образом, хозяин.

— Утомили вы меня, Айрат Каюмович, — сказал Турецкий с холодком в голосе. — Несете какую-то околесицу и заставляете меня слушать. Какой вы, к черту, хозяин? Вы уголовник.

— Бывший уголовник, — поправил Татарин.

— Я бы сказал — будущий, — заметил в свою очередь Турецкий. — Я не отдыхать сюда приехал. Я работаю. И доведу работу до конца — нравится вам это или нет.

Взгляд Татарина тоже похолодел. Теперь в нем не осталось и намека на мягкость и человечность. Это был взгляд хищника — матерого и опасного. Он разжал сухие губы и четко произнес:

— Смотрите, Александр Борисович, не нарвитесь на неприятности.

— Я не боюсь неприятностей, — ответил Турецкий, поднимаясь с кресла.

— Иная неприятность может стать фатальной, — быстро и желчно добавил Татарин.

— И ваших угроз тоже не боюсь, — спокойно сказал Александр Борисович.

— И очень зря. Я знаю, что вы больше не работаете в Генпрокуратуре. Вы — частное лицо. А с частным лицом справиться гораздо легче, чем...

— Прощайте, — сказал Турецкий и двинулся к выходу.

В руках у Татарина противно вякнул кот.

— Брысь! — крикнул, отшвыривая его, Татарин. — Турецкий! Убирайтесь из города! Сегодня же!

Александр Борисович протянул руку к дверной ручке, но дверь распахнулась сама, и на пороге он увидел двух молодых бандитов — того, что в дорогом костюме, и второго — немногословного водителя с каменным лицом.

Турецкий посмотрел на парней исподлобья и глухо прорычал:

— С дороги. Ну!

— Пусть идет! — крикнул из гостиной Татарин.

Парень в дорогом костюме отступил в сторону. Александр Борисович прошел, задев его плечом.

— Еще увидимся, — тихо прошелестел парень у Турецкого за спиной.

Турецкий не удостоил его ответом.

20

Резкий порыв ветра распахнул окно. Александр Борисович привстал, захлопнул створку и закрыл ее на шпингалет. Снова опрокинулся на диван.

Кто-то поскребся в дверь, да так тихо, словно боялся, что его услышат. Турецкий даже подумал, что ему это почудилось. Но слабый звук повторился.

— Войдите! — громко сказал Александр Борисович.

Никакого эффекта.

— Да входите же! Там открыто!

На этот раз дверь слегка приоткрылась. В дверном проеме показалась встрепанная голова юноши. Он испуганно посмотрел на Александра Борисовича и тихо спросил:

— Можно войти?

— Конечно.

Турецкий закрыл крышку ноутбука и убрал его с коленей на журнальный столик. Поднялся с кресла навстречу незваному гостю. Тот вошел в номер, прикрыл за собой дверь и робко посмотрел на Александра Борисовича.

— Здравствуйте, молодой человек!

— Здравствуйте!

Юноша уважительно пожал сыщику руку.

— Я Толя Азизов, — сказал он. — Я программист.

Турецкий улыбнулся:

— Мне это должно о чем-нибудь говорить?

— Вряд ли, — улыбнулся в ответ Толик Азизов. — Но мне очень нужно с вами поговорить.

— Вы меня заинтриговали. Что ж, проходите, садитесь.

Молодой человек неуклюже прошел к дивану, неуклюже опустился на него. Александр Борисович отметил, как сильно он похож на другого компьютерщика — компьютерного гения агентства «Глория» Макса. Тот же встрепанный вид, тот же подслеповатый, словно расфокусированный взгляд, какой бывает у человека, когда он несколько секунд смотрит на солнце, а потом — на какой-нибудь предмет.

Черт их знает, возможно, у программистов такой взгляд появляется из-за того, что они часами таращатся в экран монитора. Монитор для них и солнце, и любовь, и смысл жизни. А все, что вне монитора, — досадная помеха, на которую приходится время от времени отвлекаться.

Турецкий встал перед сидящим на диване парнем и сунул руки в карманы брюк.

— Ну-с, — сказал он, — так о чем вы хотели со мной поговорить, Анатолий?

— Видите ли... — начал было Толя, но затем вдруг остановился, поправил пальцем очки и внимательно посмотрел на Турецкого. — Я не совсем уверен, что обращаюсь по адресу, — раздумчиво проговорил он. — Вы правда следователь?

— На все сто, — кивнул Турецкий. — А что, не похож?

Толик пожал плечами:

— Не знаю. Я никогда не видел следователей... Кроме как в кино, конечно. Но, думаю, что в кино про следователей все врут.

— Случается и такое, — снова подтвердил Александр Борисович.

Толик немного помолчал, а потом заговорил негромким, глуховатым голосом, глядя на Турецкого исподлобья, словно все еще не до конца ему доверял.

— Я слышал, что вы из Москвы. Что Мохов вызвал вас, чтобы вы нашли того, кто вывешивает в Сети компрометирующие статьи.

Парень остановился и вопросительно посмотрел на Турецкого.

— Вы правильно слышали, — подтвердил Александр Борисович. — Продолжайте.

— Поймите меня правильно... я не хочу показаться... дураком... Или, что еще хуже, стукачом...

Толик Азизов снова замолчал. Видно было, что слова даются парню с трудом. Турецкий его не торопил. Он взял со столика сигареты и закурил, давая парню время собраться с мыслями.

— Продолжайте, — сказал он затем.

Толик кивнул и продолжил:

— Я работаю на Виктора Олеговича... В отделе технической поддержки. Мой начальник Марк Сковородников.

— Так-так, — поддакнул Александр Борисович, дымя сигаретой.

— Несколько дней назад Марк обнаружил, что в нашу локальную сеть вошел хакер.

— Вы это точно знаете?

Толик покраснел:

— Я не должен этого знать... Я это... случайно. Случайно услышал.

— Что услышали?

— Ну, это... Как Марк беседовал по телефону с Андреем Маратовичем Долговым. Ну и говорил ему про хакера. Честное слово, я не собирался подслушивать! Я просто проходил по коридору мимо и услышал из курилки... Он очень громко говорил.

— Я верю, — спокойно сказал Турецкий. — Что именно вы услышали?

— Ну... — Толик снова замялся.

«Вот еще принцесса на горошине, — досадливо подумал Турецкий. — Если он продолжит в том же духе, рассказ займет часов пять». Александр Борисович машинально поднял руку и посмотрел на часы.

— Вы торопитесь? — тут же отреагировал Толик и вскочил с дивана.

— Я...

— Ничего страшного, я потом как-нибудь зайду, — обрадовался отсрочке Толик.

Он зашагал было к двери, но Турецкий схватил его за руку чуть повыше локтя и остановил.

— Постойте, — спокойно сказал он. — Не торопитесь. У меня куча времени, мы успеем обо всем поговорить.

— Да? — неуверенно произнес парень.

— Да. Вы сказали, что Марк говорил по телефону с Долговым и рассказывал ему о хакере.

— Ну да, — кивнул Толик. — Я же говорю. Он сказал, что хакер снова атаковал сеть и что он пытался пробраться к защищенным файлам с конфиденциальной информацией.

— И дальше? Вы, кстати, присаживайтесь. Если на диване неудобно, садитесь в кресло.

— Спасибо, на диване хорошо.

Толя снова сел на диван. Сложил руки на коленях, как школьник, и продолжил рассказ:

— Так я узнал про хакера. Марк никому из наших парней об этом не рассказывал. Ну я и не стал спрашивать. Подумал: вдруг это секрет. Я бы и сейчас никому не рассказал, но... — Толик взволнованно облизнул губы. — Сегодня я пришел на работу раньше обычного. Мне нужно было сдать кровь в больнице, но лаборатория была закрыта, а я приперся к семи. Домой возвращаться ломало, ну я и решил пойти на работу. Пришел где-то полвосьмого. Думал, в офисе еще пусто, но нет. Там уже кто-то сидел. Я решил подурачиться и напугать... — Толик смущенно повел плечами. — Не знаю, что на меня нашло.

— Бывает, — с улыбкой кивнул Александр Борисович. — Что было дальше?

— Дальше я бесшумно закрыл дверь и тихонько пробрался к столу. Я думал, там кто-то из парней, но там сидел сам Марк. Я хотел его окликнуть, но... Понимаете, Марк постоянно ругается, когда видит, что мы с парнями торчим на порносайтах. Ну, я и подумал, что он сам... когда нас нет... Ну, вы понимаете.

— Вы подумали, что Марк пришел на работу в семь утра, чтобы побродить по порносайтам, — уточнил Турецкий. «Видно, у парня полный бардак в голове», — подумал он, а вслух сказал: — Вы решили застукать Марка с поличным, так?

— Что-то вроде этого, — кивнул Толик, все больше смущаясь. — Я потихоньку прокрался к его столу и увидел, что он... В общем, никакой порнухи на мониторе не было. Но было еще хуже.

— Что? — насторожился Турецкий, которого стала утомлять вкрадчивая и медлительная манера парня.

— Я увидел... Вы что-нибудь понимаете в компьютерном программировании? — неожиданно спросил Толик.

Турецкий качнул головой:

— Увы, нет.

— Тогда я скажу просто. Я увидел, что Марк взламывает компьютер руководства.

Турецкий молчал.

— Вы поняли, что я сказал? — повысил голос Толик. — Он и есть тот хакер! Понимаете?

21

Был вечер. Турецкий вышел из гостиницы прогуляться. Голова была тяжелая. «Старею, — подумал Александр Борисович. — Вот и похмелье стало мучить».

После дождя город заметно посвежел. Желтый свет фонарей и разноцветные огни рекламы отражались в мокром асфальте, как в зеркале. Вечер был удивительно теплый.

Александр Борисович решил пройтись по центральной улице до вокзала, однако вскоре заныл сустав больной ноги, и Турецкий вынужден был сесть на скамейку.

Настроение начало стремительно портиться. На той стороне мерцала рекламная растяжка. Она напомнила Александру Борисовичу экран ноутбука. Он вдруг вспомнил о дневнике, который вел ежедневно. Закурил и мысленно представил, что сидит за клавишами ноутбука. Нужно было выговориться, но нужных слов не находилось. И тогда он мысленно обратился к жене, к кому ж еще? Не к Меркулову же...

«Как они меня достали, — проговорил Турецкий. — Как они меня все достали. Такое ощущение, что попал в театр абсурда. Или в крысятник с сумасшедшими крысами. Похоже, я им тут здорово мешаю. Мешаю в чем? Грызть друг друга?.. Ох, идиоты, так и не научились жить по-человечески. В конце концов сожрут друг друга... Может, и к лучшему? На их места придут другие, помоложе да поумнее. Черт их знает. Но ничего, я раскручу это дело. Не для них, для себя. Если не раскручу, вернусь домой неврастеником и окончательно испорчу тебе жизнь, Иришка. Но этого допустить нельзя».

«Плюнь, Турецкий, — словно бы услышал он вдруг насмешливый голос жены. — Относись ко всему легче, иначе никаких нервов не хватит. В конце концов, кто они тебе?»

«Они? Никто».

«Вот видишь. Они для тебя просто тени, черные силуэты из кошмарного сна. Ты проснешься, и их не станет. Они как дым твоей сигареты. Сигарета потухнет, подует ветер, и от дыма не останется следа».

«Красиво ты говоришь, Ирка. Всегда умела красиво говорить».

«Я говорю правду, и ты это знаешь. Брось все и езжай домой. Я по тебе соскучилась».

При воспоминании о жене у Александра Борисович внезапно сдавило сердце. Он понял, что соскучился. Ее тонкое лицо казалось более реальным, чем физиономии тех, с кем ему приходилось встречаться всю последнюю неделю...

Турецкий вздохнул, поднялся со скамейки и побрел по темному тротуару. Внезапно от стены дома отклеилась черная тень.

— Слышь, друг, есть закурить? — спросил хриплый голос.

— Есть. — Турецкий достал из кармана пачку и протянул парню. — Держи!

Парень вышел из тени, и свет фонаря упал ему на лицо. Ворот ветровки парня был поднят и закрывал нижнюю часть лица. На лоб была низко надвинута бейсболка.

— Не жарко тебе? — поинтересовался Александр Борисович. — Вечер-то теплый. Ну? — Турецкий тряхнул пачкой. — Так ты берешь или нет?

— Беру, — сказал парень и коротко, без замаха ударил Турецкого кулаком в челюсть.

Турецкий отшатнулся, но устоял на ногах. Он тряхнул головой и пошел на парня, сжимая кулаки. Но в это время второй удар колоколом ухнул у него в голове. Этот удар пришелся сзади, по затылку.

Александр Борисович сделал несколько шагов вперед, но и на этот раз не упал.

«Двое», — пронеслось у него в голове. Турецкий инстинктивно пригнулся, и деревянная палка просвистела у него над головой. Он бросился вперед и ударил парня в бейсболке головой в живот. Парень отлетел назад и ударился спиной о стену, а Турецкий снова отскочил в сторону, одновременно поворачиваясь ко второму противнику. Тот был поприземистей и пошире в плечах. В руках — палка. Такой же длинный козырек, как и у первого, скрывал его лицо.

Турецкий сунул руку в карман.

— Сделай только шаг, — угрюмо произнес он. — И я тебя на куски порежу.

Сбитый с ног парень поднялся на ноги и, держась рукой за живот, глухо проговорил:

— Он тебя на понт берет. Нет у него никакого ножа.

Парень с палкой шагнул к Турецкому.

— Стоять! — рявкнул Александр Борисович. — Порву на британский флаг!

Он вынул руку из кармана. Лезвие тускло сверкнуло в свете фонаря.

— Он не понтуется, — сказал приземистый. — У него перо.

— Обходи его сбоку, — сказал первый. — Никуда не денется.

Приземистый, однако, мялся в нерешительности. Турецкий тем временем осмотрелся. Он стоял, прижавшись спиной к стене. Один из парней, тот, что с палкой, стоял слева. Второй — справа. Бандиты взяли Турецкого в тиски, бежать было некуда.

— Может, поговорим? — предложил Александр Борисович.

— Не о чем нам с тобой разговаривать, — прорычал приземистый, держа палку наотмашь.

— Ну, челюсти друг другу покрошить мы всегда успеем, — сказал Турецкий и тут же почувствовал с правой стороны челюсти давящую боль. Видимо, синяк будет хороший. — Кто вас нанял?

— Не твоя забота, — сказал приземистый. — Лучше брось перо, а то завалим.

— А если брошу — не завалите? — поинтересовался Александр Борисович.

— Нет, — ответил приземистый. — Просто накостыляем чуток, но жить будешь.

Турецкий сделал вид, что обдумывает предложение, но на самом деле прикидывал расстояние для броска.

— Нет, ребята, — сказал он после паузы, — не пойдет. Я ведь мужик, обидно сдаваться без боя.

— Видал? — вякнул справа тот, что похудее да повыше. — Сдаваться ему западло. А нам не западло? Нам за тебя, харя, деньги заплатили. А мы привыкли отрабатывать бабло. Это вопрос этого... как его...

— Профессионального престижа, — сказал приземистый, делая маленький шажок по направлению к Турецкому.

— Во-во, — качнул козырьком бейсболки худой.

— Слова-то какие знаете, — усмехнулся Александр Борисович.

— А ты не скалься, — гневно проговорил худой. — Будешь скалиться, мы тебе...

Турецкий черной тенью метнулся к приземистому, ловко поднырнул под палку и ударил его левым кулаком в живот и тут же, не давая парню прийти в себя, обрушил правый кулак ему в переносицу. Приземистый упал. Турецкий подхватил с асфальта палку и ринулся на худого. Тот, не ожидая такого расклада, повернулся и бросился наутек. Александр Борисович побежал было за ним, но вовремя остановился, больной сустав снова дал о себе знать.

Турецкий повернулся к приземистому, но тот успел подняться на ноги и, похоже, очухался. Александр Борисович двинулся на него, сжимая палку в руке. Приземистый парень, так же, как несколько секунд назад его худощавый напарник, решил не искушать судьбу. Его ботинки тяжело загрохотали по асфальту.

— Стой! — крикнул Турецкий. — Остановись, придурок!

Но парень не думал останавливаться, и еще через несколько секунд его и след простыл.

Александр Борисович постоял еще немного, сжимая палку в руке, боевой дух все еще бродил в нем, подобно закваске. Сердце жаждало битвы. Но биться было уже не с кем. Турецкий посмотрел на палку, поморщился и, пробурчав: «Идиотизм какой-то», швырнул ее на асфальт.

Сражение было выиграно, но победителем себя Александр Борисович не чувствовал. Вместо того чтобы гнаться за худосочным парнем, нужно было прижать поверженного коротышку к асфальту и выяснить, кто их послал.

— Какого черта... — недовольно пробурчал Александр Борисович. — Веду себя, будто мальчишка.

Он подвигал нижней челюстью и поморщился от боли. Потом осторожно потрогал ушибленное место пальцами. Челюсть слегка припухла. Но, похоже, не критично. Жить можно.

Турецкий отряхнул одежду и побрел в гостиницу. Нужно было послать несколько запросов и вызвать из Москвы Антона Плетнева. Пришла пора положить конец этим «одиноким поискам истины».

22

Антон Плетнев был бодрым, загорелым, энергичным. Завидев приближающегося Турецкого, он едва не кинулся ему на шею.

— Ну-ну-ну, — шутливо осадил его Александр Борисович. — Целоваться с тобой я не собираюсь.

— А я и не требую, — улыбнулся в ответ Плетнев.

Они уселись за столик.

— Унылое какое-то место, — пожаловался Плетнев.

— Окраина города — что ты хочешь. Приличные люди здесь появляются редко. Так, всякий сброд.

— Вроде нас с вами? — усмехнулся Плетнев.

— Ага.

Подошел официант, поставил перед Антоном кружку пива. Молча удалился.

— Хоть бы приятного аппетита пожелал, — хмыкнул Плетнев. — Гостиница-то хоть здесь приличная?

— Без разницы. Тебе все равно не придется в номере торчать.

— Оперативная работа? — деловито осведомился Плетнев.

— Угу. Нужно установить наблюдение за одним человеком.

— Это мы запросто, — кивнул Плетнев. — Но сначала введите меня в курс дела, чтобы я разобрался, что к чему. А то по телефону я мало что понял.

— По телефону я не мог сказать тебе многого, — объяснил Александр Борисович.

— Прослушивают? — вскинул брови Плетнев.

— Вполне вероятно. Здесь на меня объявлена настоящая охота.

Плетнев кивнул на синяк, украшающий челюсть Турецкого, и сказал:

— Я вижу. Хороший удар, поставленный.

— Я рад, что тебе понравилось, — сказал Александр Борисович. — И нечего ухмыляться. Между прочим, их было двое.

— Не сомневаюсь, — все с той же ухмылкой произнес Плетнев. — Они хоть живы?

— Я ведь не садист, — сказал Александр Борисович.

— Да, повезло им, — согласился Плетнев. — Так что тут у вас творится, Александр Борисович? Меркулов сказал, что вы встречались с Татарином.

— Встречался. Только он тут ни при чем.

— Константин Дмитриевич уверен, что при чем, — заметил Антон.

— Это проблемы Константина Дмитриевича, — холодно сказал Турецкий. — Я тебе обрисую ситуацию; если что не поймешь — спрашивай. В общем, дела обстоят следующим образом...

Турецкий потратил десять минут, чтобы рассказать Плетневу обо всем, что творилось в городе в последние несколько дней. Антон слушал внимательно, изредка переспрашивая, если что-то не расслышал или недопонял.

— Ну вот, — закончил Турецкий. — Я тут примелькался, да и дел по горло. Попробую разыскать приятеля Максима Воронова — Устина. Да еще в милицию нужно заскочить, дать «свидетельские показания»... — Александр Борисович усмехнулся. — Думаю, от этих ребят я отделаюсь быстро, но зайти нужно. Ну а потом попытаюсь еще раз поговорить с барменом и найти официанта, который обслуживал столик Воронова. Прошлый наш разговор был слишком спонтанным и поспешным. А тебе придется поводить этого парня по городу. Вот его фотография. — Турецкий вынул из кармана фото компьютерщика Сковородникова и передал Плетневу.

Антон взял снимок, повертел его в пальцах.

— Рожа невзрачная, — резюмировал он.

— Уж какая есть, — усмехнулся Александр Борисович. — Мы с тобой тоже не Жан Габен с Аленом Делоном.

— Когда начинать? — поинтересовался Плетнев.

— Чем раньше, тем лучше. Думаю, эту ночь он проведет дома. А вот с завтрашнего утра он твой. Завтра суббота, офис не работает. Если он куда и выползет, то лишь по личным делам. Фиксируй все встречи и контакты. Фотоаппарат не забыл?

— Обижаете, — протянул Плетнев и легонько хлопнул себя по карману куртки.

— Хорошо. Теперь мы расстанемся. Увидишь меня в гостинице — не дергайся. Запомни: мы не знакомы. Встречаться будем здесь же. За час до встречи набери мой номер и скажи: «Извините, я, кажется, ошибся». Все запомнил?

— Вроде да.

— Ну, тогда бывай.

Турецкий встал из-за стола, пожал оперативнику руку и двинулся к выходу.

— Постойте, Александр Борисович, — негромко окликнул его Плетнев.

— Что еще? — обернулся Турецкий.

— Совсем забыл. Вам тут жена пару слов черкнула. Просила передать.

Плетнев достал из внутреннего кармана куртки сложенный вчетверо тетрадный листок и протянул Александру Борисовичу.

— Вот теперь действительно все, — улыбнулся он, всучив записку Турецкому.

23

Ночью Александр Борисович спал плохо. Нервы расшатались. Когда удавалось заснуть, снились какие-то гадости. Несколько раз Турецкий включал свет и хватал с прикроватной тумбочки сигареты. Однако сигареты не успокаивали, а взвинчивали его еще больше.

В семь часов утра зазвонил мобильный телефон.

— Саня, привет, — раздался в трубке хрипловатый голос Меркулова. — Я тебя не разбудил?

— Разбудил.

— Извини, но ты просил позвонить сразу, как только что-то прояснится.

Турецкий зевнул и поинтересовался:

— Прояснилось?

— Вроде да. Знал бы ты, сколько человек я из-за тебя на уши поставил...

— С меня коньяк.

— Человек десять...

— Не набивай себе цену. Больше, чем на бутылку коньяка, все равно не наработаешь.

Меркулов вздохнул:

— Ладно. В общем, слушай сюда. В городе действительно проживает человек по имени Устин. Вообще-то у вас там целых два Устина...

— Что ты говоришь!

— Да. Но второму всего четырнадцать лет, так что его я сразу исключил. Теперь слушай насчет второго. Зовут — Устин Матвеевич Голубев. Ему тридцать один год. Женат. Жену зовут Оксана. Фамилия, как не трудно догадаться, Голубева.

— Хохлушка?

— Этого я тебе сказать не могу.

— Ну хоть беременна?

Константин Дмитриевич хмыкнул.

— Слушай, Турецкий, я умею добывать информацию, но я не волшебник. Беременна или нет — проверишь сам. В любом случае, других вариантов у нас нет. С Устином этим будь осторожен. В девяносто пятом он служил в Чечне. Получил ранение в руку и был демобилизован.

— Кем работает?

— Держит свою мастерскую по производству мебели. Запиши домашний адрес, я продиктую.

— Говори так — запомню.

Меркулов продиктовал адрес.

— Что про табак? — поинтересовался Александр Борисович.

— Табак... — повторил Константин Дмитриевич.

— Да, табак. Шевели мозгами активней, Костя. Это, кажется, ты меня разбудил, а не наоборот.

— Фу, какие мы капризные. Ладно, слушай про свой табак. Я связался с экспертно-криминалистическим центром ГУВД, передал им образцы, которые ты мне прислал. Пришлось кое с кем пошуметь даже, чтобы сделали срочно — сам же знаешь, у них всегда дел невпроворот...

— Знаю, знаю. Дальше, — поторопил друга Турецкий.

— Табак в обоих случаях один и тот же.

— Точно? — привстал на локте Александр Борисович.

— Точнее не бывает, — ответил Меркулов. — Это датский табак фирмы «Питерсон». Называется «Юниверсати флейк». Если, конечно, я правильно произношу.

— Дорогой?

— Кто?

— Табак, кто!

— А, извини. Что-то я торможу с утра. Нет, недорогой. Скажем так, чуть выше среднего. Рублей двести пятьдесят за пачку. Я специально вечером в магазине посмотрел.

— Вечером? Что же ты вчера не позвонил?

— Поздно было, Саня. Я думал — вдруг ты спишь? Не хотелось тебя будить.

— «Не хотелось будить», — передразнил Турецкий. — А сейчас ты что сделал?

— Ладно, не ворчи. Итак, про табак я тебе рассказал, про Устина Голубева тоже. Вроде все. Дальше действуй сам.

— Спасибо, Кость.

— Спасибо не булькает. Про коньяк не забудь. Две бутылки, как и обещал.

— Насчет второй мы не договаривались, — заметил Александр Борисович.

— Ну, значит, договорились сейчас. Ну, бывай.

Меркулов отключился.

Положив телефон на тумбочку, Александр Борисович достал со стола лист бумаги и ручку и записал:

«Устин Матвеевич Голубев. 31 год. Жена — Оксана».

Затем бросил ручку на тумбочку и снова улегся в постель, намереваясь вздремнуть еще с полчасика.

* * *

Оксана Голубева оказалась невысокой, светловолосой женщиной с родинкой на щеке. Одного взгляда достаточно было понять, что она — та самая Оксана, которая... ну и так далее. Круглый огромный живот женщины ясно говорил, что родов ждать недолго.

— Кого ждете: мальчика, девочку? — с улыбкой поинтересовался Турецкий, поздоровавшись с девушкой.

— Мальчика, — улыбнулась она в ответ. — Вы к Устину?

— Да. А он дома?

Оксана покачала белокурой головой:

— Нет. С утра возится в мастерской.

— Это далеко? — спросил Александр Борисович.

— Вообще-то нет. — Только тут в ней проснулась подозрительность. — А вы, простите, по какому вопросу? — Она прищурила голубые, незамутненные мыслью глаза.

— Да вот, слышал, что Устин делает хорошую мебель. Хотел заказать ему стол.

— Стол? — Она нахмурила бровки. — Так он столы не делает. Он в основном кухонные шкафы.

— Ну, хороший шкаф мне тоже не помешает, — быстро нашелся Александр Борисович. Он кивнул на живот девушки: — Самое лучшее время в жизни женщины. Долго еще носить?

Оксана снова расплылась в улыбке:

— Недели три. А может, и раньше.

— Совсем недолго. С клиникой уже определились? В наше время это очень важно.

— Да, я знаю, — кивнула Оксана. — Но я не здесь хочу рожать. У меня в Днепропетровске мама и сестра, поеду к ним.

— Да, так будет лучше, — согласился Александр Борисович. — Ладно, не буду вам мешать. Так где, говорите, у Устина мастерская?

— А он вам разве не сказал? Да прямо тут, во дворе. Он же бывший гараж под мастерскую переделал. Там теперь и пропадает целыми днями. Пообедать только приходит, а потом уже вечером. Как выйдете из подъезда, сразу налево, пройдете метров двадцать и направо. Увидите гаражи из белого кирпича. У него третий слева. Да там наверняка дверь будет открыта, на улице ведь тепло. Там еще табличка есть, но ее надо подкрасить.

— Хорошо. Спасибо, что подсказали. И удачи вам с ребенком!

24

Мастерскую Александр Борисович нашел сразу. Все было так, как рассказывала Оксана. Третий гараж слева, открытая железная дверь и маленькая табличка с затертыми буквами. Он заглянул в гараж, ожидая, что там будет мрачно и грязно. Однако внутри было очень даже недурно. Настоящий цех по производству мебели — чистый, светлый. На стенах — длинные ряды стеллажей, уставленные инструментами. У дальней стены — штабеля пиломатериалов и кое-какие заготовки. За токарным станком, стоя спиной ко входу, работал высокий мужчина.

— Эй, командир! — окликнул его Александр Борисович.

Мужчина обернулся, увидел Турецкого и выключил станок.

— Добрый день, — поприветствовал его Турецкий. — Кухни здесь делают?

Мужчина неторопливо снял токарные очки и посмотрел на Турецкого.

— Ну, делают, — сказал он. — А вам зачем?

— Я хочу заказать вам мебель, — сказал Турецкий.

— Да ну? — Мужчина взял со стола тряпку и тщательно вытер руки. Затем небрежно швырнул ее в коробку для мусора и так же небрежно поинтересовался: — А вы как обо мне узнали-то?

— А это имеет значение?

Он усмехнулся:

— Нет, просто интересно.

Турецкий прикинул — стоит ли дальше играть в эту игру или лучше открыть карты? Второе показалось предпочтительней.

— Вас зовут Устин, не так ли? — сказал он тогда.

Мужчина прищурился и окинул фигуру Александра Борисовича недоверчивым и любопытным взглядом.

— Я-то Устин, а вот вы что за ком с горы? — пробасил он.

— Я старый знакомый вашего друга Максима Воронова. Помните такого?

— Воронова? Не знаю такого.

Вероятно, изготовителем мебели Устин был неплохим, но актером — отвратительным. Турецкому сразу стало ясно, что Воронова он знает.

— Я хочу поговорить с вами, — сказал Александр Борисович. — Вы не против?

— Смотря о чем будем беседовать. Может, расскажете мне о вашем приятеле... как, вы сказали, его зовут?

— Максим Воронов. Не зовут, а звали. Он умер. Вернее — его убили.

— У... убили? — Устин раскрыл рот. Затем судорожно сглотнул слюну и сказал: — Вы что-то путаете. Он умер. Сам. Ну то есть не сам, а от сердца. У него был приступ, даже в газете об этом писали. В разделе «Происшествия». Я сам читал!

— Вы всегда верите тому, что пишут в газетах?

— Я?.. — Устин снова сглотнул слюну. — Нет. Но... — Внезапно он подозрительно прищурился. — Вы что, какой-нибудь следователь?

— С чего вы взяли?

— Вы меня подловили. Раскрутили меня на признание.

— Вы сами себя раскрутили, — сказал Турецкий. — Но бояться вам нечего. Я не следователь, я лицо частное. Все, что вы мне расскажете, останется между нами.

— Вот как, — неопределенно проговорил Устин. — Ну, если ты лицо частное, тогда какого черта я вообще буду тебе что-то рассказывать?

— Ответ прост. До того, как я стал частным лицом, я был старшим следователем Генеральной прокуратуры. С работы я ушел, но связи, понятное дело, сохранил. Вы все поняли или мне продолжить?

Устин посмотрел на Турецкого исподлобья — посмотрел мрачно и недружелюбно.

— Выходит, вы мне угрожаете, правильно я понял? — пробасил он.

— А разве можно понять иначе? — холодно осведомился Александр Борисович.

Несколько секунд Устин молча смотрел на Турецкого, затем хмыкнул и двинулся к выходу. Он прошел мимо Александра Борисовича и на ходу небрежно проронил:

— Пошли на лавочку. Покурим. Здесь нельзя.

Турецкий двинулся вслед за ним. Лавочка, о которой говорил Устин, располагалась метрах в двадцати от мастерской. Устин уселся на крашеные доски и достал из кармана комбинезона пачку сигарет. Протянул ее Турецкому:

— Куришь?

— Да, спасибо.

Турецкий вынул сигарету и вставил в рот. Дал Устину прикурить от своей зажигалки, затем прикурил сам. Затянувшись, Устин поднял голову и, щурясь, посмотрел на солнце.

— Славная сегодня погода, — сказал он.

— Да, неплохая, — согласился Александр Борисович.

Устин отвернулся от солнца, вздохнул и как-то скомканно проговорил:

— Даже не знаю... не знаю, о чем тебе... жалко парня, вот что.

— Вы о Воронове? — спросил Александр Борисович, покосившись на Устина.

— О нем, — сказал тот, все еще морща лоб и собираясь с мыслями. — Я, ты понимаешь, с детства с ним знаком. Был знаком. В школе были приятелями, да и после. Когда я мастерскую соорудил, хотел его к себе перетянуть, партнером сделать. Но он, ясное дело, ни в какую. Не для него это занятие.

— Отчего же так?

Устин удивленно посмотрел на Александра Борисовича.

— Так ты его точно знал? — недоверчиво спросил он.

— Знал, — ответил Турецкий. — Не так хорошо, как ты, но знал.

— Тогда чего спрашиваешь? Максим — он вон какой был. Вячеслав Тихонов в молодости! Только еще красивей. Такие парни у станка не стоят и с шуруповертом не возятся. У таких парней иное предназначение.

— Какое? — поинтересовался Турецкий.

— По бабьему делу — вот какое, — сказал Устин. — У каждого свой талант. У меня шкафы делать, у тебя вон — бандитов ловить. Ну, а у него — бабам нравиться. Ведь талант — он от Бога, так?

— Так, — согласился Александр Борисович.

— Ну вот, — кивнул Устин. — А у него красота была от Бога. Как талант. Каждому свое, так уж устроен мир, — заключил мебельщик.

Турецкий посмотрел на часы и сказал без тени усмешки:

— Все это очень интересно. Но у меня нет времени на разговоры об устройстве мироздания. Максим Воронов погиб. И его смерть связана с образом жизни, который он вел.

— С бабами-то? — прищурившись, уточнил Устин.

— Возможно, — ответил Александр Борисович. — Но я хочу поговорить о другой стороне его жизни.

— Не о бабах? — снова уточнил Устин.

На этот раз Турецкий не удержался от улыбки. Он качнул головой и сказал:

— Нет, не о бабах. О более серьезных вещах. Ты хорошо знал Воронова и, вероятно, знал, чем он зарабатывал себе на жизнь?

— Так ведь ты сам не...

— О бабах мы сейчас не говорим, — прервал Устина Александр Борисович, слегка уже раздражаясь. — Воронов играл и в другие игры. Причем в очень серьезные и рискованные, в те игры, за которые убивают.

Говоря это, Турецкий внимательно разглядывал Голубева и снова не прогадал. Устин слегка побледнел и особенно сильно затянулся своей куцей, истлевшей до самого фильтра сигареткой. Устин закашлялся, швырнул окурок на землю и сплюнул.

— Дерьмо, — коротко сказал он.

— Дерьмо это то, чем вы занимались с Вороновым, — сухо сказал Александр Борисович. — Воронов был шантажист, за это его и прибили. Ты работал с ним в паре. Возможно, тебе тоже недолго осталось коптить воздух. У тебя должен родиться мальчик? Так вот, мальчику этому расти без отца. Если, конечно, Оксане через годик-другой не подвернется приличный и честный человек. Не такой, как ты.

Устин тяжело задышал. Он смотрел на Турецкого с нескрываемой ненавистью.

— Полегче, — угрюмо проговорил Устин.

— Полегче только с бабой в постели бывает, — в тон ему ответил Александр Борисович. — И то, если баба покладистая попадется. У меня мало времени, Устин. Я намерен найти убийцу Воронова и спасти твою никчемную жизнь. Ради твоей жены и будущего сына. Лично на тебя мне плевать. Но они не заслуживают такого дерьма.

— Я могу сам о них позаботиться, — угрюмо сказал Устин.

— Теперь уже нет, — возразил Турецкий. — Воронова убил не какой-нибудь шпаненок, его убил профессионал, который не оставил следствию ни одной улики. Ну, или почти ни одной, — вынужден был оговориться Александр Борисович, вспомнив о табачных крошках. — И либо ты расскажешь мне о том, чем вы занимались с Вороновым, либо я отправлю тебя в камеру. Чтобы спасти тебя, дурака, от смерти. Лучше ты почалишься на нарах пару-тройку лет, чем оставишь жену вдовой и ребенка сиротой.

— Да чего ты ко мне пристал?! — вспылил вдруг Устин. — Не занимался я ничем таким! Один раз Макс мне предложил... велел пойти и сфотографировать какого-то мужика, так я и этого сделать не смог. Только фотоаппарат достал, как за мной телохранители погнались. Еле ноги унес. После этого я Максу прямо сказал: уволь, говорю, больше я этим не занимаюсь. На тебе твой фотоаппарат и что хочешь со мной делай. Вот и все. А то нары, нары... Зачем человека зазря пугать?

«Так-так, — подумал Турецкий, поглядывая на Устина. — Похоже, не врет. И наверняка ничего не знает. Зря только время на него потратил. Ну да черт с ним, попытка не пытка. Попробуем еще разок».

— Максим ввязался в нехорошее дело, — сказал Турецкий. — Он был очень рисковым?

— Макс-то? — Устин подумал и покачал головой. — Нет, впустую не рисковал. Но за большие деньги, это да, рискнул бы. Деньги он очень любил. Больше, чем баб.

— Видимо, дело было крупное, раз он решил рискнуть, — сказал Александр Борисович, протягивая мебельщику сигарету.

Они снова закурили, теперь уже как старые знакомые.

— Расскажи мне про это крупное дело, — попросил Александр Борисович. — Ты наверняка должен был что-то слышать.

— Да я немного слышал-то, — ответил Устин. — Макс что-то говорил про выборы.

— Про выборы? — быстро уточнил Турецкий.

Мебельщик кивнул:

— Угу. Там какая-то грязная история вроде была. — Устин усмехнулся и покачал головой. — Если правильно помню, жена одного кандидата с другим кандидатом в постели покувыркалась. А Максим это заснял.

Турецкий слушал внимательно, не веря своим ушам.

— Как зовут этих кандидатов? — поинтересовался он.

— Зовут-то?.. — Устин наморщил лоб. — Нет, пожалуй, не скажу.

— Не помнишь?

— Вообще не знаю, — ответил мебельщик, вздыхая. — Хотел я тогда фамилии спросить, но Бог уберег. Думаю, ну его к лешему, чего я буду связываться. Меньше знаешь, крепче спишь. — Устин повернулся и посмотрел на Турецкого. В глазах его мелькнула догадка. — Так это... может, я потому только и жив, что спрашивать не стал?

— Может, может, — ответил Александр Борисович без энтузиазма. Он все-таки надеялся, что мебельщик сообщит ему имена, и теперь был здорово разочарован. — Что-нибудь еще вспомнишь?

— Нет, — ответил Устин. — Ничего больше не смогу тебе сказать, хоть и хотел бы. Ты зря думаешь, что я такой подонок и что мне на все плевать. Я Макса любил, как брата. Знал бы, кто его убил, сам бы голову оторвал. — Устин посмотрел на Турецкого тяжелым взглядом. — А ты сам-то часом не знаешь?

— Нет, — ответил Александр Борисович.

— А подозреваешь кого?

Александр Борисович невесело усмехнулся:

— Подозреваю. Беда в том, что подозреваемых слишком много. Но теперь, думаю, круг сузится. Искать осталось недолго.

Турецкий встал со скамейки.

— Ты сообщи, когда найдешь, — попросил, глядя него снизу вверх, Устин. — Хочу в рожу убийце посмотреть. Запомнить получше.

— Зачем тебе? — удивился Александр Борисович.

— Да как тебе сказать... Земля-то ведь круглая. Может, когда и свидимся. Вот тогда я с ним и потолкую, порасспрошу, что да как.

Некоторое время Турецкий пристально смотрел на Устина, затем отвел взгляд и сказал:

— Странный ты человек, Устин Голубев. Неожиданный. Ладно, бывай.

На том и расстались.

* * *

В баре царил все тот же полумрак. Полированная стойка тускло отсвечивала в свете треугольных жестяных ламп. Александр Борисович расположился на высоком стуле и окликнул бармена. А когда тот подошел, сказал:

— Привет, дружище! Сделаете мне свой фирменный коктейль?

— А, это вы, — узнал его бармен. — Запросто.

— Рецепт-то не забыли?

— Я никогда не забываю рецепты, — ответил бармен.

Он принялся смешивать коктейль. Турецкий немного полюбовался его ловкими, изящными движениями и заговорил снова:

— Вы помните наш разговор?

— О парне с сумкой? — не отрываясь от работы, спросил бармен.

— Да. О человеке, которого нашли мертвым в туалете.

Бармен на мгновение поднял голову и быстро глянул на Александра Борисовича.

— Так его убили? — проговорил он.

— Похоже на то, — ответил Турецкий.

Бармен закончил работу и поставил перед Александром Борисовичем высокий стакан с коктейлем.

— Держите.

Отхлебнув коктейля, Турецкий почувствовал себя лучше. Мрачные мысли стали отходить куда-то в сторону.

— Отличная вещь, — похвалил Александр Борисович. — Теперь буду специально приезжать в ваш город, чтобы попить коктейля. Если, конечно, какой-нибудь московский ресторатор не переманит вас в столицу.

— А вы мне сделайте рекламу, — усмехнулся бармен. — Расскажите друзьям. Может, кто и заинтересуется.

— Обязательно, — пообещал Александр Борисович. Он сделал еще глоток и сказал: — Я вот что хотел спросить. За столиком с Вороновым... с тем парнем, который умер... сидел человек в темных очках. Так?

— Так, — кивнул бармен, протирая стаканы мягкой тряпочкой.

— Вы говорили, что плохо разглядели его. И всё-таки попытайтесь вспомнить. Меня интересует всего одна деталь.

— Какая?

Александр Борисович слегка наклонился вперед.

— Этот мужчина в очках — он курил?

Бармен замер с тряпочкой и стаканом в руках. Он задумчиво сдвинул брови, пытаясь припомнить. Александр Борисович ждал, не сводя с него пытливого взгляда.

— Курить-то, наверное, курил... — задумчиво проговорил бармен. — Но я...

Он вдруг посмотрел куда-то в сторону и громко позвал:

— Илья!

Молоденький официант, проходивший мимо, остановился и вопросительно на него посмотрел.

— Слушай, — обратился к нему бармен, — ты уж прости, что я тебя подставляю, но тут дело очень важное. Помнишь того парня, который помер в клозете?

Лицо юноши помрачнело.

— Я же тебя просил, — тихо процедил он, почти не разжимая губ.

— Он не из милиции, — сообщил парню бармен. — Скажи ему пару слов, и всё.

— Я уже говорил! И не хочу больше об этом вспоминать.

В холодном лице официанта появилась горечь. Было видно, что воспоминание о смерти человека доставляет ему боль. Турецкий поразился — за последние дни он позабыл, как должна выглядеть нормальная человеческая реакция на горе, которое случилось с другим человеком. В этом городе он сталкивался только с цинизмом и безразличием. Всем на всех было плевать. Но только не этому парню. Человечность официанта тронула его.

— Простите, что напоминаю вам о том случае, — заговорил Александр Борисович. — Но это вынужденная необходимость.

Парень неприветливо посмотрел на Турецкого.

— Что? — спросил он. — Что вы хотите знать?

— Насколько я понимаю, вы обслуживали их столик? — уточнил Турецкий, не сомневаясь в ответе.

— Да, обслуживал, — нехотя ответил официант. — Но я ничего не помню. Я даже лиц их не разглядел. Если бы я помнил, я бы сразу все рассказал.

— Он не про лица хочет спросить, — снова встрял в разговор бармен.

— Правда? — официант посмотрела на бармена, затем перевел взгляд на Александра Борисовича. — Тогда про что?

— Как вас зовут, я не расслышал? — поинтересовался Турецкий.

— Илья, — представился официант.

— Илья, постарайтесь вспомнить: мужчина в темных очках, — он курил?

— Я не...

— Только не спешите с ответом, — предостерег его Александр Борисович. — Вы наверняка меняли пепельницу и, может, даже несколько раз.

— Вспомни, Илюш, это очень важно, — попросил бармен.

Турецкий покосился на него. «Очень важно». Откуда этому бармену знать, что важно, а что нет? Впрочем, молодец.

— Вы знаете... — медленно заговорил официант, отчего-то смущаясь. — Я подходил к их столику... Несколько раз. Тот парень... ну, тот, которого нашли мертвым... он попросил меня разменять сто долларов. У меня были мелкие купюры, и я разменял.

— А при чем тут размен? — с легким недоумением спросил бармен, протирая стакан.

Юноша метнул на него сердитый взгляд, снова повернулся к Турецкому и сказал:

— Мне кажется, парень просто хотел, чтобы я проверил банкноту — фальшивая или нет.

«Стобаксовая бумажка из выкупной пачки», — понял Турецкий.

— Спасибо, — сказал он. — Это очень ценная информация. Банкнота оказалась настоящей, так?

Официант кивнул:

— Да. Я ее проверил.

— Что вы еще помните?

— Этот человек... Ну, тот, который в темных очках... он курил. Но не сигареты. — Веки официанта дрогнули, и он сказал: — Он курил трубку. Да, точно! Трубку!

— Как у Шерлока Холмса? — быстро спросил Александр Борисович.

Юноша медленно покачал головой:

— Н-нет... Пожалуй, нет. У него была другая. Такая черная и вся... как будто жеваная. Или обугленная. Неровная вся такая. — Официант пожал плечами: — Не знаю, как это называется.

— Неровная... — тихо повторил Турецкий.

— Я понимаю, о чем он, — сказал бармен. — Вероятно, это была рустированная трубка. У ней чашечка рифленая, правильно? — обратился он к официанту.

— Чашечка? Ну да.

— Ну вот, — сказал бармен. — Это рустированная трубка. У меня двоюродный брат такую же курит.

— Дорогая? — спросил у него Турецкий.

— Точно не скажешь. Они бывают либо очень дешевые, либо дорогие. Дешевые, потому что, рустируя чашечку, легче скрыть дефекты древесины. А дорогие, это когда чашечку специально обрабатывают — для красоты. Так сказать, для эстетики.

— Ясно, — кивнул Александр Борисович. — Что ж, спасибо вам. Даже не знаю, что бы я без вас обоих делал.

— Не за что, — пожал плечами официант и отправился по своим делам.

Александр Борисович допил коктейль. Уходя из бара, он расплатился с барменом, оставив щедрые чаевые.

ЧАСТЬ ТРЕТЬЯ

ГОРДИЕВ УЗЕЛ ОТНОШЕНИЙ

1

— Будьте добры, «Мир компьютеров».

Неуклюжая фигура системного администратора склонилась над окошечком газетного киоска.

— У вас мельче не будет?

— Не держу, — усмехнулся сисадмин.

Продавщица, вздыхая и сердясь, отсчитала ему горстку мелочи и небрежно швырнула ее в пластиковую чашечку.

— А повежливее нельзя? — ворчливо поинтересовался сисадмин, соскребая монетки толстыми красными пальцами.

— Не нравится — не берите, — отрезала киоскерша.

— Черт-те что творится, — пробурчал сисадмин, пересыпая мелочь в карман бесформенного джинсового пиджака, больше похожего на синий лабораторный халат. — Скажите спасибо, что я сегодня добрый.

— А то бы что? — с вызовом спросила продавщица.

— А то бы нашел способ уволить вас отсюда. У меня весьма влиятельные друзья, уж будьте уверены.

— Нашел чем напугать! Да я сама отсюда давно бы ушла, если бы не упросили остаться. Кто вместо меня тут работать будет — ты, что ли, толстый боров?

Сисадмин не ожидал от продавщицы такого «штурма и натиска», а потому ретировался, обиженно бубня:

— Я вам не толстяк... Вы не смеете оскорблять... Я интеллектуал, а вы — никто...

— Чего-о? — протянула киоскерша и даже высунулась из киоска. — Я тебе покажу «никто». А ну пошел отсюда, бомж бородатый! Давай-давай, пока милицию не вызвала!

Слова про милицию подействовали на неуклюжего сисадмина несколько отрезвляюще. Он свернул журнал в трубку, втянул голову в покатые плечи и быстро зашагал прочь от киоска.

— И чтоб я тебя здесь больше не видела! — кричала ему вслед киоскерша. — Ишь, развелось хулиганья!

Прежде чем свернуть за угол дома, сисадмин остановился и крикнул, потрясая в воздухе свернутым в трубку журналом:

— Это черт знает что! Я на вас найду управу!

Затем снова вжал голову в плечи и быстро скрылся за углом.

Сисадмина звали Марк Сковородников. Он шел по улице странной, неровной походкой — то мелко и размеренно семеня, то вдруг рывком бросаясь вперед, словно нырял в воду. Причиной странного поведения сисадмина Сковородникова было то, что он сегодня не стесняясь и по-скотски напился. Выпил целых две бутылки пива! Учитывая тот факт, что Сковородников обычно пьянел от одного запаха спиртного, две бутылки пива вполне можно было назвать лошадиной дозой.

Причина у Марка была уважительная. Но уважительность эта была такого рода, что Сковородников никогда и никому о ней не рассказал бы. Слишком интимно. Шагая по тротуару, Марк представлял себе поочередно то лицо Хозяина, то лицо женщины, свидания с которой он ждал с таким трепетом, словно от этого зависела вся его жизнь. И в зависимости от того, чье лицо вставало перед хмельным взором Сковородникова, он то бежал вперед, сгорая от нетерпения и рискуя сломать себе шею, а то вдруг принимался мелко, спешно и неровно перебирать ногами, как старый, растолстевший осел, которого вели на убой и который, трепеща волосатыми ноздрями, чувствовал запах крови.

Итак, Сковородников шел по тротуару с журналом в руке. А за ним, буквально в десяти шагах, шел частный детектив Антон Плетнев, который, подстраиваясь под странную походка «объекта», вынужден был также менять свой аллюр с галопа на рысцу и обратно.

Антон водил сисадмина уже полчаса. За это время тот успел повздорить не только с киоскершей, но и с парнем-мотоциклистом, который не захотел уступить ему дорогу, с хозяином мопса, который (мопс, а не хозяин) попытался ухватить сисадмина за штанину. Ни одна из этих схваток не закончилась для Сковородникова победой. Отовсюду он поспешно ретировался, пытаясь уберечь остатки своей чести.

День явно не задался для Макса Сковородникова, но, похоже, он не отчаивался. Плетнев предполагал, что впереди сисадмина ждет важная встреча или приятная новость, да такая, что перед ней меркнут все невзгоды сегодняшнего дня.

И Плетнев не ошибся. Примерно через двадцать минут после сражения с киоскершей Сковородников остановился перед кофейней «Бразилиа», как-то воровато глянул по сторонам, затем вдруг приосанился, поправил ворот джинсового пиджака, пригладил ладонью жирные волосы и лишь после этого шагнул внутрь.

Плетнев последовал за ним.

В кофейне было светло и чисто, пахло свежесваренным кофе. На полках красовались старые фотографии в деревянных рамочках, на стене (непонятно почему) — советские производственные плакаты.

Сковородников тем временем вышагивал к одному из столиков, держа свернутый в рулон журнал под мышкой и продолжая на ходу поправлять свой странный мятый джинсовый костюм.

Наконец он остановился перед одним из столиков. За столиком сидела женщина. («Что и требовалось доказать!» — с удовлетворением подумал Антон Плетнев.) Она была не слишком свежа и юна, но все еще хороша собой. Этакая ухоженная сорокалетняя кошечка, давно позабывшая о том, что в жизни бывают не только модные журналы и дорогая косметика, но и грязные тарелки с остатками жареной картошки.

Женщина протянула сисадмину руку. Вместо того чтобы пожать эту руку, он как-то нелепо изогнулся и чмокнул ладонь толстыми маслянистыми губами.

Женщина улыбнулась, но Сковородников, будучи чрезвычайно наблюдательным человеком, заметил, что ей это проявление нежности не пришлось по душе.

Женщина указала сисадмину на стул напротив себя, и он наконец-то уселся. Антон Плетнев расположился за соседним столиком, взял меню и навострил уши.

— Вы не опоздали, — сказала женщина, — я удивлена.

— Вы же знаете, что в прошлый раз меня задержало начальство, — виновато и вместе с тем с жалостливым упреком проговорил Сковородников. — Если бы все зависело только от меня, я бы прилетел сюда за час до встречи — на крыльях страсти!

— Вот оно что, — задумчиво сказала женщина. — Вы, оказывается, пьяны. А я почему-то думала, что вы трезвенник.

— Я вынужден был выпить, — тем же виноватым голосом признался Сковородников. — Чтобы успокоить нервы.

— Успокоили? — холодно осведомилась женщина.

— Да. То есть... нет. Все это слишком необычно для меня.

— Что именно? — мягко спросила женщина.

(Антон сидел к паре спиной, поэтому не видел выражения их лиц.)

— Все, — ответил сисадмин. — Я давно не сидел в кофейне с красивой женщиной. Да чего уж там... никогда не сидел. И никогда не думал, что такая красавица, как вы, заинтересуется мной.

— Вы себя недооцениваете, Марк. Конечно, вы не красавец, но ведь женщины любят не только красавцев. Вы добрый, надежный. Мне с вами легко.

— А мне не очень, — грустно признался Сковородников. — Вы знаете, с момента нашей первой встречи меня не покидает странное ощущение... Не знаю, как вам объяснить... Как будто все это происходит не со мной, а с кем-то другим, а я... я лишь наблюдаю за этим со стороны.

— Вам пора избавляться от комплексов, Марк. Закажете что-нибудь?

— Даже не знаю... В принципе, я сыт.

— Ну тогда возьмите мне чего-нибудь выпить. Какой-нибудь некрепкий коктейль. Да и себе тоже.

— Хорошо, я закажу.

Сковородников поднял руку и щелкнул пальцами, как это делают в кино ухари. Отчетливого щелчка не получилось, и сисадмин стушевался.

— Официант! — слабо позвал он. — Официант!

Официант прошел было мимо, не обратив на Сковородникова никакого внимания, но тут в дело вмешалась сама женщина.

— Эй, любезный! — веско и властно позвала она. — Подойдите-ка сюда!

Официант тут же возник перед столиком и замер в подобострастной позе.

— Дай мне «Морской бриз», а моему спутнику — бокал безалкогольного пива, — распорядилась женщина.

— Что-нибудь еще? — осведомился официант.

— Пока нет. Сделаете быстро — получите хорошие чаевые.

Официант испарился, да так быстро, что Антон Плетнев не успел ничего заказать. Он досадливо крякнул и слегка повернулся, закинув руку на спинку стула, чтобы видеть Сковородникова и его спутницу. Впрочем, лица сисадмина Плетнев не видел — тот сидел спиной. А вот женщину разглядел очень даже хорошо, хотя бросил на нее лишь несколько незаметных, мимолетных взглядов. Плетнев достал мобильник и, делая вид, что набирает номер, незаметно сфотографировал женщину.

Вскоре официант поставил перед Сковородниковым и его спутницей напитки, а Плетнев, воспользовавшись моментом, заказал себе чашку кофе. После чего разговор за соседним столиком продолжился.

— Вы принесли то, что обещали? — спросила женщина.

— Да, Елизавета...

— Просто Лиза, мы ведь договаривались, — поправила сисадмина женщина.

— Да, Лиза.

Сковородников достал из бокового кармана своего джинсового «халата» пластиковую папку и положил ее на стол. Женщина тут же взяла ее, быстро раскрыла и быстро просмотрела.

— Ну как? — робко спросил Сковородников, отхлебнув безалкогольного пива.

— На этот раз негусто, — с явным сожалением сказала женщина.

— У меня не было возможности. Этот щенок, про которого я вам рассказывал... Толик Азизов... по-моему, он шпионит за мной.

— Марк, вы слишком мнительны. Зачем кому-то за вами шпионить?

— Я не знаю, но этот молокосос стал приходить на работу к восьми утра. Раньше он и к десяти не всегда доползал. Мне это кажется подозрительным.

— Марк, Марк, — с улыбкой произнесла женщина. — Вы слишком пугливы и чувствительны для ваших габаритов.

— То, что полные люди толстокожие и бесчувственные, это миф, — обиженно сказал Сковородников. — Я такой же чувствительный, как и вы, Елизавета... Лиза. Может быть, даже чувствительней.

— Не сомневаюсь. — Женщина убрала пластиковую папку в свою сумочку. — Я вижу, вы на меня обиделись, — мягко сказала она. — Вы не должны на меня обижаться. Вы ведь знаете, как я к вам отношусь.

— Не знаю. В этом-то все и дело, что не знаю. Вы вскружили мне голову, Лиза, и я... В какой-то момент я и правда поверил, что вы... Что мы с вами...

Сковородников осекся, захлебнувшись нахлынувшими чувствами. Он схватил руку женщины и снова с чувством ее поцеловал.

— Ну-ну-ну, будет вам. — Женщина хотела отдернуть руку, однако сисадмин ее удержал. Тогда она сказала строго: — Никаких вольностей в общественных местах. Не дай бог, нас кто-нибудь увидит.

— А мне плевать, — восторженно произнес Сковородников, держа тонкие пальцы женщины в своих пальцах-сардельках. — Я опьянен чувством. Это для меня так ново!

— Да перестаньте же вы, сумасшедший! — снова осадила сисадмина женщина и вырвала-таки руку.

— Но ведь вы обещали... — В голосе Сковородникова послышались недовольство и даже угроза. Видимо, пиво все еще бродило в его вялом организме. — Вы сказали, что позволите мне...

— Позволю, — сказала она. — Но не сегодня. Попробуйте завтра добыть материалы по прошлогодним сделкам. Уверена, там будет много темных моментов. Сумеете — и я сделаю все, что вы захотите.

Сисадмин тяжело задышал.

— Все? — переспросил он прерывающимся от возбуждения голосом.

Женщина улыбнулась:

— Абсолютно. А теперь мне пора. — Женщина встала из-за стола. — Заплатите за напитки, хорошо?

— Да. Да, конечно. Но я хочу вас проводить!

Она покачала головой:

— Нет. Не сегодня. Слишком много посторонних глаз. До встречи!

Ухоженная красавица нагнулась и быстро поцеловала Сковородникова в лоснящуюся щеку. А через несколько секунд ее уже не было в зале.

2

Александр Борисович посмотрел на Плетнева недовольным взглядом.

— Явился не запылился, — сказал он. — Чего так долго?

— Машину не мог поймать, — ответил Плетнев, усаживаясь за столик. — В эту глухомань никто не едет. Ума не приложу, как они тут выживают. Клиентов-то почти нет. Деньги, что ли, отмывают?

Турецкий пожал плечами и кивнул на свое овальное блюдо, посреди которого красовался едва тронутый сочный шашлык на шампуре.

— Заказать тебе? — спросил Александр Борисович.

Плетнев скорчил мину и покачал головой:

— Да нет, я с полчаса назад пару хот-догов перехватил. До сих пор живот полный.

— Ты сам себе враг, маленький Буратино. Ну а как насчет вина?

— Я вино не пью, — равнодушно сказал Плетнев. — Для меня оно все равно что сок.

— Как знаешь. Что ж, приступим. Ты рассказывай, а я буду расправляться с этим красавцем.

Турецкий взял в руки шампур, а Плетнев начал рассказ. Александр Борисович ни разу его не перебил, лишь методично двигал челюстями да запивал время от времени шашлык сухим красным вином.

К тому моменту, как Александр Борисович съел последний кусок мяса, Плетнев закончил рассказ и откинулся на спинку стула с видом человека, честно выполнившего сложную и нудную работу.

— Вот, значит, как, — сказал Турецкий и отодвинул от себя пустое блюдо. Он сдвинул брови и задумчиво побарабанил пальцами по столу.

— Что скажете? — поинтересовался Плетнев.

— Скажу, что ты молодец. Отлично поработал. Как, ты сказал, зовут эту женщину?

— Елизавета. Лиза. А, черт, совсем забыл! У меня же есть ее фотография.

Антон достал из кармана мобильник и, пощелкав по клавишам, показал дисплей Турецкому.

— Хороша, правда? — улыбнулся он.

— Да, недурна, — кивнул Александр Борисович, разглядывая снимок, сделанный встроенной фотокамерой телефона. — Знаешь, кто это? Елизавета Петровна Мохова. Собственной персоной.

Брови Плетнева взлетели вверх.

— Подождите, Александр Борисыч... То есть вы хотите сказать, что это... его жена? Жена нашего клиента — Виктора Мохова?

— Да, Антоша, именно это я тебе и говорю. — Турецкий торжествующе улыбнулся, допил залпом вино и поставил стакан на стол. — Дуй сейчас к дому Моховых и погуляй там пару часов.

— А как же Сковородников?

— Сковородников нам больше не нужен. Мы знаем, на кого он работает. Но мы не знаем, на кого работает Елизавета Петровна. И какого черта ей понадобилось собирать компромат на родного мужа. — Турецкий, прищурившись, посмотрел на Плетнева. — Именно это тебе и предстоит выяснить, Антон. Кстати, возьми напрокат машину. У меня знакомый в прокатной конторе. Пока будешь добираться, я ему позвоню и все объясню. Долго тебя там оформлять не будут. Ну? — Александр Борисович нахмурился. — Чего сидишь? Действуй!

Плетнев нехотя отклеился от стула.

— А вы? — спросил он.

— А я закажу себе еще одну порцию шашлыка, — сказал Турецкий и улыбнулся коллеге самой обворожительной из своих улыбок.

3

И снова Плетневу повезло. Он не ждал и часа, как дверь подъезда распахнулась и на улицу вышла высокая женщина, одетая в молодежном стиле: джинсы, высокие сапоги, обтягивающие тонкие щиколотки, черная курточка, кепи и темные очки. Маскарад был отличным, но Антон сразу ее узнал. Елизавета Петровна Мохова собственной персоной. «И все-таки чертовски привлекательная баба», — подумал Плетнев, наблюдая за Моховой из окна взятого напрокат автомобиля.

Елизавета Петровна тем временем села в белую «бэху».

«Бэха» вывернула со двора, и Плетнев аккуратно, стараясь сильно не отсвечивать, покатил за ней следом.

С полчаса они колесили по городу — Мохова впереди, Плетнев за ней. Наконец белая «бэха» остановилась возле серой, невзрачной пятиэтажки. Антон припарковал свою «восьмерку» неподалеку и достал из бардачка небольшой бинокль.

В бинокль он увидел, что Елизавета Петровна звонит кому-то по телефону. Дозвонилась. Говорит. Говорит яростно и вспыльчиво. По всей вероятности, сильно чем-то недовольна. Ну-ну, говори, красавица. А мы подождем да понаблюдаем.

И вот тут-то Плетнев заметил, что, разговаривая по телефону, Елизавета Петровна бросает наверх быстрые взгляды, слегка наклонив голову к оконному стеклу и почти касаясь этого стекла своей нежной, загорелой щекой.

Плетнев отвел бинокль от глаз и посмотрел на дом. Затем снова прижал окуляры бинокля к глазам, однако на этот раз он смотрел не на Мохову, а наверх.

— Вот оно что, — тихо проговорил Плетнев, разглядывая мужчину, стоящего на балконе третьего этажа. Мужчина прижимал к уху трубку. Он был одет в темный банный халат, а волосы его стягивала черная сеточка.

Плетнев достал из кармана цифровой фотоаппарат, навел объектив на балкон и нажал на кнопку зумма. Приблизив картинку, он щелкнул затвором фотоаппарата. Потом еще раз. Снимки получались не слишком качественными, и Плетнев досадливо хмыкнул.

Разговаривая, мужчина поглядывал вниз, на белую «бэху».

— Кажется, ты и есть наш собеседник, — прошелестел одними губами Плетнев. — И, похоже, тебе не очень-то хочется выходить из дома... Как я тебя понимаю, приятель. Ты только что принял душ, смазал бриолином волосы, тщательно их пригладил... Собрался растянуться в кресле с бокалом хорошего коньяка, закурить сигару... И вдруг звонит какая-то сумасшедшая и требует, чтобы ты вышел на улицу. Что поделаешь, жизнь полна неприятных сюрпризов... Постой-постой... А что это у тебя в другой руке?.. Ба, да ты у нас гурман.

Наконец мужчина что-то сердито проговорил в трубку и убрал ее в карман халата. Затем гневно посмотрел вниз, сделал какой-то знак рукой и, резко повернувшись, зашел в квартиру.

Вскоре белая «бэха» тронулась с места и резво покатила в сторону шоссе. Плетнев вцепился пальцами в руль и закусил губу. Ехать за ней или не ехать? Времени, чтобы позвонить Турецкому и спросить дальнейших инструкций, не было. Время текло, убегало сквозь пальцы. «Бэху» еще можно было догнать, но Плетнев остался на месте. Он принял решение.

...А вот теперь время тянулось медленно и томительно. Прошло еще минут сорок, прежде чем из подъезда дома вышел мужчина — Тот Самый Мужчина. На этот раз никакого халата на нем не было. Он был одет в дорогой пиджак довольно вольного покроя и голубые, как июньское небо, джинсы. Глаза мужчины скрывали солнцезащитные очки.

Плетнев снова достал фотоаппарат и, пока мужчина шел по двору, успел сделать несколько неплохих снимков. Мужчина тем временем прошел к черной «мазде», щелкнул по кнопке пульта-брелока и забрался в салон.

— По коням, — сказал себе Плетнев.

«Мазда» выехала со двора, а за ней и бежевая неприметная «восьмерка» Плетнева.

По городу они колесили недолго. Очень скоро «мазда» остановилась возле большого здания, похожего на горисполком или офис провинциального банка. Мужчина не спешил выбраться из машины. Он сидел пять минут, десять... А вместе с ним сидел и выжидал Плетнев, целиком захваченный азартом охотника.

Вскоре к машине подошел высокий солидный мужчина. И не просто солидный, а Очень Солидный. Сразу было видно, что кадр весьма и весьма авторитетный. По осанке, по походке, по манере небрежно и несколько презрительно подергивать подбородком.

Плетнев успел сделать несколько довольно четких его фотографий.

Очень Солидный Мужчина забрался в «мазду». Плетнев прижал к глазам бинокль.

Он видел — не очень отчетливо, но видел, — как они разговаривают. Оба спокойные и непрошибаемые и словно кичащиеся своей солидностью и своим мертвящим спокойствием. Плетнев вдруг подумал, что все самые страшные для человечества решения принимались, вероятно, с таким же вот мертвящим, солидным спокойствием. Разговор двух хозяев жизни, у которых все схвачено и которым совершенно нечего бояться.

«Вот тут вы ошибаетесь, ребята, — насмешливо подумал Плетнев. — Я сел вам на хвост. Теперь держитесь!»

У Антона и в самом деле было странное предчувствие, что он вышел на след крупной дичи. След отчетливый, не ошибешься и не перепутаешь. Он даже представил себе цепочку следов, ведущую по белому насту снега и уходящую в лес.

Мужчины тем временем продолжали разговаривать. Тот, что сидел за рулем, опустил окно и закурил. Второму это, по всей вероятности, не слишком понравилось. Он сделал короткое замечание — водитель кивнул и перестал курить. Теперь, по крайней мере, было ясно, кто в этом тандеме главный.

Беседовали они довольно долго, минут двадцать или около того. Затем Очень Солидный Мужчина выбрался из «мазды». «Мазда» тут же взяла с места и покатила в сторону центрального проспекта. И снова перед Плетневым встал выбор, и снова он решил положиться на интуицию. Очень ему хотелось узнать, что же это был за мужчина — такой солидный и такой красивый?

Проводив взглядом «мазду», Солидный не пошел обратно к зданию, он направился к другой машине. Тачка была что надо. Н-да... Везет же людям. Плетнев, например, о таком «мерине» и мечтать не мог.

Солидный подошел к белому «мерседесу», открыл дверцу, поискал что-то в бардачке, затем снова захлопнул дверцу, поставил машину на сигнализацию и только тогда направился к зданию.

На крыльце курили двое молодых людей. Из того, в какую звенящую струнку они вытянулись при приближении Солидного, Плетнев заключил, что это Ну Очень Большой Начальник. Такое ощущение, что они чуть сигареты не проглотили от подобострастного напряжения сил.

Мужчина же едва кивнул им. Когда за ним закрылась дверь, Плетнев достал из кармана мобильник. Пора было встретиться с Турецким и рассказать ему об этой веселой автомобильной эстафете.

4

Из дневника Турецкого

«Звонок Плетнева оказался весьма кстати. То есть у меня уже были определенные предположения на этот счет, однако звонок Антона окончательно прояснил ситуацию. По крайней мере, для меня.

Что и говорить, Плетнев работать умеет. Проявил, конечно, самоуправство. Надо было пожурить. Но результаты его работы не давали повода для упреков.

Доложив о результатах наблюдения, Антон скинул мне на мобильник несколько цифровых снимков, которые успел сделать.

«Ба! Знакомые всё лица!» — подумал я, разглядывая на экранчике дисплея лицо Очень Солидного Господина (так его шутливо обозвал Плетнев). Сердце у меня учащенно забилось. Ну прямо как у охотника, увидевшего свежие следы.

— Молодец, — похвалил я.

Плетнев, похоже, слегка удивился.

— Но ведь я нарушил инструкцию. Поплелся сперва за этим чертом в «мазде», потом отслеживал Солидного.

— И тем не менее ты молодец. Вот если бы чутье тебя обмануло и ты протаскался бы по городу понапрасну, вот тогда бы я тебя по головке не погладил.

— Известное дело, — подтвердил Плетнев.

— Опиши мне еще раз этих парней.

— Ну, первый среднего роста, довольно крепкий. Чувствуется, что может постоять за себя. Машину водит лихо, я пару раз чуть не потерял его. Да, и еще — он курил трубку.

— Трубку, — повторил я. Вероятно, голос мой прозвучал взволнованно, потому что Антон удивился.

— Ну да, трубку, — сказал он. — А что тут такого? Ее нынче многие курят. Говорят, вреда от нее меньше, чем от сигарет. Если, конечно, не затягиваться, а полоскать дым во рту. Я и сам иногда...

— Подожди, подожди, — оборвал я Плетнева. — Ты хорошо разглядел эту трубку?

— Ну да. Как если бы она была у меня в руке. Я же в бинокль на нее смотрел. Я вам и фотографию скинул, но там трубку плохо видно.

— У тебя и физиономию его толком не разобрать, не то что трубку.

— Я же не виноват, что он всюду таскался в своих идиотских темных очках.

— Ладно, замнем. Как выглядела эта трубка?

— А как должна выглядеть трубка? Мундштук, чашечка... Хотя, конечно, трубочка не совсем обычная.

У нее чашка рустированная. Но нынче это тоже входит в моду — типа красиво.

— Какого цвета чашка?

— Э-э-э... Черная, по-моему.

— Ай да Плетнев, ай да сукин сын! А теперь опиши мне второго — еще раз, тщательно.

— Ну, этот мужик видный. Солидный, изящный, дорого одетый. Ему бы Джеймса Бонда в кино играть. У меня на одном снимке есть и адрес здания, из которого он вышел. Продиктовать?

— Давай!

Плетнев продиктовал, и я почувствовал, что у меня вспотели ладони от волнения. Значит, это все-таки он. Ошибка исключена. Иногда чувствуешь себя немного странно, когда самые смелые из твоих предположений оказываются верными.

— Ты, случайно, номер «мерседеса» не запомнил?

— Обижаете, Александр Борисович. Я его не только запомнил, но и сфотографировал для верности.

Плетнев продиктовал номер, и мне пришлось переложить трубку в другую руку, чтобы вытереть об коленку потную ладонь. Черт, впечатлительный я стал, как девочка-нимфетка. От малейшего волнения в пот бросает.

— Вам этот номер о чем-то говорит? — деловито осведомился Плетнев.

— О многом, — ответил я. — Слушай, конспирация отменяется. Если будет что-то важное, звони, не стесняйся. Где будет удобнее, там и встретимся. Ты сейчас где?

— Пока здесь, возле здания. Куда мне дальше?

— Оставайся там. Следи за своим Солидным. Если что — звони. До связи.

— До связи.

Вот так-то. Поговорив с Плетневым, я с минуту соображал, что делать дальше. Что-то такое екало в голове, словно пластинку заело на одном месте. Что-то вертелось, но я никак не мог понять, что именно.

И вдруг меня осенило. Я включил ноутбук и раскрыл свой «любимый» файлик — «Дневник». Найти нужную запись не составило большого труда. Вот что я нашел и что прочел не без некоторого волнения:

«Тут я поднялся из-за столика и сказал:

— Рад был с вами пообщаться, Павел Иванович. Ведите себя смирно, не балуйтесь. Иначе мне придется заняться вами вплотную.

— Уж постараюсь, — ехидно ответил товарищ Гиря.

Я в очередной раз подивился тому, насколько красноречивой была рожа у этого Павла Ивановича. И в послужной список заглядывать не нужно, всё на лбу написано. Я уже собрался уходить, но Гиря вдруг сказал:

— Запомни одно, начальник, я в этой сваре участвовать не хочу. Так себе и запиши: эта свара не для меня.

Гиря говорил эти банальные слова с таким выражением, словно хотел сообщить мне какую-то тайну. Даже какой-то особый упор сделал на слове «свара». Или мне показалось? А потом ухмыльнулся, словно придумал невообразимо смешной каламбур.

Я пожал плечами и, напутствуемый этими мудрыми словами, потопал из ресторана, оставив господина Гирю наедине с бокалом пива».

Вот оно! Гиря и впрямь каламбурил. Но я оказался таким законченным дураком, что не понял. Я просто и допустить не мог, что кретин-уголовник способен на такие изящные шутки.

А ведь «свара», на которую несколько раз сделал упор Гиря, это Сваровский. Как говаривал Флинт, «лопни моя селезенка, если это не так»!

Теперь все сошлось. И «свара», и номер машины, и адрес офиса Сваровского, и этот человек с рустированной трубкой. Теперь я точно знал, по чьему приказу убили Гирю и Максима Воронова. Но в чем причина расправы? За что их было убивать? Что именно они узнали?

Максим Воронов сфотографировал то, что ему вовсе не полагалось видеть. Негативы он спрятал дома, но сперва, по всей вероятности, напечатал с них снимки — ну или отцифровал копию негативов. В наше время сделать дубликат негатива несложно. Допустим, отцифрованную копию он положил в ящик стола вместе с другими негативами. А вот оригинал припрятал в другое место. Слишком уж крупными были ставки в этой игре, и Воронов попытался свести риск к минимуму.

Пока Андрей Долгов катал красавчика жиголо по городу, Гиря ворвался в квартиру Воронова и достал из ящика все негативы, в том числе и пресловутый отцифрованный дубликат. У Гири имелось время, чтобы просмотреть конверты. Тем более что они были надписаны.

Гиря оказался не таким дураком, как о нем подумал Андрей Маратович. Он припрятал самый важный материал, а Долгову всучил все остальное. А потом принялся шантажировать Сваровского. За что и поплатился.

Но и Воронов продолжил свою игру, ведь оригиналы негатива остался у него. Бедный Сваровский. Его шантажировали сразу двое, можно сказать, взяли в клещи с двух сторон. Сваровский мужик хладнокровный и рисковый. Настоящее дитя девяностых годов. Он решил попросту избавиться от обоих шантажистов, но сделать это в лучших традициях голливудских детективов. В первом случае была инсценирована пьяная разборка, во втором — сердечный приступ.

Но что именно было изображено на пресловутом негативе?

Догадывался я и об этом. Да и имя непосредственного убийцы уже не было для меня тайной. Однако не будем опережать события.

Что я предпринял? Я решил ловить нашего врага на живца. Понимал ли я, насколько это рискованно? Да, понимал. Но я не видел другого выхода.

Для чего я все это пишу? Наверно, для психологической разрядки. (Прочитай эти строки Ирка, вот бы радовалась: ее наука оказалась сильнее моего невежественного упрямства.)»

5

— Ну? — Елизавета Петровна смотрела на Турецкого, не скрывая своей ненависти. — Что вы хотели мне сообщить? И при чем тут мой муж? И какого черта мы делаем в этой забегаловке для бичей? Нельзя было встретиться в ресторане получше?

— Со Сковородниковым вы встречались именно здесь, — сказал Турецкий. — И для нашего с вами разговора это место тоже вполне годится.

По лицу женщины пробежала как бы волна. Она побледнела и пристально уставилась на Александра

Борисовича. Потом усмехнулась и устало проговорила:

— Понимаю... Значит, вы знаете про Сковородникова.

— Знаю, — подтвердил Турецкий.

— И что еще вы знаете?

— Знаю, в каких отношениях вы со Сваровским. И про остальное тоже знаю.

Мохова сняла солнцезащитные очки и положила их на стол. Прямо взглянула на Турецкого.

— Тогда зачем эта встреча? — спросила она.

— Я хочу, чтобы вы все мне рассказали. Сами.

— Зачем вам это нужно?

— Это нужно не столько мне, сколько вам, — мягко сказал Александр Борисович. — Неужели вы не устали от всей этой мерзости?

И снова по лицу женщины пробежало что-то вроде волны, как от брошенного в воду камня.

— Устала, — тихо произнесла она и тяжело вздохнула. — Очень устала. Я простая женщина и не могу больше всего этого выносить. Вы хотите, чтобы я вам рассказала? Извольте. Наш роман со Сваровским начался полгода назад. Я влюбилась. Может быть, впервые в жизни. Думаю, что и он тоже. Сначала я полагала, что он просто хочет меня использовать. Но потом я поняла... душой почувствовала, что он не врет. Мы решили, что поженимся. Но уйти сейчас от Мохова я не могла.

— Из-за предстоящих выборов?

Елизавета Петровна кивнула:

— Да. Это могло помешать Сваровскому. Мы должны были таиться. Все пошло наперекосяк, когда я поняла, что не могу больше жить с Моховым. Не могу видеть его физиономию, слышать его голос, ложиться с ним в постель. Самое страшное — ложиться в постель. Еще больше меня разозлило, когда я узнала, что Президент поддержал Мохова. Мохов злопамятен и горд, он никогда не простит Сваровскому, что тот увел у него жену. Если он выиграет на выборах, он уничтожит Сваровского, и ему ничто уже не сможет помешать. — Женщина подняла на Александра Борисович пылающий взгляд и глухо проговорила: — И тогда я решила «свалить» Мохова. Уничтожить его. Не дать ему выиграть.

Турецкий едва заметно кивнул, но от комментариев и вопросов воздержался, чтобы не дать Елизавете Петровне потерять нить рассказа.

— Я ничего не говорила Сваровскому, — продолжила она после паузы. — Не хотела его расстраивать. Вместо этого я принялась обхаживать начальника техотдела, чтобы он добыл мне компромат на Мохова. Я хотела обвинить его в неуплате налогов или еще в чем-нибудь таком. Сковородников взломал личный архив моего мужа, но ничего важного добыть не смог.

— Подождите... — Турецкий нахмурил брови. — Но ведь эти статьи в Интернете, — они ваших рук дело?

— Статьи? — Елизавета Петровна усмехнулась и покачала головой. — Нет. Я понятия не имею о том, кто их написал и вывесил. У меня появился невидимый помощник. Кто он — я не знаю. Я хотела уничтожить мужа, но не смогла этого сделать. Или не успела. Вот и все.

— То есть... вам больше нечего мне рассказать? — удивился Александр Борисович.

Она пожала плечами:

— Я рассказала вам все, что знала.

— Сегодня вы встречались с Трубоч... то есть с Трегубовым. Это помощник Сваровского. Зачем?

— Трегубов выполняет для Сваровского самые конфиденциальные и рискованные поручения. Я хотела, чтобы он помог мне свалить мужа. Я больше не знала, к кому обратиться. Но он отказался. Я просила его ничего не рассказывать Сваровскому. Но, мне кажется, он расскажет. Если уже не рассказал.

Турецкий молчал, угрюмо глядя на свою собеседницу. Он рассчитывал, что Мохова расскажет ему гораздо больше, а выяснилось, что она ничего не знает. Ни про статьи в Интернете, ни про убийства Гирина и Воронова. Не знает или просто водит его за нос?

Александр Борисович пристально вгляделся в ее лицо. «Если и врет, то очень ловко», — подумал он.

— Полагаю, нам больше не о чем говорить? — сказала Елизавета Петровна. Она надела темные очки и взяла со стула сумочку. — Если я сделала что-то подсудное — арестуйте меня. Если нет... Я больше не хочу, чтобы вы появлялись в моей жизни. Никогда. Боюсь, что если я еще раз вас увижу, я выцарапаю вам глаза. А теперь — прощайте.

И она встала со стула.

6

— Это ведь вы вывешивали статьи. Больше некому.

Андрей Долгов долго смотрел на Турецкого своими узкими черными глазами. Потом медленно усмехнулся:

— Считайте, что вы меня раскусили. Да, эти статьи вывешивал я.

— А материал для них вам помогла добыть секретарь Татьяна, — продолжил Александр Борисович. — Так?

Долгов кивнул, качнул острым желтым подбородком:

— И здесь угадали. Я убедил ее, что не стану использовать эту информацию во вред Хозяину.

— И она вам поверила?

— Она знала, как я предан Хозяину.

— И, должно быть, сильно удивилась, когда узнала, как именно вы использовали информацию.

— Вовсе нет. Я сказал ей, что разоблачительные статьи в конечном счете помогут Виктору Олеговичу выиграть выборы. Видите ли, Александр Борисович, политика — слишком тонкая игра, чтобы в нее можно было играть грубо и прямо. Тут нужны обходные пути, оригинальные задумки. Фантазия, в конце концов!

— Подождите... Дайте сображу. Возможно, я слишком тупой, но не могу понять — как Мохову могли помочь эти ваши игры с Интернетом? Вы ведь подставили его, вырыли ему яму.

Долгов покачал головой:

— Вовсе нет. Вы не знаете наших избирателей. Это у вас, в Москве, компромат способен убить политика. А у нас самым страшным для кандидата является незапятнанная репутация. Народ не доверяет чистюлям и умникам. Он хочет знать, что кандидат — такой же человек, как и другие. Что он — «нашего круга», с таким же калашным рылом, как у нас, только обладает сноровкой, умом и хваткой. Что в жизни его было так же много грязи, как у каждого, а может, даже больше. Такому человеку народ будет доверять.

Турецкий смотрел на Долгова с сомнением.

— Не верите? — усмехнулся тот. — Я и сам сомневался, когда задумывал эту игру. Думал, не слишком ли она тонка для наших тупоголовых избирателей. Оказалось — нет. Стоило нам слегка подмочить репутацию Мохова, и его избирательный рейтинг вырос на два процента! Видимо, наш народ любит тех, кого обижают и притесняют. Это тенденция нашего времени.

— Я не верю вашим рейтингам, — сухо сказал Турецкий. — Вы же небось сами их и пишете?

— Не сам.

— Значит, их делает подконтрольная вам контора.

— Вы правы, рейтинговые исследования проводит наш фонд. Но это не мешает ему быть объективным.

— Чепуха. Вам сообщили то, что вы хотели услышать. Вы ни черта не понимаете в политике.

Лицо Долгова переменилось. Оно стало сухим, острым и неприязненным.

— Я не намерен обсуждать с вами тонкости своей политической игры, — резко сказал он. — В конце концов, это не ваше дело.

Александр Борисович усмехнулся и покачал головой:

— Ошибаетесь. Мое. Мохов вызвал меня из Москвы, чтобы я нашел того, кто забрасывает Интернет компрометирующими статьями. И я его нашел.

Глаза Долгова сузились еще больше.

— Ну, допустим... — прошипел он. — Допустим, вы меня нашли. И что вы намерены делать? Расскажете обо мне Хозяину?

— Расскажу. И сделаю это прямо сейчас. Я уже узнавал, Мохов у себя в кабинете.

Долгов уперся костяшками кулака в стол и завис над Турецким, подобно хищной, жилистой птице с острым клювом.

— Вы не сделаете этого, — сипло, едва сдерживая гнев, проклокотал он. — У Хозяина слабое сердце... Впрочем... — Долгов вдруг распрямился, и лицо его снова разгладилось. — Хозяин мужик умный, он поймет меня. А вас выкинет из города, как паршивого пса. Вы всем здесь уже изрядно надоели, Турецкий.

Александр Борисович встал с кресла, повернулся и, слегка прихрамывая, направился к выходу.

— Лучше оставьте все, как есть, — сказал ему вслед Долгов. — Если не хотите, чтобы все стало еще хуже.

7

По дороге к приемной Мохова Александр Борисович старался не думать о том, нужно открывать ему глаза на правду или нет. Возможно, кандидату лучше оставаться в счастливом неведении. Вдруг он придет в ярость, уйдет в запой, в конце концов, вызовет к себе Долгова и разобьет об его голову стул? Все может быть. Мохов, как все невротики, склонные к депрессии, абсолютно непредсказуем. Вероятно, эта непредсказуемость в сочетании с жестокостью и помогла ему пережить девяностые.

В конце концов Турецкий решил не забивать себе голову подобными вопросами. Его вызвали, чтобы он сделал работу, и он ее сделал. Отработал, так сказать, свои деньги. Честно отработал.

Войдя в приемную, он быстро осведомился:

— Мохов на месте?

— Хозяин вас ждет, — ответил Татьяна, не глядя Турецкому в глаза.

«Интересно, Долгов ей уже позвонил? Вряд ли. Этому кадру плевать на все, что происходит не с ним и не с Хозяином».

Александр Борисович прошел к двери кабинета, стукнул в нее для порядка и тут же открыл дверь.

Мохов сидел в вертящемся кресле, повернутом к окну. Сидел вполоборота, подперев подбородок большим пальцем и задумчиво глядя то ли в окно, то ли на пластиковую оконную раму.

— Здравствуйте, Виктор Олегович, — поприветствовал его Турецкий и, не спрашивая разрешения, прошел к дивану.

— А, Александр Борисович. — Мохов крутанулся вместе с креслом, положил руки на стол и внимательно посмотрел на Турецкого. — По телефону вы сказали, что у вас что-то важное? Надеюсь, это правда, потому что мне пришлось отложить действительно важное дело, чтобы поговорить с вами.

В лицо Турецкому пахнуло едва уловимым запахом джина. Видимо, Мохов уже успел приложиться перед встречей с сыщиком. Турецкий поморщился и сказал:

— Я нашел злоумышленника. Работа выполнена.

Мохов слегка приподнял бровь.

— Нашли? — недоверчиво переспросил он.

— Да, нашел. Вам интересно узнать, кто это?

Виктор Олегович чуть склонил голову набок.

— Разумеется.

— Это ваш помощник Андрей Долгов.

Последовала пауза, в течение которой с лицом Мохова происходили странные метаморфозы. Оно то бледнело, то краснело, щеки то расходились в стороны, то сжимались и покрывались узлами желваков. Наконец Виктор Олегович разомкнул плотно сжатые губы и глухо проговорил:

— Этого не может быть. Для чего это ему?

— Политика, — ответил Турецкий. — Вероятно, ваш помощник считает, что в политике дозволено все. Главное, чтобы это принесло пользу.

— На кого... — быстро сказал Мохов, но вдруг закашлялся. Прочистив горло и смахнув выступившие от напряжения на глазах слезы, он повторил: — На кого он работает? Кто ему меня заказал?

— Никто, — спокойно ответил Александр Борисович. — Долгов сделал это, чтобы сослужить вам службу. Он решил, что, слегка очернив вас в глазах избирателей, заставит их еще больше вас уважать. Теперь он утверждает, что с момента появления статей ваш рейтинг резко пополз в гору.

— Рейтинг? — Мохов с хрустом сжал пальцы в кулак, но тут же их разжал и рассеянно проговорил: — Но он... прав. Мой рейтинг действительно стал выше.

— В таком случае, Долгов сослужил вам хорошую службу. Я сделал свою работу и умываю руки. Думаю, что детали этой «операции» вам расскажет сам Долгов.

Александр Борисович встал.

— На этом мы, пожалуй, распрощаемся, — сказал Турецкий.

Он шагнул было к двери, но Мохов его окликнул:

— Постойте... Что бы вы сделали на моем месте, Александр Борисович?

Турецкий обернулся. Виктор Олегович по-прежнему сидел в кресле. Лицо его посерело, рот был мучительно искажен. Правую ладонь он прижал к груди.

— Вам плохо? — спросил Турецкий.

— Ничего, сейчас отпустит... Так что бы вы сделали на моем месте? — повторил свой вопрос Мохов.

— Выгнал бы Долгова к чертовой матери. И никогда больше не пускал на порог.

— Но ведь его трюк... помог.

— Сегодня помог. А завтра сведет вас в могилу. Долгов любит рисковать. В том числе и чужими жизнями. Вы хотите, чтобы в борьбе за победу ставкой была ваша жизнь? Если да, то можете и дальше наслаждаться обществом этого монстра. Всего доброго!

Александр Борисович снова двинулся к двери, но, когда он уже взялся за дверную ручку, позади него что-то тяжело рухнуло на пол. Когда Турецкий подбежал к распростертому на полу Виктору Олеговичу и приложил ему палец к шее, тот был уже мертв. На потном лице Мохова, как серая, влажная еще гипсовая маска, застыла гримаса боли.

* * *

— Вы... Вы... — Долгов трясся от злобы, сжав кулаки и пронзая Турецкого узкими черными глазами, на бесчувственной, словно полированной поверхности которых появился стальной блеск. — Вы его убили! — выговорил он наконец, делая шаг по направлению к Турецкому и слегка отводя назад правое плечо.

— Андрей! — резко сказала Татьяна и встала между ним и Турецким.

Удара не последовало. Правое плечо Долгова опустилось. Он рассеянно посмотрел на Татьяну, словно не узнавал ее.

— Какого черта ты лезешь? — холодно спросил он.

— Андрей, возьми себя в руки. — Татьяна старалась говорить спокойно. — Виктору Олеговичу уже не поможешь.

Долгов еще несколько секунд стоял, тяжело дыша и то сжимая, то разжимая кулаки, затем вдруг тяжело опустился на стул и отвел взгляд от лица Турецкого.

Тело Мохова увезли пять минут назад. Этому предшествовала долгая, утомительная суета, как обычно бывает в подобных случаях, и Александр Борисович чувствовал себя изможденным и опустошенным. Лицо его было суровым и неподвижным, глаза словно тоже остекленели.

— Это вы его убили, — повторил Долгов, ни на кого не глядя. — Вы, Турецкий.

— Мохов умер от инфаркта, — сказал Александр Борисович. — Но... если уж на то пошло, его убила ваша ложь, Долгов. Вы слишком много на себя взяли. Рискнули чужой жизнью и проиграли. Я обещаю вам, что не оставлю этого так. Вы ответите за все свои мерзости по полной программе.

— Вы... — На глазах Долгова выступили слезы. Он снова посмотрел на Турецкого. Бледные узкие губы слегка задрожали. — Да что вы можете знать? Как вам понять, что я чувствую!

— Я не хочу этого понимать, — устало сказал Александр Борисович. — Вы организовали травлю Мохова в Интернете. Не важно, какими целями вы при этом руководствовались. И повторяю вам, Долгов, вы за это ответите. Не сегодня, так завтра. Я доделаю свою работу до конца.

Турецкий вышел из приемной.

В коридоре он вынужден был прислониться к стене и с полминуты отдохнуть, чтобы прийти в себя. От пережитых волнений Александра Борисовича слегка мутило. Перед глазами стояло серое, потное лицо Мохова. Мертвое лицо. Александр Борисович мучительно поморщился, словно внутри у него что-то заболело, заныло.

— Ты не виноват, — тихо сказал себе Турецкий. — Ты просто делал свою работу... И нужно ее доделать. Чего бы это ни стоило.

Он отвалился от стены и устало побрел дальше. Перед глазами по-прежнему стояло лицо Мохова. А в ушах звенел голос Долгова: «Это вы его убили!»...

Коридор казался нескончаемо длинным, и в конце его не было никакого света. Одна только тьма.

8

— Алло, вы еще здесь? Соединяю...

Мелодия не успела отыграть и двух тактов, как Сваровский уже отозвался — спокойным и уверенным голосом:

— Слушаю вас.

— Здравствуйте, господин Сваровский!

— День добрый. С кем имею честь?

— Вы меня не знаете, поэтому представляться глупо. У меня есть кое-что, что может вас заинтересовать.

— Да ну? — Сваровский хмыкнул. — И что именно вы имеете мне предложить? Мраморные копи в Каменогорске?

— Нет, больше. Гораздо больше. И имею вам предложить вашу будущую карьеру на посту Президента Республики.

— Вот как?.. Позвольте узнать, уж не с Господом ли Богом я разговариваю?

— Для вас я почти Бог. У меня есть несколько занятных фотоснимков, которые я хотел бы вам показать.

Пауза. И вслед за тем:

— А с чего вы решили, что я заинтересуюсь какими-то снимками?

— Это не «какие-то» снимки. На них изображены вы в компании весьма интересной особы. Кстати, должен сделать комплимент вашей фигуре. Видно, что вы очень много времени проводите в спортзале. Да и в солярии тоже. А про вашу барышню я вообще молчу. Такой груди позавидовала бы любая фотомодель. Кстати, она настоящая или это силикон?

— Послушай меня, гаденыш...

— Тише, Сваровский, тише. Все, что вы хотите мне сказать, скажете при личной встрече.

— Никакой встречи не будет!

— Будет. Иначе вашей политической карьере придет конец. Спать с женой соперника — это как-то неспортивно. И даже гнусно, на мой взгляд. Я уже не говорю о том, что с вами сделает обманутый муж, когда узнает, в какое сложное время вы наставили ему рога. Да и женушку свою он не пожалеет. Убьет или покалечит, как пить дать.

Пауза, на этот раз более длинная. И наконец:

— Хорошо. Завтра или послезавтра я, возможно, найду время, и мы...

— Ну уж нет. Сегодня. Мы встретимся сегодня, или фотографии будут опубликованы в завтрашнем номере областной газеты. Мои друзья-журналисты с удовольствием уцепятся за этот материал. Особенно когда узнают, что из-за этого дерьма уже погибли два человека.

И снова пауза. Длинная, тягостная. Когда Сваровский снова заговорил, голос его слегка подрагивал:

— Не понимаю, о чем вы. Но если хотите встретиться — мы встретимся. Назначайте время и место.

— Через час. В ресторанчике «Яр». Это за городом, но место известное. Вас до него любой таксист за пару сотен довезет.

— Я буду на своей машине.

— Нет, вы приедете на такси. Один. Так мне будет спокойней. Я не хочу закончить, как Воронов. И помните: я принял меры предосторожности. Если со мной что-нибудь случится, вам тоже несдобровать.

— Это угроза?

— А на что, черт побери, это похоже?! Деньги возьмете с собой. Сорок тысяч долларов.

— Сорок тысяч! Вы что, хотите меня разорить?

— Если бы я хотел вас разорить, я бы потребовал пятьдесят. А я прошу всего сорок. Это немного. Деньги привезете в компактной сумке. Все, конец разговора. Через час жду вас в кабаке. Привет!

Плетнев положил трубку на рычаг и вышел из телефонной будки.

* * *

Человек среднего роста в темных очках и с тонкой полоской усов над верхней, твердо очерченной губой неторопливо приближался к столику. Остановившись перед ним, он посмотрел на Плетнева и спросил:

— Это вы ждете Сваровского?

— А ваша фамилия Сваровский? — холодно осведомился Плетнев.

Мужчина покачал головой:

— Нет.

— Тогда какого черта вам от меня надо?

— Я от Сваровского, — сказал мужчина и сел за столик.

Небольшой кожаный чемоданчик он поставил на соседний стул.

Плетнев смотрел на него исподлобья, неприязненно и даже презрительно.

— Сваровский уполномочил меня провести с вами переговоры, — сказал мужчина. — Я — его доверенное лицо.

— Он должен был принести деньги. Они при вас?

Мужчина кивнул:

— Да. В этом портфеле сорок тысяч долларов. И я намерен отдать их вам в обмен на товар, который вы принесли. Товар при вас?

Плетнев достал из кармана конверт из плотной бумаги и показал его мужчине.

— Могу я взглянуть? — спросил он.

Плетнев отрицательно покачал головой.

— Хорошо, — сказал незнакомец. — Но я должен вас обыскать.

Брови Плетнева удивленно взлетели вверх.

— Обыска-ать? — насмешливо протянул он. — И зачем это?

— А вдруг вы принесли с собой диктофон? — вежливо улыбнулся в ответ мужчина. — Я не хочу, чтобы имя моего босса фигурировало где-нибудь.

— И как вы намерены это сделать? На нас ведь будут пялиться.

— Ничего. Доверьте это мне. Все, что мне нужно, это сесть рядом с вами. Вы позволите?

Не дожидаясь ответа, мужчина пересел на стул рядом с Плетневым и, сохраняя на лице вежливую, слегка отстраненную улыбку, принялся быстро и ловко ощупывать рукой его одежду. Вельветовый пиджак, рубашку, ремень, брюки. Затем наклонился и так же бегло прошелся пальцами по ботинкам. Наконец он выпрямился и сказал:

— Видите, а вы боялись. Все чисто. Теперь я могу вернуться на свое место.

Мужчина снова пересел.

— Ну, — сказал он. — Теперь самое время взглянуть на негативы.

Плетнев откинулся на спинку стула, сложил руки на груди и медленно произнес:

— Я не отдам вам негативы, пока не увижу Сваровского.

Мужчина, похоже, не ожидал такого поворота.

— Это глупо, — резко проговорил он. — Зачем вам его видеть?

— Хочу посмотреть ему в глаза, — ответил Плетнев. — Должен заметить, что у меня мало времени. Если через пятьдесят минут Сваровский не будет сидеть за этим столом, я не продам негативы, а отвезу их в областную газету, своему другу главному редактору. Уверен, он будет рад такому подарку.

На лице незнакомца отобразилась напряженная внутренняя борьба. Но, видимо, твердый тон Плетнева убедил его.

— Я должен это обсудить, — сказал он.

Плетнев пожал плечами:

— Пожалуйста. На все про все у вас есть еще пятьдесят... пардон, сорок девять минут. Я своего решения не переменю. А дальше поступайте как знаете.

Не сводя с Плетнева пристального взгляда, мужчина достал из кармана телефон, нажал на кнопку вызова и приложил его к уху.

— Это я, — сказал он в трубку. — У нас тут небольшие проблемы. Наш друг хочет вести дело только с вами и дает вам пятьдесят минут на то, чтобы вы добрались до «Яра». В противном случае он намерен передать негативы в газету... Нет, он не передумает... Хорошо.

Мужчина сложил телефон и убрал его в карман.

— Сваровский выехал, — сообщил он.

С полминуты они сидели в молчании. Незнакомец продолжал разглядывать Плетнева. Потом он достал из кармана трубку и табак. Неторопливо набивая трубку, он сказал:

— Мне не нравится ваш настрой. Вы ведете себя не как деловой человек.

— Я не любил Воронова. Но он был моим компаньоном. Это вы убили его?

— Может быть. А может быть, и нет. Закажите себе что-нибудь, чтобы скрасить минуты ожидания.

Плетнев послушался совета, подозвал официанта и заказал пива.

На протяжении дальнейших двадцати минут ни Плетнев, ни Трубочник не произнесли ни слова. Наконец дверь ресторанчика открылась, и в зал вошел Сваровский. Он был высок, красив и изящен, как голливудский киноактер. В интерьере дешевого загородного ресторанчика он смотрелся диковато.

Усевшись за столик, Сваровский с легким оттенком презрения взглянул на Плетнева и небрежно произнес:

— Я приехал. Давайте побыстрее совершим сделку.

Плетнев покачал головой:

— Нет.

— Что значит нет? — раздраженно спросил Сваровский.

— Я отдам вам негативы, но сначала я хочу услышать от вас ответ на один вопрос.

— Всего один? — Сваровский усмехнулся. — Что ж, валяйте.

Плетнев сдвинул брови и хмуро произнес:

— Максим Воронов отдал вам негативы. За что вы его убили?

Лицо Сваровского вытянулось. Он посмотрел на невозмутимого Трубочника, снова на Плетнева, сглотнул слюну и сказал:

— Не понимаю, о чем вы.

— Прекрасно понимаете, — сказал Плетнев. — Не бойтесь, у меня нет диктофона — ваш холуй меня уже обыскал.

Сваровский снова посмотрел на Трубочника, тот кивнул. Сваровский достал из кармана шелковый платок и промокнул лоб.

— Послушайте, как вас там... — раздраженно проговорил он. — Давайте решим вопрос по-деловому. У вас есть товар, у меня — деньги. Ничто не мешает нам совершить обмен.

— Повторяю: я отдам вам негативы, но я хочу знать, что меня не постигнет судьба Воронова, — упрямо сказал Плетнев. — За что вы его убили? Он ведь отдал вам негативы.

— В вашем вопросе уже заключается ответ, — сказал Сваровский. — Вы пришли продать мне негативы, значит, Воронов отдал мне не все.

— И ваш громила убил его, — продолжал давить Плетнев.

— Ему пришлось это сделать. Это все, что я могу вам сказать, — с еще большим раздражением произнес Сваровский. — У меня на сегодня запланировано еще несколько встреч. Давайте поскорее покончим с нашим делом.

Плетнев усмехнулся:

— Знаете... Пожалуй, я слегка поспешил. Я должен еще подумать.

— Что-о? — протянул Сваровский. — О чем подумать?

— Возможно, я назначу вам другую цену. И потом, я должен тщательнее позаботиться о своей безопасности. В любом случае, сейчас мне нужно в туалет.

Плетнев встал из-за стола.

— Вы что, издеваетесь? — вспылил Сваровский. — Давайте сначала совершим сделку, а потом можете убираться ко всем чертям.

Плетнев улыбнулся Сваровскому в лицо и медленно и четко проговорил:

— Нет. Сначала я схожу в туалет. Я ждал вас слишком долго, теперь вы подождете меня.

Он сунул в карман конверт, который все еще держал в руке, и неторопливо зашагал к туалету.

Дождавшись, пока Плетнев скроется в туалете, Трубочник посмотрел на Сваровского. Тот кивнул. Трубочник положил дымящуюся трубку на стол и поднялся со стула.

— Только не до смерти, — сказал ему Сваровский. — И чтобы никаких улик.

— Сделаю.

— Подожди! Дождись, пока я уйду.

Сваровский встал со стула и быстро направился к выходу. Трубочник взял со стола трубку, выбил ее об ладонь, положил ее в карман. Затем взял кожаный чемоданчик и пошел к туалету.

В туалете было две кабинки. Одна оказалась свободна. Трубочник направился ко второй. Не дойдя до нее одного шага, он остановился и вдруг резко и коротко ударил ногой по двери, рядом с замком. Замок хрустнул, и дверь приоткрылась. В то же мгновение Трубочник ворвался в кабинку. Это все, что он успел сделать, потому что в следующую секунду мощный удар кулаком в челюсть сбил его с ног, а второй удар накрепко припечатал к полу.

— Вот так, — сказал Плетнев, потирая ушибленный кулак. — Это тебе не с сопляками и альфонсами воевать.

Тут же в кабинку вошел еще один человек. Это был Турецкий. Он достал из кармана диктофон и присел рядом с Трубочником.

— Вы меня слышите, Трегубов? — резко спросил Александр Борисович.

— Да... — с трудом проговорил Трубочник, ошалело потряхивая головой. Удар у Плетнева был нокаутирующим. — Я вас... слышу...

— Ваш разговор записан на диктофон.

Турецкий нажал на кнопку воспроизведения, и негромкие, но усиленные динамиками голоса наполнили кабинку.

«— За что вы его убили? Он ведь отдал вам негативы.

— В вашем вопросе уже заключается ответ. Вы пришли продать мне негативы, значит, Воронов отдал мне не все.

— И ваш громила убил его?

— Ему пришлось это сделать».

Турецкий остановил запись.

— Ваш шеф сдал вас с потрохами, — сказал он Трубочнику.

— Но ведь я... обыскал его, — простонал тот.

Плетнев, наблюдающий за этой сценой сверху вниз, усмехнулся и проговорил:

— Идиот ты, Трегубов. Диктофон был приклеен скотчем к изнанке столешницы. Такой большой и простых вещей не знаешь. Сваровский тебя сдал.

— И это еще не все, — холодно сказал Александр Борисович. — Мы нашли свидетелей, которые видели вас с Вороновым в ресторане. Кроме того, у меня есть заключение экспертов по поводу трубочного табака, который вы курите и частицы которого были найдены на местах ваших преступлений. Плюс сегодняшний ваш бенефис. Этого хватит, чтобы впаять вам пожизненное без права на амнистию, — поверьте мне как следователю Генпрокуратуры.

— Но я... — Голос Трубочника прервался, и ему пришлось собрать всю волю, чтобы закончить фразу: — Я не хочу в тюрьму.

— Никто не хочет, — сказал ему Плетнев. — Но ты пойдешь в любом случае. Хотя... если сдашь Сваровского, как он сдал тебя, может, скостят малось. Решать тебе. Ты ведь не сам решил их убить, тебе-то они ничего плохого не сделали?

— Да... — мучительно простонал Трубочник. — Я не убийца... Я всего лишь исполнитель... Приказывал Сваровский, а я... — Затылок Трубочника снова опустился на кафельный пол, он весь как-то обмяк и договорил безвольным голосом: — Я все вам расскажу.

ЭПИЛОГ

Из дневника Турецкого

«Ну вот и все. Дело можно считать законченным. И чего я добился? Мохов мертв. В лице Долгова я приобрел себе врага на всю оставшуюся жизнь. Кто знает, как далеко он шагнет лет через пять — семь? Но, думаю, что не шагнет. Не позволю. И далеко не убежит — по крайней мере, пока действует подписка о невыезде. Сейчас он проходит по этому делу как свидетель. Но дела нужно доделывать до конца, и я усажу этого мерзавца на скамью подсудимых.

Сваровский сидит в камере, но адвокаты хлопочут о его выходе под залог. Получит ли он обвинительный приговор?.. Вопрос. Трегубов уже отказался от своих показаний. Заявил, что дал их под пыткой, и зафиксировал «побои», которые так непредусмотрительно оставил на его физиономии Плетнев. Но еще не вечер. Я крепко взял их за жабры. Никуда теперь не уплывут... И не с такими акулами справлялся.

Благодаря этому делу бюджет «Глории» здорово пополнился. Мой — тоже. Но на душе, прямо скажем, паршиво.

Хемингуэй как-то сказал: «Мир — поганое место, но за него стоит побороться». Стоит ли? Не знаю, не уверен... Как не уверен и в том, что продолжу вести этот дневник. Признаться, вся эта писанина порядком мне осточертела. Поэтому я с удовольствием сделаю то, что давно уже хотел сделать, — напечатаю одно-единственное слово, и слово это будет:

КОНЕЦ».

ОГЛАВЛЕНИЕ

Литературно-художественное издание

Незнанский Фридрих Евсеевич

**КТО БУДЕТ ПРЕЗИДЕНТОМ,
ИЛИ ДОСТОЙНЫЙ ПРЕЕМНИК**

Редактор *В.Е. Вучетич*
Художественный редактор *О.Н. Адаскина*
Компьютерная верстка *С.Б. Клещев*
Корректор *Р.В. Бардина*

Общероссийский классификатор продукции
ОК-005-93, том 2; 953000 — книги, брошюры

Подписано в печать с готовых диапозитивов заказчика 21.01.2008.
Формат 84×108¹/₃₂. Бумага газетная. Печать офсетная.
Усл. печ. л. 18,48. Тираж 10 100 экз. Заказ 476.

Санитарно-эпидемиологическое заключение
№ 77.99.60.953.Д.007027.06.07 от 20.06.2007 г.

ООО «Издательство АСТ»

141100, РФ, Московская обл., г. Щелково, ул. Заречная, д. 96
Наши электронные адреса:
WWW.AST.RU E-mail: astpub@aha.ru

ООО «ИД «Русь»-«Олимп»

117419, Москва, ул. Орджоникидзе, д. 3, под. 2
www.rus-olimp.ru
E-mail: olimpus@dol.ru

Издано при участии ООО «Харвест». Лицензия № 02330/0056935 от 30.04.2004.
Республика Беларусь, 220013, Минск, ул. Кульман, д. 1, корп. 3, эт. 4, к. 42.
E-mail редакции: harvest@anitex.by

Республиканское унитарное предприятие
«Издательство «Белорусский Дом печати».
Республика Беларусь, 220013, Минск, пр. Независимости, 79.

Незнанский, Ф.Е.

Н44   Кто будет президентом, или Достойный преемник : [роман] / Фридрих Незнанский. — М.: АСТ: Олимп, 2008. — 346, [6] с. — (Из дневника Турецкого).

ISBN 978-5-17-045523-2 (ООО «Издательство АСТ»)
ISBN 978-5-9648-0156-6 (ООО «ИД «Русь»-«Олимп»)

В Интернете появляются статьи, порочащие имя кандидата в президенты одной из российских республик Виктора Мохова. Одновременно Мохов получает по почте конверт с компрометирующими его фотографиями. Кандидат обращается за помощью в агентство «Глория».

Приехавший в город Александр Борисович Турецкий становится свидетелем и участником таинственных и страшных событий. Люди, с которыми он встречается, гибнут при странных обстоятельствах. Смертельная опасность угрожает и самому Турецкому, но он твердо намерен довести дело до конца. Бывший важняк идет «напролом», не слишком заботясь о последствиях...

УДК 821.161.1-312.4
ББК 84(2Рос=Рус)6-44

ISBN 978-985-16-4609-4 (ООО «Харвест»)

Лошади.
Конскія породы

Издательский дом «Русь»-«Олимп» представляет репринтное подарочное издание «Лошади. Конскія породы», которое выходит в рамках проекта «Салон изящных искусств».

«Лошади. Конскія породы» — раритетная книга. Она была издана в 1895 году в Париже. На тот момент это было наиболее полное издание о лошадях: история русского коннозаводства до конца XIX в., подробное описание диких и заводских лошадей, русских пород и лошадей Западной Европы, Америки и Австралии.

Авторы книги — Корреспондент-Делегат Государственного Коннозаводства доктор Леонид Симонов и Директор Канцелярии Главного Управления Государственного Коннозаводства Иван Мердер. В издании 70 черно-белых и 32 цветные фотогравюры с детальными «лошадиными портретами», в т.ч. работы Н. Самокиша — одного из лучших художников знаменитого ювелирного дома Фаберже, кото-

рый после революции был награжден Государственной премией СССР.

Красочное репринтное издание хранит особое очарование времени: дизайн книги выдержан в стиле эпохи, оригинал текста представлен на бумаге цвета слоновой кости.

ООО Издательский дом «Русь»-«Олимп»
Москва, ул. Орджоникидзе, д. 3, подъезд 2
115191, г. Москва, а/я 98
Тел/факс: +(495) 981-60-23, 981-60-24
www.rus-olimp.ru olimpus@dol.ru